建筑安装工程施工监理实务

主　编　李铁群　魏政社　吕少峰
副主编　张文涛　董　继　孙伟民　秦建军
参　编　张大荣　王　茜　何红霞　杜宇新
　　　　荆　涛　冯新亚　李红英

黄河水利出版社

·郑州·

图书在版编目(CIP)数据

建筑安装工程施工监理实务/李铁群,魏政社,吕少峰
主编.—郑州:黄河水利出版社,2000.10(2002.3重印)
ISBN 7-80621-454-2

Ⅰ.建… Ⅱ.①李…②魏…③吕… Ⅲ.①建筑-安
装-工程施工-施工监督②建筑-安装-工程施工-质
量控制 Ⅳ.TU712

中国版本图书馆 CIP 数据核字(2000)第 56932 号

责任编辑:王路平 　　　　　　　封面设计:谢　萍
责任校对:赵宏伟 　　　　　　　责任印制:常红昕

出版发行:黄河水利出版社
　　　地址:河南省郑州市金水路 11 号　邮编:450003
　　　发行部电话及传真:(0371)6022620
　　　E-mail:yrcp@public2.zz.ha.cn
印　　刷:黄河水利委员会印刷厂
开　　本:850mm×1 168mm　1/32　　印　张:10.5
版　　次:2000 年 10 月　第 1 版　　印　数:2 001—4 000
印　　次:2002 年 3 月　郑州第 2 次印刷　字　数:260 千字

定　价:30.00 元

前　言

　　随着我国社会主义市场经济的不断发展和改革开放进程的加快,工程建设监理制度得到逐步推广和普及,监理队伍也不断发展壮大。同时,随着近几年引进外资项目的增加,使我国建筑工程的管理工作逐步与国际惯例接轨,培养了一大批执行 FIDIC 合同条件的工程监理人员。作者多年从事世界银行贷款项目,参加了多次实行 FIDIC 条款管理的高速公路及沿线房屋建设的监理工作,不断总结和广泛收集了房建监理的工作经验。书中对监理、监理制度、FIDIC 条款的产生及发展、监理的工作内容、房建工程的质量控制和质量鉴定进行了论述,对工程中易出现的质量问题,提出了预控措施和补救办法,具有很强的实用性和可操作性,有助于工程技术人员和监理工程师借鉴,提高实际运作能力。

　　本书第一部分由张文涛、李红英等编写,第二部分第一、二、三章由魏政社编写,第四章由董继、王茜等编写,第五章由孙伟民等编写,第六、七章由李铁群编写,第八章由秦建军、何红霞等编写,第九、十章由吕少峰编写。全书由李铁群、魏政社、吕少峰统稿。

　　在此,对促成本书编写及提供帮助的友好人士表示衷心的感谢。另外,由于作者编写水平有限,时间紧迫,错误与疏漏在所难免,恳请广大读者批评指正。

编　者

2000 年 8 月

目 录

第一部分 工程建设监理概论

第二部分 房建工程质量监理

第一部分 工程建设监理概论

随着我国社会主义市场经济发展和改革开放的不断深入,建设监理制度也在逐步与国际接轨。本书第一部分共分两章来介绍监理、监理制度、FIDIC 合同条款的产生及发展,FIDIC 合同条款管理模式下监理的工作内容,以及我国现行房建工程的质量评定办法和标准。

第一章 工程建设监理的发展

第一节 工程项目管理与建设监理

一、项目管理

建设工程项目管理的历史也只有 40 年左右,至今没有一个统一的权威性定义。工程建设的参与各方,包括业主(建设单位,俗称甲方)、承包商(施工单位,俗称乙方)及其他机构所进行的项目组织管理,都使用这个名词,这就造成了意义上的混乱。

(一)工程项目管理的方式、方法及演变过程

工程项目管理的主要方式、工程项目组织模式及俗称的合同管理制度,主要是指工程项目建设的组织结构、合同方式和工作制度,主要是由以下四种模式演变而成的。

1. 传统的建筑师/工程师(A/E)合同方式

这种由业主、建筑师和承包商三者以对立关系管理工程的方

式,最早出现在 18 世纪的英国,后来在世界范围内产生过巨大的影响。其工作关系见图 1-1。

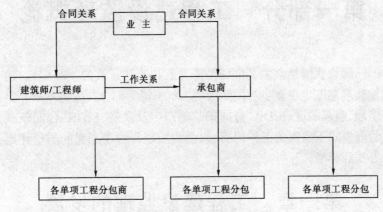

图 1-1 A/E 合同方式工作关系图

这种管理方式虽然由建筑师/工程师对工程施工进行管理,但对工程的工期和投资效益方面的管理是不够的,于是经过改善和变革,就出现了专门从事项目管理的咨询机构——工程项目经理,其代表为美国式的以成本管理为管理技术支柱的 CM(Construction Management)方式。

2.设计—工程经理合同方式(D/CM)

此合同方式类似于上述 A/E 合同方式,但在 A/E 合同方式基础上已有很大进步。设计—工程经理可以是具有工程管理能力的建筑师/工程师。设计—工程经理可以在项目的规划、设计及整个施工阶段对业主全面负责,满足业主要求。其工作方法见图 1-2。

3.专职工程经理(Proffessional Construction Management——PCM)合同方式

这种管理方式中专职工程经理的功能与 A/E 方式中工程经理的功能并无不同,但责任与合同形式有显著不同,它的一个重要特征是工程经理是一个独立的组织,而不是单一的个人。这种项

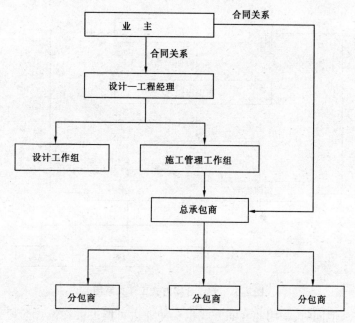

图 1-2 D/CM 合同方式工作关系图

目组织形式下的工程经理相当于我国的建设监理单位,因此它和我国的工程建设监理方式的基本特征是相同的,它为我国的监理理论与实践提供了借鉴,其工作方法见图1-3。

4.设计—施工(D/B)合同方式

设计—施工合同方式的主要特点是业主只与一个单一的公司签订协议,由该公司以自己的力量统一组织项目的所有规划、设计和施工任务。它的优点在于:

(1)业主可以避免承包商对业主就设计图纸和说明的错误进行索赔。

(2)对项目的每一个独立部分的设计完成以后就可以进行这部分施工,而无需等待全部设计完成才进行施工,为业主节约了施工时间,从而提高效益。

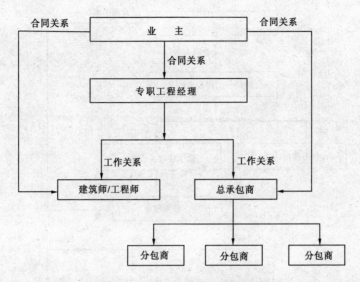

图 1-3 PCM 合同方式工作关系图

但同时,采用此合同方式也会使业主可能失去在设计阶段通过全面仔细的规划而获得投资节约和成本节约,这也是它的主要缺点,其工作方法见图 1-4。

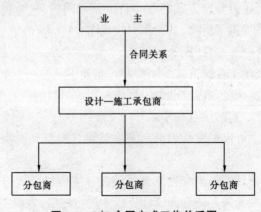

图 1-4 D/B 合同方式工作关系图

(二)建设监理的形成

随着工程建设管理的实践和发展,在西方一些国家中,业主委托专门的独立公司,代替其行使项目管理或部分项目管理。这些专门的独立公司接受业主的委托,对某一建设工程项目进行咨询和管理,经过一段时间的运行,逐渐形成了具有一定规范、可操作性较强的建设监理制度。

二、建设监理

(一)目前我国建设项目的主要组织形式

1. 建设单位自营方式一

其主要特点是建设单位自行设计或委托设计,自己组织施工力量,自己采购施工机械、原材料,自己组织施工。

2. 建设单位自营方式二

是指建设单位通过招标方式确定施工单位,与其签订施工承包合同,施工单位负责项目施工阶段的施工,建设单位负责施工监理工作。

3. 工程指挥部方式

工程指挥部主要指对一些牵涉面广、任务重的工程,由建设单位、设计单位、施工单位、项目主管单位和地方政府派员组成。由指挥部负责的项目建设方式,是我国目前在一些重点工程中通常采用的方式。

4. 工程总承包(设计—施工一体化)方式

工程承包公司受建设单位委托,对项目进行可行性研究、勘察设计、工程造价咨询、工程施工,直至竣工,实行全方位承包,并负责对各项分包任务进行监督和协调。

5. 工程建设监理方式

工程建设监理方式是 20 世纪 80 年代初从国外传来的一种较为科学先进的管理组织形式,也是我国目前正大力推广、强制施行于各项工程(包括铁路、公路、水利、建筑等)建设中的管理形式。其工作方法见图1-5。

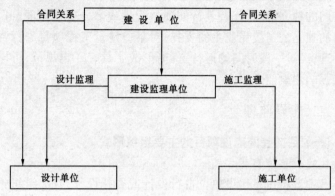

图1-5　工程建设监理方式工作方法

(二)政府监理与社会监理

1.政府建设监理

政府对各项建设进行监督管理,这是政府的职能和建设本身的特点所决定的。政府不但对工程建设的可行性、最终质量、交工时间、价格及经济和社会效益进行监督管理,还要对参与建设各方及其在建设过程中的行为进行监理。

政府建设监理的性质主要有:强制性与法制性、全面性、宏观性。

政府建设监理的职能包括:

(1)对建设行为实施的监理;

(2)对社会监理单位实行的监督管理。

根据中央与地方部门的统管与分管关系和职能分工,各级政府监理机构的具体任务和职能又细分如下:①建设部建设监理;②各省(自治区、直辖市)建设行政主管部门建设监理;③国务院有关专业部建设监理。上述三种政府建设监理又有各自的具体任务和职责分工。

2.社会监理

社会监理是由独立的专业化社会监理单位,受建设单位委托对工程建设过程实施的一种项目管理。它的监理内容可根据委托者的需要而定,其特点有:

(1)它既可以包括建设的全过程,也可以只对其中某些部分进行监理。

(2)委托者既可以委托一个监理单位,也可以委托多个监理单位分别承担一个建设项目的不同建设阶段或不同工程区域的监理任务。

(3)社会监理单位可以只接受一个工程项目的委托,也可以同时接受多个工程项目的监理任务。

目前,我国的社会监理类似于西方国家的工程咨询公司。一经接受业主的委托,即以合同约定方式与业主签订工程监理委托合同,明确规定监理的范围、双方的权利和义务以及报酬等,它具有以下特点:服务性、公正性、独立性、科学性。

社会监理的主要任务可概括为三大目标控制和合同管理四项任务。三大控制为投资控制、进度控制、质量控制。

第二节 建设监理的发展与 FIDIC 的产生

一、建设监理的发展

(一)监理与建设监理

1.监理

监理一词可以解释为一个机构和执行者,依据某一项准则,对某一行为的有关主体进行监督、检查、评价,并采取组织、协调、疏导等方式,促使人们相互密切协作,按行为准则办事,顺利实现群体或个体的价值,更好地达到预期目的。

2.建设监理

建设监理是指对建设活动进行监理,即监理的执行者依据有关法规和技术标准,综合运用法律、经济、技术手段,对工程建设各方参与者的行为与责权利,进行必要的约束和协调,杜绝随意性和盲目性,确保建设行为的合法性、科学性、经济性,使工程建设取得最大的经济效益和社会效益。

监理的执行者就包括了上文所述的政府建设监理和社会建设监理。

(二)建设监理的产生和发展

建设监理的产生和发展,与社会建设领域不断的社会化大生产的发展及专业分工相伴随,它是日益发展的社会商品经济的结果和产物。

1.产生

约在 16 世纪,随着建筑业在欧洲各国的兴起和发展,在总营造师(当时对建筑设计师的称谓)中形成了一部分搞设计、一部分搞施工,即建筑业的第一次分工,这种分工造成了业主对建设监理的需求。

2.发展

从 18 世纪 60 年代开始,首先从美国兴起的产业革命传进欧洲后,大大促进了欧洲各国城市化和工业化的发展,城市的发展促进了建筑业的繁荣。业主和建筑业者为建筑速度和经济效益的提高,形成了建筑业的第二次分工,即设计、施工,业主均以独立的姿态出现在建筑市场上。为明确三方的责任界限,19 世纪 30 年代,首先从美国推出了招投标交易方式。

随着科学技术的日益发展,各种先进的技术也不断运用于建筑业,如采暖、通风、隔音、垂直运输、空调等,这就使设计者细分为建筑、结构、设备、暖通、给排水等各种专业。于是施工队伍也日趋专业化。总承包商将各施工任务转包给各专业分包商,这种状况一直持续到 20 世纪 50 年代。

但随着人类科学技术的发展和社会的进步,由于这种传统经营方式的局限性,造成了在成本控制方面、工程施工管理方面的缺陷,使施工企业的经营风险加大,也影响了业主的经济效益,造成了投资者的利益损失。

投资者和业主从本身利益出发,意识到必须加强对工程项目的监督与协调,但他们本身又无能为力,于是他们便求助于咨询,这就促使专门的咨询服务业的兴起,从而形成了监理行业的形成和壮大。

二、FIDIC 条款的形成

(一)监理制的推广

监理行业的形成和发展,使业主得到了极大的好处:

(1)监理工程师的参与,使业主力不从心的局面得到扭转,监理使工程在设计、招投标、施工各环节环环相扣,大大缩短了工期。

(2)监理工程师以雄厚的技术力量参与项目管理,把住了设计和施工关,使投资、质量、进度得到了有效控制。

工程规模的扩大和复杂化,促进了监理制度的发展,一个建设项目从一个大系统,又分化派生出许多子系统或细小的系统,使投资、质量、进度等目标控制变得困难。如果没有实力雄厚的智力密集性企业为业主管理,业主很难担任起这一重任。

首先还是从经济活动十分发达的欧美国家开始,在政府投资兴建的工程项目中实行监理制,有力地促进了监理制度的发展,从而推动到私人投资的工程也实行监理制。

监理制度现在已从欧美发达国家逐步推行到各发展中国家,这充分说明了监理制的可推动性和强大生命力,但监理制在发展过程中也产生了以英国和美国为不同代表的发展模式。

1. 英国 QS(Quantity Survefing)制,即测量师制

QS 制即测量师制,是在英国和英联邦国家兴起的,QS 最早帮业主验方,对工程量进行测量,后来发展到帮业主编制标底、协助工程招标工作,再发展到帮业主进行合同管理,直至最终发展到为业主进行投资、工程进度和工程质量方面的控制,从中不难看出,QS 实质上干的就是监理工作。

QS 的国际性组织是"英国皇家特许测量师学会"(RICS),其地方性组织为各英联邦国家的测量师学(协)会。QS 对人员审核是相当严格的,通过一系列的学习及工程实践(该工程必须是 RICS 认可的)及严格的考试,才能获得 RICS 所颁发的执行证书,这一过程通常需要 10 年左右。QS 人员可以在 QS 咨询事务所、政府部门,也可以在建设单位供职,QS 为业主提供全套服务,包括投资概算咨询、投资规划和价值分析、合同管理、编制招投标文件,在施工中负责对设计变更引起的合同价修正、投资控制、竣工决算、付款审核等工作。

2. 美国式 CM(Construction Management)制,即建筑工程管理制

CM 制是从美国兴起的,它的创始人是汤姆森等人,全称 Fast－Track－Construction Management,即快速途径的建筑工程管理,简称 CM。快速 CM 实际上是边设计边施工模式,它是一种设计、管理联合体。CM 公司提供各种服务,包括:进度控制、预算概算、质量和投资的优化、材料和劳动力的费用估价、项目财务系统、决算签字、对投资进度施加影响等。

在 CM 的基础上,20 世纪 50 年代末至 60 年代初,从美国、德国、法国等又兴起了 PM(Project Management)即项目管理。PM 组织向业主、设计、施工单位提供项目组织协调、费用控制、进度控制、质量控制、合同管理、信息管理等服务,这就是今天我们大力推行的监理制的雏形。

(二)FIDIC(菲迪克)条款的形成及发展

1.合同文本类型

在世界经济发展的领域中,无论是采用英制的 QS 制还是美制的 PM 制,其合同文体无非以下两种类型:

(1)合同范本(Standard Forms Of Contract)或称之为标准化合同。

(2)合同文件之一是合同条件(Condition Of Contract),如 FIDIC 的《土木工程施工合同条件》。合同条件是招标文件中的一个主要组成部分,它是工程业主提出的供投标者中标后与业主谈判、签订合同及实施合同的依据。

2.国际上通用的标准合同条件

目前,国际上通用的标准合同条件主要有以下三种:

(1) EDF 合同条件(European Development Fund),全称为欧洲发展基金会合同条件。

(2) ICE 合同条件(Institufe Of Civil Engineers),由英国土木工程师学会制订,故称为 ICE 合同条件。

(3) 土木工程施工(国际通用)合同条件,FIDIC 合同条件。

3.FIDIC 的发展

土木工程施工(国际通用)合同条件是国际咨询工程师联合会(FIDIC),主要依据英国的 ICE 合同条件的基础上进行修订后,于 1957 年出了第一版《土木工程施工合同条件》,专门用于国际工程承包项目。

土木工程施工(国际通用)合同条件是 FIDIC 这一在国际上具有权威性的咨询工程师组织颁布的合同文本,是其他合同条件的基础,它的主要特点表现为:条款中责任的约定以招标选择承包商为前提,合同履行过程中建立以工程师为核心的管理模式,以单价合同为基础(也允许部分工程以总价合同承包)。

为了规范国际工程咨询和建设承包活动,FIDIC 先后发表过很多重要的管理性文件和标准化的合同文本(如:自1957年颁布发表第一版合同文件后,先后于1963年修订第二版,1977年第三版及1987年修订后出版的第四版),已成为国际工程界公认的惯例,尤其是合同文本,不仅被FIDIC组织成员国广泛采用,而且世界银行、亚洲开发银行等一些金融机构所编制的合同文本也基本上以FIDIC为基础或完全采用FIDIC文本。

第三节　FIDIC条款在我国的引进与实施

一、我国建设监理制的产生与发展

建设监理制度于1988年7月正式提出时,我们国家的改革开放已进行了近10年。这10年是我们国家大力发展的10年,生产力的进一步解放、国民经济的高速发展促进了全国建筑业的蓬勃发展,国门的打开、外资的引进,我国建筑队伍也开始进入了国际工程承包市场。

在国际市场上,接触到国际通行的建设监理制度,体会到了建设监理的重要作用,了解到了国外的先进管理制度和相关的法规惯例。

与此同时,大量外资的引进,建筑市场的开放,引来了大批的外国承包队伍,他们在我国进行建设基本上都实行了建设监理制度,这既给了我们了解和学习的机会,又迫使我们为和国际接轨,就必须实行建设监理制度。

自1988年7月至1993年,在4年多的时间里,我国建设监理试点经历了规划准备、起步运行、稳步发展和总结提高四个阶段。经过一段时期的总结经验、宣传普及、有关政策法规的制定和颁布实施,从1996年开始全面实施建设监理制度,至今已达到了产业化、规范化、国际化的目标。

二、FIDIC 的引进

随着改革开放的持续深入,大量外资和国外先进管理技术的引进涉及到国民经济的方方面面,而各项基础设施的建设又首当其冲。

大量的世行和亚洲银行贷款工程项目的修建,各种合同文本不尽适用于中国。在 FIDIC 合同条件应用指南中明确指出:结合建设工程项目的地域特点和专业特点,将其专用条件细化后,FIDIC 合同条件的合同文本同样适用于国内招标的工程。为适应中国国情,1989 年,财政部开始和世界银行合作,在 FIDIC 合同条件基础上,商讨编写一套结合中国国情的合同条件。1990 年 10 月 8 日,FIDIC 董事会正式批准确认了中国财政部文本。

中国财政部合同条件版本,主要依据 FIDIC 的《土木工程施工合同条件》第四版修订,其特点是取消专用条件,加一个数据表,成为适合中国国情的合同通用条件。

1991 年 3 月,国家工商行政管理局和建设部联合颁发了《建设工程施工合同》(GF—91—0201),作为国内建设工程合同范本,主要用于工业与民用建筑方面。

交通部工程管理司依据 FIDIC 合同通用条件及结合国情,先后制定颁布了《公路工程国际招标文件范本》和《公路工程国内招标文件范本》。

三、FIDIC 在国内的实施

1991 年,世界银行批准中国财政部的合同条件可以用于世行贷款修建的浙江省杭甬高速公路、河南省开洛高速公路及广东省深圳—佛山高速公路,这可以说标志着 FIDIC 在中国的正式实施。在此之前的鲁布革水电站及陕西西三线、京津高速公路、济青高速公路也分别使用了 FIDIC 合同条件。

现在 FIDIC 合同条件已在公路行业的世行贷款工程项目中被普遍采用。由于工程使用第三方严格监理,对提高工程质量、保证工期和造价控制都收到了显著的效果。

第二章　工程建设施工监理

工程建设施工监理主要分为三大控制,即投资控制、质量控制、进度控制。按照施工各阶段的划分则主要分为:①建设前期阶段的监理;②设计阶段的监理;③施工招标阶段的监理;④施工阶段的监理;⑤保修期阶段的监理。

第一节　监理单位及人员素质要求

一、监理单位的素质要求

社会监理单位必须是依法成立的法人机构,具有自己的名称、组织机构、场所、必要的财产、经费。

工程建设监理公司(事务所)必须经政府建设主管部门审批资格,发给资质证书,并确定监理范围,然后向工商行政管理机构申请注册登记,领取营业执照。

建设监理单位的资质等级分为甲、乙、丙三级,每级应具备的条件和监理范围,在 1992 年 1 月 18 日,建设部颁发的 16 号令《工程建设监理资质管理试行办法》中,均有明确规定。

二、监理工程师的素质要求

监理工程师应是具有专业特长的工程项目管理专家。我国对监理工程师实行注册制度,申请监理工程师注册必须先通过监理工程师资格培训,接受经济、管理、法律、监理业务知识等教育,并获得合格证书。

监理工程师的工作单位为工程建设监理公司(事务所),或兼承建设监理业务的设计单位、科研单位和大专院校。监理工程师不得以个人名义承接建设监理业务。

监理工程师在工程监理中处于核心地位,因此对监理工程师的素质要求是较为全面的,主要包括以下几个方面:

(1)要有良好的道德品质,热爱社会主义祖国、热爱人民、热爱事业;具有科学态度和综合分析能力;具有廉洁奉公、为人正直、办事公道的高尚情操。

(2)要有较高的学历和广泛的理论知识。

(3)要有丰富的工程实践经验。

(4)要有健康的体魄和充沛的精力。

第二节 监理机构的设置及分工

一、机构设置

监理组织机构的职责分工:对工程规模较大的、结构复杂的大型工程项目,一般要采取三级监理组织机构(见图2-1),即总监理(副总监理)工程师办公室,工程部、合同部等,各标段驻地监理工程师办公室的三级监理机构。经实践证明,实施上述三级监理机构,是圆满完成各项监理任务的有效保证。

二、机构职责分工

由总监理工程师负责工程监理的全面工作;工程部负责工程施工各阶段的工程质量,包括工程材料及半成品的合格检验、工程施工质量的确认及等级评定;合同部负责工程计量支付、工程变更单价的审核及工程信息管理;中心实验室负责各标段送检的原材料及成品、半成品的合格性检验,并出具有关试验报告,以确认该

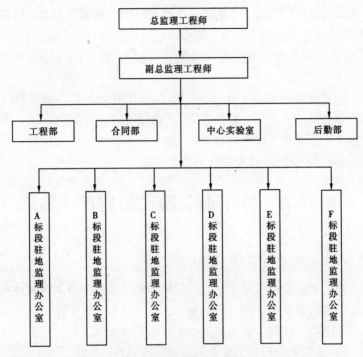

图 2-1 监理机构设置

原材料或成品、半成品是否可以用于工程实验中。上述三部主任(副主任)直接向总监理工程师负责,各标段驻地监理工程师负责本标段监理,具体监理承包商在施工中的各项活动,包括工程质量、工程计量及各项变更的审批手续是否齐全,并相应地向工程部及合同部主任负责。

由于房建工程涉及的专业面较广,在工程部的人员构成中应包括建筑工程师、水暖工程师、电气工程师等,负责各标段施工中相应的工程监理,在合同部中应包括计划统计工程师、计量工程师、合同管理工程师,协助合同部主任进行上述工作。

监理人员的构成,特别是监理人员的素质,对某一项工程监理任务是否能顺利圆满完成起着决定性的作用。根据我们的实践经验,驻地监理工程师应具备工程师或以上职称,具有丰富的施工经验、解决一般性的技术问题和合同管理能力,能承担现场管理工作。

监理机构组建完成后,首先由总监理工程师召集各级监理人员宣布人员任命、分工,提出要求,明确职责,建立岗位责任制,明确监理的范围和具体的目标要求,做到各级各项监理人员对所监理工作心中有数,工作也就有的放矢了。

第三节　施工准备阶段的监理内容

一、监理在施工准备阶段的工作

施工准备阶段是一个极为重要的工作阶段。准备工作的好坏对整个项目建设的工期、质量、投资经济效益起着重要的作用。

监理单位在施工准备阶段的工作主要分为三个部分:

(1)监理单位自身的准备工作即监理机构的组建;

(2)检查确认业主的准备工作;

(3)对承包商的监理。

(一)监理单位自身的准备工作

1.监理机构的组建

在上节中对此已有详细的说明,在此不在重复。

2.编制监理实施细则和确定协调工作程序

监理实施细则是监理单位对被委托项目进行监理的实施方案,也称监理组织计划,它主要包括监理工程的概况与特点、监理范围及重点、主要监控目标及手段、监理组织机构及其分工下的责任制等。

监理协调程序是沟通监理与被监理的工具,它既是监理自身工作程序,也是被监理单位应遵守的一项制度,它对监理工作是否能顺利进行起着制约作用。各方对此程序的遵守程度将直接影响工程是否能顺利进行。

3.准备监理图表

为使监理工作规范化、标准化、程序化,要为此准备多种监理表格,应概括工程的方方面面,使监理工作作到形象化。

4.编制三大控制的计划及监理流程图

我们知道,监理工作的主要任务就是三大控制,编制一个较为科学而又切实可行的三大控制计划,可作到有的放矢、统筹安排。

(二)协助业主做好施工准备工作

(1)检查核对施工图纸及施工前需要办理的各种手续;

(2)检查施工现场及三通一平工作;

(3)了解资金到位情况及大型设备定货情况。

(三)对承包商的监理工作

施工准备阶段的工作主体是施工单位。

1.向施工单位办理有关交接工作

为使施工单位尽快进入施工现场,监理应协助业主将施工现场有关情况向承包商交接,其主要内容有:①现场自然地貌,施工现场范围;②施工用水、用电准备情况;③水准点、坐标点;④地下电缆及其他管网等。

2.组织好图纸会审与技术交底

施工图纸是项目建设的合法依据,是合同文件的重要组成部分。图纸会审与技术交底是一项重要的技术准备工作,监理工程师也要熟悉图纸,弄清设计意图,要给承包商充分的时间阅读图纸,收集阅读中发现的问题,随时与设计单位联系沟通,做好图纸会审及技术交底工作。

3.督促承包商编制施工图预算,审查承包商施工组织设计

施工图预算能提供准确的工程量和施工材料数量,是施工组

织设计的技术依据。施工组织设计是施工准备阶段的关键环节，监理对承包商的施工组织设计的指导思想是通过对方案的技术分析比较、综合评估，优选一个经济实用、科学可行的方案，达到投入少、工期快、质量好的施工目标。

4. 承包商组织机构的审查及分包商的审查

对承包商组织机构审查，主要目的是确认项目部组成人员，尤其是主要人员是否和投标书一致，不允许出现项目部人员在投标与施工阶段两套人员；审查承包商组织系统是否流畅，分级职责是否明确，横向联系间有无矛盾。承包商是否经业主审查通过，资格是否达到要求。如工程有分包情况，还应对分包商的资质进行审查。

5. 原材料及主要施工机械的审查

建筑工程需要大量的水泥、石子、砂、砖及钢筋等，这些材料必须经过监理确认方能进场，承包商将准备用原材料的出厂合格证及各种技术参数报监理代表处，由代表处的中心实验室(或代表处指定的实验所)对抽检样品试验后，确认该原材料能否进场。各种配合比由中心实验室确认后，通知承包商，承包商不得随意更改。

对施工机械，监理主要审查是否与投标书在型号、数量上一致，能否满足施工要求。

二、开工令的签发

(一)第一次工地例会

在开工前，监理会同业主、承包商对整个施工准备工作进行一次全方面的检查与确认，除上述内容外，为确保工程能顺利实施，监理代表处应重点检查各标段驻地监理工作、生活条件是否适应工程要求，尤其是交通、通讯条件，其他生活、办公条件是否符合投标文件规定。

上述工作完成后，召开第一次工地例会，由三方成员参加，主要内容包括:三方主要人员的相互介绍、任命,确认开工准备情况;确认工地例会制度,明确说明工地例会的周期。

(二)开工通知书

FIDIC条款在进度控制监理的作用中明确说明了"开工通知书"是监理工程师在进度控制中应做的主要工作之一,"开工通知书"中的开工日期是工程工期计算的起始日期,因此,施工各方应准确理解和重现开工通知书的重要性。

FIDIC条款41.1款规定:"承包商在接到工程师有关的开工通知后,应在合理、可能的条件下尽快开工。该通知在中标函颁发日期之后,于投标书附件中规定的日期内发出。此后,承包商应迅速且毫不拖延地开始该工程的施工。"

在第一次工地例会后,明确了承包商已具备进场开工条件,由总监理工程师(或其代表)签发工程开工通知书,开工通知书应送达承包商手中,承包商签收回执。根据FIDIC合同条款第1.1(C)款中的规定,监理工程师发出开工通知书的日期即为开工日期。因此,相应的竣工时间应从收到开工通知书的日期算起。

开工通知书的签发,标志着工程正式进入施工阶段。开工通知书的日期是合同的重要组成部分,工程进度的各个阶段直至竣工日期都是以此为依据的,它也是业主、监理、承包商都要无条件遵守的一个日期。

第四节　工程施工阶段的监理

在施工阶段,监理的主要内容就是三大控制,即"投资控制、质量控制、进度控制"。

一、投资控制

投资控制是为了确保建设项目资金与资源的充分和计划性利

用,以消除决算超预算、预算超概算的现象,使建设项目取得最大的经济效益。

投资控制按时间阶段划分为:①投资决策阶段;②设计阶段;③施工阶段。按委托形式可分为:①由业主委托监理单位控制;②由设计、施工单位委托监理单位控制;③建设单位自行控制。

由于影响投资控制的因素较多,而本书主要论述施工阶段的监理,因此,本章主要介绍在工程建设施工阶段的工程投资控制。

(一)监理工程师在施工阶段投资控制的主要任务

在施工阶段,监理工程师依据施工合同文件的规定,把投资计划值分解作为单位工程和分部分项工程的分目标值,在施工过程的每一阶段或环节,将实际工程款支付和投资计划(工程量清单值)进行比值,如发现偏离,就要从组织、经济、技术和合同等方面采取积极有效的措施加以控制。

在此过程中,监理工程师采取的主要措施为:

(1)工程量的计量与支付;

(2)工程变更的控制。

(二)工程计量与支付的控制

工程计量是指监理工程师对合同文件中规定的建设项目,按施工进度计划及施工图设计要求,对承包者实际完成工程数量的确认。工程计量程序见图2-2。

工程款支付:建设单位(业主)对承建单位(承包商)任何款项的支付,都必须由监理工程师出具支付证明文件,作为业主对承包商支付款项的依据,这也是监理工程师采用FIDIC合同文件对工程进行合同管理的核心。

(三)工程计量的内容

工程计量的主要内容如下:

(1)对照合同文件工程量清单中的项目,根据项目的数量与单价对已完成的工程量进行计量,并与工程量清单数量做增减对比,

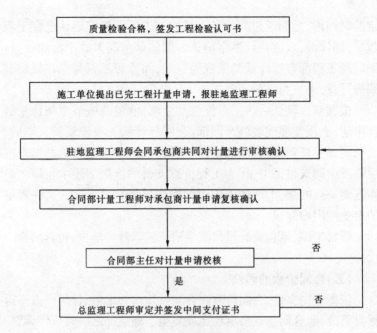

图 2-2　工程计量程序

计算出已完成的工程量及其工程价款。

(2)工程计量时,由于监理工程师发出的工程变更指令是属于合同文件的组成部分,因此当工程变更项目完成时应及时计量,并填写工程量清单增减表。

(3)工程计量的首要条件必须是已完工的工程,必须在质量上达到合同(技术规范)规定的技术标准,各种试验检测数据齐全,并经过监理工程师质量验收合格,颁发工程检验认可书后方可进入计量程序。

(四)工程计量的程序

承包商在规定的时间内,根据实际已完工并获得监理工程师检验认可、颁发质量认可证书的工程数量及金额,填写付款申请,上交驻地监理工程师。驻地监理工程师在接到上述申请后,在规定的时间内,会同承包商计量人员按施工图纸核实确认已完工程数量,即计量,双方共同签字确认。但如承包商无故不参加计量,则监理工程师自行计量结果视为有效;如监理工程师未在规定时间内计量,则视为承包商申请数量已被确认。

根据双方确认后的工程数量及金额,承包商填写中间计量付款申请,上报监理代表处合同部,合同部计量工程师复核完毕后,交合同部主任审阅,合同部主任复核后交总监理工程师,总监审定后签发中间支付证书,作为工程价款支付的依据交还承包商。必须强调一点的是,上述监理工程师操作过程必须在合同文件规定的有效期限内完成。

通常来讲,承包商计量付款申请一般以月为单位,每月结算一次。

(五)合同价款的调整

依据合同文件,合同价款在合同条款内约定后,任何一方不得擅自更改,除合同条款另有约定或发生下列情况之一时可作调整:

(1)监理工程师计量后确认的工程量增加;

(2)监理工程师确认的设计变更或工程洽商;

(3)当地工程造价管理部门公布的价格调整;

(4)一周内因非承包商原因造成的停水、停电等影响施工超过合同文件规定的;

(5)合同约定的其他增减或调整。

(六)工程变更的控制

在工程施工中,工程变更是经常发生的,因此在承包合同条款中,对工程变更也是有明确规定的。

1. 工程变更的内容

工程变更实质上是指合同文件中有关条款的变更,一般包括:

(1)设计变更;

(2)进度计划变更;

（3）施工条件变更；

（4）技术规范与标准变更；

（5）工程数量变更；

（6）施工次序变更；

（7）合同条款的修改补充以及招标文件、合同条款、工程量清单中没有包括的但又必须增加的工程项目变更。

2. 工程变更的依据

按 FIDIC 条款规定，工程变更可由建设单位、监理单位或承包商提出，但都必须经监理工程师批准同意，并由监理工程师以书面形式发出有关变更指令。没有变更指令任何一方都不能对任何分部工程做出更改。

3. 工程变更指令的内容

变更指令是对合同的修正、补充，具有法律效应，因此变更指令应有充分的严密性、公正性、完整性。

1）变更的原因

（1）由于图纸的错误，由设计单位提出图纸错误情况并出具相应的变更图纸、说明及变更通知书；

（2）由于承包商为方便施工（如更改结构和内容），由承包商提出变更申请，内容包括相应的变更图纸及说明、应用的技术规范和技术标准；

（3）由业主提出的变更（如施工进度等）应附有要求变更的文件及主管部门批准文件；

（4）监理工程师发现设计不足或错误时，也可提出变更。

2）变更价格的确定

工程变更价款的计算分为：

（1）对原有工程项目的变更部分，一般采用原合同清单中的数量乘以原单价，减去变更后的监理工程师计量认可的数量乘以业主确认的单价，以确定价款的增减；

(2)对新增工程项目,采用原清单单价或新的单价乘以变更工程数量,以确定价款的增减。

(七)工程决(结)算的编制和审查

工程决(结)算指一个单位工程,通过施工实施后发现与原设计图纸有差异,将有差异而增减的工程内容按施工图预算编制方法,对原施工预算的量、价、费进行修正,作为业主和承包商之间费用结算的依据,它又是确定工程实际造价的依据。

1. 工程决(结)算编制的依据

(1)施工图纸、说明和施工图预算;

(2)施工合同和协议;

(3)现行预算定额、费用定额及取费基础,有关调价系数的规定;

(4)图纸会审纪要;

(5)设计变更通知、施工签证等。

2. 审查的主要内容

(1)审查各种报表和文字说明书是否齐全、准确;

(2)审查报表中的概预算数和批准数是否相符;

(3)审查报表中的拨款和贷款数、交付使用财产等和批准的财务决算及报表中的各项费用总数是否相符;

(4)审查资金来源的拨款、贷款数和银行账目是否相符;

(5)审查竣工决算数和历年批准的财务决算的合计数是否相符;

(6)审查基建物资中的库存情况、结余资金情况,有否降价、报废物资,有否坏账损失等;

(7)审查文字说明是否全面系统、实事求是。

通过以上对竣工决算的审查,对建设项目从筹建到竣工验收,将实际建设成本与批准的建设项目总概算比较后,可以评价该建设项目在控制投资方面的效果。

二、质量控制

质量控制是指为保证某一产品、过程或服务满足规定的质量要求所采取的作业技术和活力。

工程质量指通过工程建设全过程所形成的工程产品(如房屋、道路、桥梁等),满足用户或社会的生产、生活所需要的功能及使用价值,应符合国家有关质量标准、设计及合同条款要求。

(一)工程质量形成的阶段

(1)可行性研究质量:是研究质量目标和质量控制程度的依据;

(2)工程决策质量:是确定质量目标和质量控制水平的基本依据;

(3)工程设计质量:是体现质量目标的主体文件,是制定质量控制计划的依据;

(4)工程施工质量:是实现质量目标的全过程,是控制和保证工程质量的重要环节;

(5)工程产品质量:是控制质量目标通过全过程的控制与实施,形成最终产品的质量。

(二)工程质量特点

工程产品建设周期长,受各种因素制约大,因此导致工程质量控制难度大。具体特点是:

(1)制约工程质量因素多;

(2)产品工程质量波动性大;

(3)产品工程质量变异性强;

(4)核定判断工程质量难度大;

(5)技术检测手段不完善,产品检查很难拆卸解体。

(三)质量控制中监理工程师的职责

(1)审核工程设计的结构技术质量和保证质量的构造措施与

施工说明；

(2)审核承包商施工组织设计的质量与安全技术措施；

(3)制定监理工程师质量预控计划和质量手册；

(4)检查验收各分部分项工程质量认证,处理工程质量事故与质量缺陷；

(5)对单位工程质量验收的核定。

(四)质量控制的内容与方法

监理工程师在施工阶段的质量控制中主要通过审核有关技术文件报告和直接进行现场检查或必要的试验等手段来履行自己的职责。

1. 质量控制内容

对质量文件、报告、图表的审核,是对工程质量进行全面控制的重要工作内容,包括：

(1)审核进入施工现场各分包单位的技术资质证明文件；

(2)审核承包商的正式开工报告,并经现场核实后,下达开工指令；

(3)审核承包商提交的施工方案和施工组织设计,确保工程质量有可靠的技术措施；

(4)审核承包商提交的有关材料、半成品的质量检验报告；

(5)审核承包商提交的反映工序质量动态的统计资料或管理图表；

(6)审核设计变更、修改图纸和技术核定书；

(7)审核有关工程质量事故处理报告；

(8)审核有关应用新技术、新工艺、新材料、新结构的技术鉴定书；

(9)审核承包商提交的关于工序交接检查,分部分项工程质量检验报告；

(10)审核并签署现场有关质量技术签证、文件等。

监理工程师应按施工顺序、进度和监理计划及时审核和签署有关质量文件、报表。

2.质量控制方法

施工过程是形成工程质量的主要环节,也是监理工程师控制质量的重点,必须充分重视,严格控制。按施工计划目标要求,加强施工工艺管理,督促承包商认真执行工艺标准和操作规程,以提高项目质量的稳定性。

每个阶段,每个分部分项,其至每道施工工序质量的检测与验收,监理工程师都要注意做好记录,认真处理分析,关键工序一定要旁站。每道工序一定要取得监理工程师的认可,否则,不允许进入下道工序。

监理工程师在质量检查时,如对质量产生疑问,则要求承包商加以澄清。如发现质量问题,监理工程师首先应立即下达停工指令,通知承包商停止该项施工,然后要求承包商提出报告,说明质量缺陷情况及严重程度、产生原因和处理方法、今后保证质量的措施,严重的要停工整顿。质量缺陷处理后,经监理工程师检查、认可后,下达复工指令,方能继续施工。

监理工程师现场质量检查内容:

(1)开工前检查,目的是检查是否具备开工条件,开工后能否保证工程质量,能否连续地进行正常施工;

(2)工序交接检查,对于重要的工序或对工程质量有重大影响的工序,在自检、互检的基础上,还需经监理人员进行工序交接检查;

(3)隐蔽工程检查,凡是隐蔽工程需经监理人员检查认证后方可掩盖;

(4)停工后复工前的检查,当承包商严重违反质量标准,监理人员可行使质量否决权,令其停工,或工程因其他原因停工后需复工时,均应经检查认可、下达复工令后再施工;

(5)分部、分项工程完工后,应经监理人员检查认可后,签署验收记录;

(6)随班或跟踪检查,对于施工难度较大的工程结构或容易产生质量通病的工程项目,监理人员还应进行随班跟踪检查。

监理工程师现场检查的方法主要有:

(1)目测法。目测法检查的手段,可归纳为看、摸、敲、照四个字。

看,就是根据质量标准进行外观目测。

摸,就是手感检查。主要适用于装饰工程的某些检查项目。如水刷石、干粘石粘结牢固程度,油漆的光滑度,浆活是否掉粉,地面有无起砂等,均可通过手摸加以鉴别。

敲,是运用工具进行音感检查。对地面工程、装饰工程中的水刷石、面砖、锦砖和水磨石、大理石等的施工,均应进行敲击检查,通过声音的虚实确定有无空鼓,还可通过声音的清脆、沉闷,判定属于面层空鼓或底层空鼓。此外,用手敲玻璃,如出现颤动音响,一般是底灰不满或压条不实。

照,对于难以看到或光线较暗的部位,则可采用镜子反射或灯光照射的方法进行检查。

(2)实测法。实测检查法,就是通过实测数据与施工规范及质量标准所规定的允许偏差对照,来判别质量是否合格。实测检查法的手段,也可归纳为靠、吊、量、套四个字。

靠,是用直尺、塞尺检查地面、墙面、屋面的平整度。

吊,是用拖线板以线锤吊线检查垂直度。

量,是用测量工具和计量仪表等检测断面尺寸、轴线、标高、湿度、温度等的偏差。

套,是以方尺套方,辅以塞尺检查。如对阴阳角的方正、踢脚线的垂直度、预制构件的方正等项目的检查。对门窗口及构配件的对角线(窜角)检查,也是套方的特殊手段。

(3)试验检查。指必须通过试验手段，方能对质量进行判断的检查方法。如对桩或地基静载试验，确定其承载力；对钢结构进行稳定性试验，确定是否产生失稳现象；对钢筋对焊接头进行拉力试验，检验焊接的质量等。

第五节　竣工验收质量等级的综合评定

正确地进行工程项目质量的评定和验收，是保证工程质量的重要手段。监理工程师必须根据合同条款和设计文件的要求，严格执行国家有关部门颁发的质量验收评定标准，组织竣工验收和质量评定。

FIDIC 条款对质量的评定只有合格与不合格，而国内工程项目的质量等级，均分为"合格"、"优良"两级，凡"不合格"的项目不予验收。

一、工程质量评定项目的划分

一个建筑物的建成，由施工准备工作开始到交付使用，要经过若干个工序、工种的配合才能完成。所以，一个工程项目质量的优劣，取决于各施工工序和各工种的质量。我们将一个单位工程划分为若干个分部工程，每个分部工程又划分为若干个分项。因此，分项工程的质量是评定分部工程、单位工程质量等级的基础。

(一)建筑工程的分项、分部工程

(1)分项工程：通常按主要工种进行工程划分，如：地基工程、钢筋工程等。

(2)分部工程：按建筑的主要部位划分，如：地基与基础工程、主体工程、楼地面工程等。

(二)建筑安装工程的分项、分部工程

(1)分项工程：一般按用途、种类及设备组别等划分，如：室内给水、管道安装工程,配管及管内穿线工程等。也可以按系统、区段来划分分项工程,如采暖卫生与煤气工程。按用途来分,碳素钢管可作为冷水、热水、煤气管道,又可作给排水管道等。按种类来分,管道安装有碳素管道、铸铁管道等。按设备组别来分,有锅炉安装、锅炉附属设备安装、卫生器具安装等。

(2)分部工程:按工程用途分为建筑采暖、卫生工程,通风与空调工程等。

(三)单位工程

建筑工程和设备安装工程共同组成一个单位工程,这样能突出建筑物的整体质量,如:在一个高速公路收费站工程中,每一个独立的建筑物(或构筑物)即每一个收费站房办公楼、锅炉房、车库等均为一个单位工程,应分别进行质量评定。

二、工程质量评定等级标准

按照我国现行标准,分项、分部、单位工程质量的评定等级只分为"合格"与"优良"两级。因此,监理工程师在工程质量的评定验收中,也只能按合同要求的质量等级进行验收。

1. 分项工程的质量等级标准

(1)合格:保证项目必须符合相应质量评定标准的规定。基本项目抽检处(件)应符合相应质量评定的合格规定。允许偏差项目抽检的点数中,建筑工程有 70% 及其以上,建筑设备安装工程有 80% 及其以上的实测值在相应质量评定标准的允许偏差范围内,其余的实测值也应基本达到相应质量评定标准的规定。

(2)优良:保证项目必须符合质量检验评定标准的规定。基本项目抽检处(件)应符合相应质量检验评定标准的合格规定,其中,50% 及其以上的处(件)符合优良规定,该项为优良;优良项数占抽检项数 50% 及其以上,该检验项目即为优良。允许偏差项目抽检的点数中,有 90% 及其以上的实测值在相应质量标准的允许偏差范围内,其余的实测值也应基本达到相应质量评定标准的规定。

2.分部工程质量等级标准

(1)合格:所含分项的质量全部合格。

(2)优良:所含分项的质量全部合格,其中,50%及其以上为优良。

3.单位工程质量等级标准

(1)合格:所含分部的质量全部合格。质量保证资料应符合规定。观感质量的评分得分率达到70%及其以上。

(2)优良:所含分部的质量全部合格,其中,50%及其以上为优良。质量保证资料应符合规定。观感质量的评分得分率达到85%及其以上。

三、工程质量的评定

对于分项工程的质量评定,由于涉及到分部工程、单位工程的质量评定和工程能否验收,所以监理工程师在评定过程中应做到认真细致,以确保验收。按现行《建筑安装工程质量检验评定标准》,分项工程的评定主要有以下内容:

1.保证项目

保证项目是涉及结构安全或重要使用性能的分项工程,它们应全部满足标准规定的要求。

保证项目中包括的主要内容有以下三方面:

(1)重要材料、成品、半成品及附件的材质,检查出厂证明及试验数据。

(2)结构的强度、刚度和稳定性的数据,检查试验报告。

(3)工程进行中和完毕后必须进行检测,现场检查或检查测试记录。

2.基本项目

基本项目对结构的使用要求、使用功能、美观等都有较大影响,必须通过抽查来确定是否合格,是否达到优良的工程内容,它在分项工程质量评定中的重要性仅次于保证项目。

(1)允许有一定的偏差项目,但又不宜纳入允许偏差项目。因此在基本项目中用数据规定出"优良"和"合格"的标准。

(2)对不能确定偏差值而又允许出现一定缺陷的项目,则以缺陷的数量来区分"合格"与"优良"。

(3)采用不同影响部位区别对待的方法来划分"优良"与"合格"。

(4)用程度来区分项目的"合格"与"优良"。当无法定量时,就用不同程度的措词来区分"合格"与"优良"。

3.允许偏差

允许偏差是结合对结构性能或使用功能、观感等的影响程度,根据一般操作水平允许有一定的偏差,但偏差值在一定范围内的工作内容。

允许偏差值的数据有以下几种情况:

(1) 有"正"、"负"要求的数值。

(2) 偏差值无"正"、"负"概念的数值,直接注明数字,不标符号。

(3) 要求大于或小于某一数值。

(4) 要求在一定范围内的数值。

(5) 采用相对比例值确定偏差值。

第二部分　房建工程质量监理

　　质量是工程建设的第一方针,质量控制也是监理工作的核心内容。本书第二部分共分十章,依次介绍房建工程的开工及院区土方工程、地基与基础工程、砌筑工程、混凝土工程、装饰与楼地面及屋面工程、门窗工程、室外工程、通风与空调工程和配电照明工程的施工监理。在每一章节介绍施工监理工作当中,基本按照预控措施、施工过程控制、质量评定和常见质量通病处理这四步来进行。在通风与空调工程、配电照明工程的施工监理介绍中,因产品本身质量鉴定相当复杂,需要专业的权威部门鉴定,故在介绍中只涉及常用设备的安装监理工作。

第一章　开工准备及土方工程

第一节　开工准备

一、监理工程师进驻现场后应熟悉的情况

监理工程师进驻现场后应熟悉以下基本情况:
(1)设计文件、工程地质勘察报告、水文气象资料。
(2)水、电供应及道路是否满足施工需要。
(3)已有建筑物(构筑物)及地下管线的布置情况。

二、监理工程师应做的工作

监理工程师在熟悉基本情况后,应做好以下几项工作:

(1)编制监理规划、监理工作实施细则。

(2)总监理工程师向承包商发出对监理工程师授权范围的通知。

(3)监理工程师向承包商发出说明监理程序的通知。

(4)监理工程师向承包商说明与监理工作有关的各类表格如何使用。

(5)主持图纸会审。

图纸会审前,设计单位先要进行设计交底。设计交底的主要内容:①有关的地形、地貌、水文气象、工程地质及水文地质等自然条件方面;②施工图设计依据方面,包括初步设计文件、主管部门及其他部门(如规划、环保、农业、交通、旅游)的要求,采用的主要设计规范、市场供应的建筑材料情况等;③设计意图方面,诸如设计思想、设计方案比较的情况、基础开挖及基础处理方案、结构设计意图、设备安装和调试要求等;④施工应注意的事项,如对基础处理的要求、对建筑材料方面的要求、工程设计采用新结构或新工艺对施工提出的要求等。

图纸会审由监理工程师主持,施工单位、设计单位、项目业主代表参加。

图纸会审的程序是:首先由设计单位介绍设计意图、结构特点、施工及工艺要求、技术措施和有关注意事项及关键问题;再由施工单位提出图纸中存在的问题和疑点,以及需要解决的技术难题;然后通过三方研究和商讨,拟定出解决办法,并写出图纸会审纪要,作为对设计图纸的补充、修改。

图纸会审的主要内容包括:①施工图纸设计者合法资格的认定,以及图纸审核手续是否符合规定的要求,是否经设计单位正式签署。②图纸与说明是否齐全。③设计是否满足规定要求(如抗震烈度、安全防火、环境卫生等要求)。④图纸中有无遗漏、差错或相互矛盾之处(例如:尺寸标注错误、平面图与剖面图标高不一致;工艺管道、电气设备互相干扰、矛盾等),图纸表示方法是否清楚和符合标准等。⑤所需材料的来源有无保证,新材料、新技术的采用有无问题。⑥施工图或说明书中所涉及的各种标准、图册、规范、规程等,施工单位是否具备。⑦所提出的施工工艺、方法是否合理,是否切合实际。

三、检查承包商的施工准备工作

(一)检查承包商施工人员的资质

检查承包商的项目经理、主要技术负责人等管理人员的资质是否与投标书一致,检查特殊工种(电工、电焊工等)工人的资质是否符合要求。对于总承包商选择的分包单位,除建设合同中约定的分包项目、分包单位外,总承包单位应首先提出申请,经监理工程师审查认可,确认其技术能力和管理水平后,方能进场施工。对于不合格人员,监理工程师应建议承建商予以撤换。

(二)检查承包商的组织机构

检查承包商的组织机构是否合理,质量保证体系是否建立健全。

(三)检查承包商进场建筑材料的质量是否符合要求

从采购、加工制造、运输、装卸、进场、存放、使用等方面对工程所需材料、设备进行全过程质量控制。承包商负责采购的原材料、构配件、设备等,在采购订货前应提交样品,经认可后方可订货采购。凡运到施工现场的原材料、构件、设备应提交产品出厂合格证、质量检验证明、技术说明书,承包商应按要求进行复验,向监理工程师提交复验报告,经监理工程师审查并确认其质量合格后,方准使用。注意检查材料的存放、保管条件及时间是否符合要求。

考察、评审构配件(如预应力空心板)生产厂家的质量保证能力。对易出现色差的装饰材料(例如:地板砖、涂料、木质板材、油漆等)要求一次订齐,备足货源。

常用材料试验项目与取样办法见表1-1、表1-2。

(四)检查承包商施工机械的性能、数量是否符合要求

审查进场的施工机械设备种类、数量、型号与投标书是否一致;进场的施工机械设备是否都处于完好的可用状态;使用的测量仪器、计量器具是否有技术合格证或检验合格证。

(五)审核承包商的施工组织设计、进度计划

着重审核施工顺序、施工方案是否合理,关键部位及采用新技术、新工艺的部位的技术措施是否合理。进度计划应按流水施工编制,但应考虑劳动力平衡、技术间歇、竣工验收前的修补、清扫等因素。计划工期应不大于合同规定工期,否则应采取措施压缩计划工期,可采取的措施有:①改变某些工序的施工顺序,平行作业,流水施工;②增加工作班次,增大劳动力的投入,缩短关键工作的持续时间。审查施工平面布置中的道路、建筑材料、周转材料、临建设施的布置是否合理,面积是否合适,机械设备、水电线路的布置是否合理。

(六)检查承包商测量放线、高程引测的工作质量

①检查业主与承包商的交接桩情况。②要求承包商,对于给定的原始基准点、基准线和高程控制点进行校测复核,并报监理工程师审核批准后,再据此进行测量放线。③复核施工测量控制网,抽检建筑方格网、控制高程的水准网点以及标桩埋设位置等。④施工测量应复核建筑物定位放线(轴线、基础开挖线、桩位线等)。⑤测量精度要求。校验水准点(至少提供两个水准点时),用往返法测定其高差。若所测高差平均值与已知高差值小于 $\pm 5\sqrt{n}$ mm 时(n 为测站数)或 $\pm 20\sqrt{L}$ mm(L 为测线长度,单位:km),可认定所给水准点及其标高正确,准予使用。若只给出一个已知

表 1-1 常用材料试验项目

序号	名 称		一般试验项目	其他试验项目
1	水泥		体积安定性、抗压和抗折强度	细度、标准稠度、凝结时间
2	钢材	热轧钢筋、冷拉钢筋、型钢、异型钢、扁钢和钢板	屈服强度、抗拉强度、延长率、冷弯	冲击韧性、硬度
		冷拔低碳钢丝、碳素钢丝和刻痕钢丝	抗拉强度、延长率、反复弯曲	
3	木材		含水率	顺纹抗压、抗拉、抗弯、抗剪等强度
4	砖	普通粘土砖、承重粘土空心砖、硅酸盐砖	抗压、抗折	抗冻
5	粘土及水泥平瓦		抗折荷载、吸水重量	抗冻
6	天然石材		表观密度、孔隙率、抗压强度	抗冻
7	混凝土用砂、石	砂	颗粒级配、细度模数、含泥量	有机物含量、三氧化硫含量、云母含量
		石	颗粒级配、针片状颗粒含量、含泥量	强度、有害杂质含量
8	混凝土		坍落度或工作度、抗压强度	抗折、抗弯强度、抗冻、抗渗
9	砌筑砂浆		沉入度、分层度、抗压强度	
10	石油沥青		针入度、延伸度、软化点	
11	沥青防水卷材		不透水性、耐热度、吸水性、抗拉强度	柔度
12	沥青胶(沥青玛琋酯)		耐热度、柔韧性、粘结力	
13	保温材料		含水率、导热系数	
14	耐火材料		表观密度、耐火度、抗压强度	吸水率、重烧线收缩、荷重软化温度等
15	水			pH 值,油、糖含量
16	耐酸混凝土		耐热度、表观密度、3 d 和 28 d 的抗压强度	
17	石灰		活性氧化钙和活性氧化镁含量	细度、未消化颗粒含量
18	回填土		干容重或压实度	含水率
19	灰土		干容重或压实度	含水率

注: "一般试验项目"是指必须做的项目;"其他试验项目"是指必要时才做的试验项目。

表 1-2　原材料及半成品试验取样办法

材料名称	取样单位	取样数量	取样办法
水泥	同品种同标号的水泥每 400 t 为一批，不足者也按一批论	从一批水泥中选取平均试样 20 kg	从不同部位的至少 15 袋或 15 处水泥中抽取，手捻不碎的受潮水泥结块应过 64 孔/cm² 筛除去
砂、卵石、碎石	以每 200 m³ 作为一批，不满 200 m³ 时也按一批论	做品质鉴定时，砂子 30 ~ 50 kg，石子约 30 kg，做混凝土配合比时，砂子 100 kg，石子 200 kg	分别在砂、石堆的上、中、下三个部位抽取若干数量，拌和均匀，按四分法缩分提取
砖	每 20 万块为一批，不足者也以一批论	标号测定 12 块，材性测定 20 块	应从该批砖不同的垛面各抽一块
石灰	每 60 t 作为一批，不足者也为一批	不少于 10 kg	从石灰堆面的 20 ~ 30 cm 处去除表层，抽取约 25 kg，混合均匀，用四分法提取
沥青	同一批出厂的、同一规格牌号的 20 t	不少于 1 kg	从不同部位的 5 处或总桶数的 5% ~ 10% 的桶中取样
防水卷材(油毡、油纸)	以 500 卷为一批，不足者也为一批	取 2% 但不少于 2 卷检查外观	从外观检查合格的 1 卷卷材，距端头 1.0 m 以外处裁取 1.5 m 长一段做材性试验
沥青胶	同一批配料	不少于 1 kg	从不同部位的 5 处抽取
木材	锯材以 50 m³ 为一批，圆木以 100 m³ 为一批	从中均取 3 个含水率试样，强度试验品则根据设计施工的要求确定	当木材厚度大于 35 mm 时，在距端头不小于 0.5 m 处取样；当小于 35 mm 时，在距端部 0.25 m 处取样
平瓦(粘土及水泥平瓦)	以 1 万块为一批，不足者也为一批	6 块	每堆一块
钢材(对于钢号不明的钢材)	以 20 t 为一批，不足 20 t 者为一批	3 根	任意抽取，分别在每根截取拉伸、冷弯化学分析试件各一根，每组拉伸、冷弯化学分析试件送两组，截取时先将每根端头弃去 10 cm
普通混凝土	厚大结构物(桥墩、基础、堤坝等)	每 100 m³ 取一组，且在每一区段中不少于一组	在浇灌地点从同一罐或同一车(容器)中均匀采取，其数量不少于试块所需量的 1.5 倍
	整体式结构	每 50 m³ 取一组	
	混合结构	每 20 m³ 取一组	
	装配式结构构件	每一工作班及每一配合比取一组	

标高的水准点作为起始依据,则可采用往返测法或闭合测法作校核。量距精度:建筑物定位放线的相对中误差($M_定$)为:$M_定 = 1/6\ 000 \sim 1/12\ 000$;对控制网的相对中误差($M_控$)和放线的相对中误差($M_放$)为:$M_控 = M_放 = 1/10\ 000 \sim 1/20\ 000$;相对的测角精度分别为$\pm 20''$和$\pm 10''$。

(七)施工现场及周围环境的质量控制

①检查施工作业技术环境条件,如:水、电、动力供应,施工照明、安全防护设备、施工场地空间条件及交通运输和道路条件,是否已做好安排和准备妥当;②施工质量管理、环境检查控制的主要内容包括:承包商的质量管理、质量保证体系和质量控制自检系统是否处于良好状态;系统的组织结构、检测制度、人员配备是否完善和责任明确;检测、实验、计量等仪器、设备是否能满足要求,是否处于良好的可用状态,有无合格的证明;外送委托检测、试验机构资质等级是否符合要求等;③检查承包商对于未来施工期间可能出现的不利影响,是否已有充分的认识,并已做好充足的准备和采取了有效措施与对策,以保证工程质量。例如:冬季防冻、夏季防高温、高地下水位情况的基础施工、雨季排水等。

四、召开第一次工地会议

第一次工地会议是在中标通知书发出后,总监理工程师发出开工指令前召开的,目的是检查工程的准备情况。据此,总监理工程师确定开工日期,发出开工指令。

(一)会议参加人员

参加人员包括:业主代表、监理工程师及监理工程师代表、承包商、指定分包商。会议由监理工程师主持。参加会议的承包商应是法人代表或其委托的项目经理,并带有法人身份的有关证明信件或法人委任书。分包商参加会议的人员姓名、职务及地址由承包商介绍。

(二)会议内容及程序

(1)业主、监理工程师及承包商各自介绍与会人员的姓名、职务、并出示有关信件。

(2)明确各方的组织机构、人员及职责分工。业主方面的机构设置(由业主说明);监理工程师向承包商提交监理工程师办公室及组织机构表;承包商向监理工程师提交承包商的项目组织机构图表,并提交参与工程的主要职员名单,包括项目副经理、总工、项目工程师等,这些人员尚需由监理工程师审批。

(3)确定协商联络方式和渠道。

(4)确定行政例行程序,如工地例会的周期、地点,每日工地协调会议制度等。

(5)检查承包商的动员情况。承包商需对以下问题作出说明:①是否按合同要求向业主提交了履约保证金;②是否按要求提交了施工组织设计、进度计划,并得到了监理工程师的批准;③是否按合同办理了有关保险;④临时设施准备情况;⑤施工工人进入工地情况;⑥机械设备的准备情况;⑦承包商的材料供应是否落实;⑧承包商项目部主要人员进驻现场情况;⑨供水、供电、道路及施工用地有无问题;⑩为监理工程师提供食宿、办公用房及设施的情况。

同时,还应当说明影响开工的有关问题。

(6)检查业主对合同的履行情况,主要包括:提供承包商施工场地及有关拆迁情况,确定业主移交工地的时间。

(7)监理工程师工作,有关监理程序及有关规定的说明。

(8)与会者对上述情况进行讨论和补充。

(9)监理工程师提出第一次工地会议的结论意见。若工程准备情况已达到可以开工的条件(或基本达到),监理工程师准备下达开工指令;若准备的情况未达到开工条件,确定下次重新召开第一次工地会议的时间。

(10)监理工程师对会议的全部内容整理成纪要文件,包括参加会议人员名单,承包商、业主、监理在开工前准备工作详情,与会者讨论发表的意见及补充说明,监理工程师的结论意见。

五、发布开工令

当开工准备工作符合下列条件时,由承包商提出申请,总监理工程师签署开工令。

(1)业主方面:

①有关工程建设的各种手续已办理完毕;②影响工程施工的地面附着物拆迁办理完毕;③完成设计交底,设计方面已无影响工程进展的技术问题,达到可施工程度,测量及高程控制点已交接;④影响工程进展的民事问题基本解决;⑤按合同约定场地三通一平问题已基本解决;⑥按合同规定向监理工程师提供的(或由承包商提供,业主支付相应的费用)食宿、办公用房及设施已基本准备就绪。

(2)承包商方面:

①按合同规定,提供的机械设备已运至施工现场;②承包商工地试验室已按监理工程师的要求完成,或已选定经监理工程师认可的外送委托试验室;③向监理工程师提交施工组织设计、进度计划已得到监理工程师的批准;④主要材料来源及运输方案已落实,已进场的材料经检验合格,有满足开工需要的材料配合比;⑤承包商机构和人员设备情况符合投标书的内容,质量管理系统完善,安全技术措施落实;⑥承包商各级管理人员及特殊工种人员的资质与合同要求一致;⑦已办理工程保险,第三方保险和履约保证金;⑧临建生产生活设施能满足开工需求;⑨已提交单位工程开工申请报告。

第二节 土方工程的测量与计算

一、土方工程的施工准备

(一)资料准备

土方工程施工前,承包商要向设计单位或业主索要以下资料:

(1)施工场区地界图;

(2)施工场区地形图(比例1:500);

(3)场区建筑物布置图(总平面图);

(4)场区内(或附近)国家水准点、坐标点。

(二)测量仪器准备

土方工程施工前,承包商要负责提供以下测量仪器(经过鉴定部门鉴定并有鉴定证书):

(1)经纬仪1台;

(2)水准仪1台;

(3)钢尺($L = 100$ m);

(4)平板仪(承包商自己测图时用);

(5)塔尺、标杆及其他测量必须品。

开工之前,承包商应向监理工程师提交仪器清单、鉴定合格证复印件以及测量师的资质证。

(三)水准点校测准备

由设计单位给定的水准点是向现场引测标高控制点的依据。若设计单位只提供一个水准点(或标高依据点),监理工程师直接或间接通过业主请设计单位负责保证其正确性。一般设计单位至少提供两个水准点,此时监理工程师应要求承包人或会同承包人用往返测法测定其高差。若所测高差平均值与已知高差值小于$\pm 5\sqrt{n}$ mm时(n为测站数),可认定所给水准点及其标高正确,准予使用。若校测中发现问题,监理工程师应与设计单位或城市规划部门联系,妥善处理,办好手续后,方允许使用。

如果设计单位或业主单位不能提供水准点,承包商应在监理工程师的指导下在场区内(外)适当的位置设置"假设水准点",并按规定埋设永久性水准点标志桩,且加以围护。

假设水准点的绝对标高,根据场区地形高差情况可假设其绝对标高为▽10.00 m 或▽100.00 m,一般为▽100.00 m,以免在测量工作中出现负值。

值得注意的是:不少承包商在场区方格网自然地面标高测量时,假设标高点为"零",并且假设点位置偏低,场区测量标高正值(＋)负值(－)交叉出现,给下一步土方量计算造成不便,因为土方计算时方格内有挖(＋)有填(－),会出现符号"打架"问题,应当杜绝。也有的承包商在方格网地面自然标高测量时,在方格网内只写上前尺读数,而没有计算出每个方格角点的实际标高(绝对标高或假设绝对标高),也是应当杜绝的。

(四)控制网准备

场区控制网包括平面控制网和标高控制网,它是整个场区测量、建筑物定位、平面和竖向控制的基本依据,承包人应恰当地布置网点,准确地测量与保护,布点测量合格后,报监理工程师批准。

(五)控制网的精度要求

对控制网的相对中误差($M_{控}$)和放线的相对中误差($M_{放}$)为:$M_{控} = M_{放} = 1/10\ 000 \sim 1/20\ 000$。相对的测角精度分别为:$\pm 20''$和$\pm 10''$。场地标高控制网要求承包人应根据设计指定的已知标高的水准点引测到场地内,使该点与场地标高控制网相连,并接测到另一指定的水准点作为附合校对。闭合差小于$\pm 5\sqrt{n}$ mm 时(n 为测站数)或$\pm 20L$ mm 时(L 为测线长度,单位:km)为合格,此时可以按与测站数成正比例的关系进行闭合差调整。若设计单位只给出一个已知标高的水准点作为起始依据,则可采用往返测法或闭合测法作校核。承包人将标高控制网测好后,自检合格,报监理工程师检测合格后,方可被批准正式使用。

二、场地标高设计的原则

场地标高设计,应遵循以下原则:

(1)满足建筑、生产、生活、交通的要求;

(2)巧妙、合理地利用地形,减少挖方及填方;

(3)做好土方平衡,即∑挖=∑填,减少土方内外运输;

(4)合理确定场区坡向、坡度,满足排水要求。

排水坡度的确定:场区排水坡向、坡度是由设计单位提供的,如果设计无规定,其坡应坡向城市雨水管网、排水渠(沟)、路边沟、低洼地,其坡度以 2‰~3‰ 为宜。

三、方格网的测量

(一)方格网的布置

方格网边长是等距的,以 10~40 m 为宜,常用 20 m×20 m 方格网。

(二)方格网的测量

(1)把已经监理工程师批准(并已校测无误)的水准点高程引至测区的中心点"O"。

(2)再以"O"点为中心点用经纬仪测出两条互相垂直的纵轴与横轴。

(3)自"O"点开始分别沿纵、横轴线方向(按照方格网的边长)用木桩定出所有方格网的顶点和界桩。

(4)方格点位置确定后,以"O"点为后视测出各角点的自然地面的绝对高程,标在方格网角点的左侧。

(5)复核测量成果,是否有误,是否符合精度要求。

(6)承包商将测量成果报监理工程师审核并签字认可。

四、场地平整的土方计算

(一)将场地平整为水平面的计算

场地平整是在土方方格网测量成果完成的基础上进行的。如果场区面积不大,地面坡度均匀,将场地整为水平面可采用加权平均法计算。方格网点的地面平均高程值,称为加权平均值。方格网角点的位置不同,它的"权"数也不同。如方格网角点的权是1,边点的权是2,中心点的权是4,由三个方格组成的带拐角桩点的权是3。各方格网点的高程加权平均值(H)等于各点的高程值分别乘以各点的权之总和除以各点的权之总和。其公式是

$$H = H_0 + (P \times \delta_H) / \sum P$$

式中　　H——加权平均值;

　　　　H_0——近似高程值;

　　　　P——各方格点的权;

　　　　δ_H——各点地面高程减H_0;

　　　　$\sum P$——各方格点的权之和。

场地平整的施工高度等于方格网各点的地面高程减去加权平均高程值(H),也就是各角点的挖填值。按加权平均法把场地整为水平面时,总的挖填土方量应相等。

实例: 如图1-1,求加权平均值及零点位置。

(1)求加权平均值H:

$$
\begin{aligned}
H &= H_0 + (P \times \delta_H) / \sum P \\
&= 100 + [1 \times (0.2 + 0.7 + 2.3 + 1.15) + 2 \times (0.25 + 0.40 \\
&\quad + 0.55 + 1.95 + 2.15 + 1.75 + 1.45 + 1.25 + 0.85 + 0.50) \\
&\quad + 4 \times (0.6 + 0.75 + 0.87 + 0.95 + 1.18 + 1.3)] / (1 \times 4 \\
&\quad + 2 \times 10 + 4 \times 6) \\
&= 101.023\,9 \approx 101.024(取\,101.02)
\end{aligned}
$$

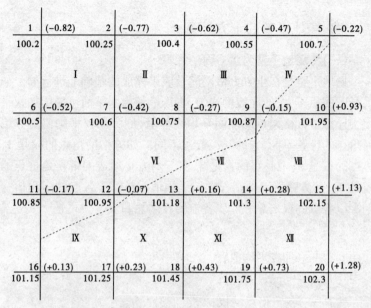

注:①图中标高、填挖高度以米计;

②括号内数字为角点填挖高度,"+"号为挖,"-"号为填。

图 1-1　水平面方格网(20 m×20 m)土方计算图

各角桩挖、填高度等于原地面高程减去加权平均值高程。其值前带"-"为填、"+"为挖。如 1 号角桩:$100.20 - 101.02 = -0.82(\mathrm{m})$(填),其他各桩计算方法同,计算结果见图 1-1 中方格网角桩右上角。

(2)计算零点位置:在有挖有填之间的方格里,必然存在着一个零点线(即不挖不填的设计线,也叫"0"线),如图 1-2 所示。

零点位置用下式计算

$$X_1 = ah_1/(h_1 + h_2) \quad X_2 = ah_2/(h_1 + h_2)$$

式中　X_1、X_2——零点至角点的距离;

　　h_1、h_2——相邻两角点的填挖高度;

　　a——方格网边长。

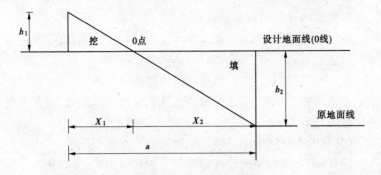

图1-2 零点位置计算图

在图1-1中,11—16、12—17、8—13、9—14、5—10角点之间均存在一个零点,计算结果如下:

11—16线　　11—$X = ah_1/(h_1 + h_2) = 20 \times 0.17/(0.17 + 0.13) = 11.33$

　　　　　　16—$X = ah_2/(h_2 + h_1) = 20 \times 0.13/(0.13 + 0.17) = 8.67$

12—17线　　12—$X = 4.67$　　17—$X = 15.33$

8—13线　　8—$X = 12.56$　　13—$X = 7.44$

9—14线　　9—$X = 6.98$　　14—$X = 13.02$

5—10线　　5—$X = 5.12$　　10—$X = 14.88$

把计算出的角点至零线距离标在图上,用虚线把零点连起来,填土区与挖土区即可区分开来。

计算零点位置,填或挖高度均用绝对值代入。

从图1-1可以看出,Ⅰ、Ⅱ、Ⅲ、Ⅴ方格为全填土方区,Ⅺ、Ⅻ方格为全挖土方区,Ⅳ、Ⅵ、Ⅶ、Ⅷ、Ⅸ、Ⅹ为填挖区。

(二)将场区平整为倾斜面的计算

为了满足场区雨水排放的需要,一般将场区平整为倾斜面。倾斜面场地设计有两种情况。

1.场区地势较高时平整设计

场区地势较高,能满足雨水排放要求。对于这类场区,不需从场外运土,只需作土方平衡设计。其步骤是:

(1)方格网测量。首先实地定出方格网的桩距,并用木桩打出全部方格角桩并编号,用水平仪测出各桩自然地面高程,填在方格网角桩的左下方。

(2)测出方格网的中心线(纵、横轴线),并标在图上。

(3)使中心点的地面设计高程等于加权平均值,并以此为计算起点,根据排水方向及坡度,推算出各桩号的设计高程,并将设计高程填写在各方格网角桩的右下方。

(4)根据各桩自然地面高程与设计地面高程计算出各桩挖(＋)填(－)高度,填写在方格网角桩的右上方。

(5)按照土方计算公式,计算出挖、填土方量。

2.场区地势较低时平整设计

场区地势较底,不能满足雨水排放要求,需作场区土方回填设计。其步骤是:

(1)方格网测量(技术同上)。

(2)现场确定场区排水方向及排水坡度。

(3)现场确定场区排水边线(点)或中心线(点)的地面设计起点高程。

(4)根据地面设计起点高程及排水方向、坡度推算出全部方格网角桩的设计高程。

(5)计算方格网角桩挖、填施工高度,填写在方格网的右上方。

(6)按照土方计算公式,计算土方量。

(7)把挖、填土方计算结果填写在方格网内。

3.土方计算公式

(1)零点位置计算:

如图1-3所示的方格 ABCD,0 线从 AD 和 BC 边穿过,则

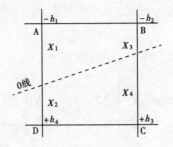

图 1-3 零点位置计算图

$$X_1 = ah_1/(h_1 + h_4) \qquad X_2 = ah_4/(h_4 + h_1)$$
$$X_3 = ah_2/(h_2 + h_3) \qquad X_4 = ah_3/(h_3 + h_2)$$

式中　X_1——角点 A 到 AD 边 0 点的水平距离；

$\quad\quad X_2$——角点 D 到 AD 边 0 点的水平距离；

$\quad\quad X_3$——角点 B 到 BC 边 0 点的水平距离；

$\quad\quad X_4$——角点 C 到 BC 边 0 点的水平距离；

$\quad\quad h_1$、h_2、h_3、h_4——分别为 A、B、C、D 各角点的填挖高

$\quad\quad\quad\quad\quad\quad\quad\quad$度；

$\quad\quad a$——方格网边长。

(2)一点填方(或挖方):计算三角形土方量(见如图 1-4)。

$$V_{三角} = a^2 h_3^3 / [6(h_3 + h_2)(h_3 + h_4)]$$

(3)三点填方(或挖方):计算五角形土方量(见图 1-4)。

$$V_{五角} = a^2(2h_2 + 2h_4 + h_1 - h_3)/6 + V_{三角}$$

(4)全填(或全挖):计算方格的土方量(如图 1-5)。

$$V = a^2 \sum h / 4 = a^2(h_1 + h_2 + h_3 + h_4)/4$$

(5)两点填方(或挖方):计算梯形的土方量(如图 1-6)。

$$V_- = a^2[h_1^2/(h_1 + h_4) + h_2^2/(h_2 + h_3)]/4$$
$$V_+ = a^2[h_4^2/(h_4 + h_1) + h_3^2/(h_3 + h_2)]/4$$

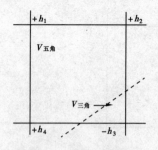

图1-4 一点(三点)填方或挖方计算图

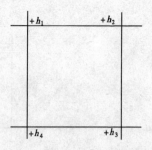

图1-5 全填或全挖计算图

(6)两挖一填(或两填一挖):计算六角形的土方量(如图1-7)。

$$V_{1+} = a^2 h_1{}^3 / [6(h_1 + h_2)(h_1 + h_4)]$$

$$V_{2+} = a^2 h_3{}^3 / [6(h_3 + h_2)(h_3 + h_4)]$$

$$V_{3-} = a^2 (2h_2 + 2h_4 - h_1 - h_3)/6 + V_{1+} + V_{2+}$$

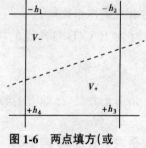

图1-6 两点填方(或挖方)计算图

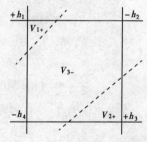

图1-7 两挖一填(或两填一挖)计算图

五、土方计算实例

将某场地(图1-8)平整为双向排水倾斜面,场地中心设计高程为102.17 m,方格为20 m×20 m,排水方向及坡度如图1-8,不考虑土的可松性对设计标高的影响,计算本场地挖填土方量。

(1)计算各角桩设计高程：

放坡起点为 12 号角桩，其设计标高为：

$$H_{12} = 102.17 + 20 \times 3‰ + 30 \times 2‰ = 102.29(m)$$

$$H_{11} = 102.29 - 20 \times 2‰ = 102.25(m)$$

$$H_8 = 102.29 - 20 \times 3‰ = 102.23(m)$$

其他各角桩设计高程计算方法同上(结果见图 1-8)。

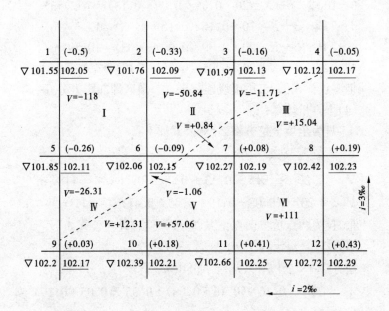

注：①图中标高、填挖高度以米计，体积以立方米计；

②括号内数字为角点填挖高度，带下画线的数字为角点设计标高，带"▽"的数字为角点自然标高。

图 1-8　倾斜面方格网(20 m×20 m)土方计算图

(2)计算各角桩施工高度：

1 号角桩的施工高度为：

$$h_1 = 101.55 - 102.05 = -0.5(m)$$

$$h_2 = 101.76 - 102.09 = -0.33 (\text{m})$$

其他各桩施工高度计算方法同(结果见图1-8)。正值表示挖方,负值表示填方。

(3)计算零点位置:

方格Ⅲ、Ⅳ、Ⅴ有挖填方,其零点位置 X 计算如下:

5—9线　5—$X = 20 \times 0.26 / (0.26 + 0.03) = 17.93 (\text{m})$

6—10线　6—$X = 20 \times 0.09 / (0.09 + 0.18) = 6.67 (\text{m})$

3—7线　3—$X = 20 \times 0.16 / (0.16 + 0.08) = 13.33 (\text{m})$

6—7线　6—$X = 20 \times 0.09 / (0.09 + 0.08) = 10.59 (\text{m})$

4—8线　4—$X = 20 \times 0.05 / (0.05 + 0.19) = 4.17 (\text{m})$

把零点标在图上,用虚线连起来,挖、填区即在图上分开。

(4)土方量计算:

Ⅰ、Ⅵ为全填全挖方格,计算公式如下:

$$V = a^2 \sum h / 4$$

$$V_{\text{Ⅰ}-} = 20^2 \times (0.5 + 0.33 + 0.09 + 0.26) / 4 = 118 (\text{m}^3)$$

$$V_{\text{Ⅵ}+} = 20^2 \times (0.08 + 0.19 + 0.43 + 0.41) / 4 = 111 (\text{m}^3)$$

Ⅲ、Ⅳ为两点填方两点挖方(梯形)方格,计算公式如下:

填方 $V = a^2 [h_1^2 / (h_1 + h_4) + h_2^2 / (h_2 + h_3)] / 4$

挖方 $V = a^2 [h_4^2 / (h_1 + h_4) + h_3^2 / (h_2 + h_3)] / 4$

$$V_{\text{Ⅲ}-} = 20^2 \times [0.16^2 / (0.16 + 0.08) + 0.05^2 / (0.05 + 0.19)] / 4$$
$$= 11.71 (\text{m}^3)$$

$$V_{\text{Ⅲ}+} = 20^2 \times [0.08^2 / (0.16 + 0.08) + 0.19^2 / (0.05 + 0.19)] / 4$$
$$= 15.04 (\text{m}^3)$$

$$V_{\text{Ⅳ}-} = 20^2 \times [0.26^2 / (0.26 + 0.03) + 0.09^2 / (0.09 + 0.18)] / 4$$
$$= 26.31 (\text{m}^3)$$

$$V_{\text{Ⅳ}+} = 20^2 \times [0.03^2 / (0.26 + 0.03) + 0.18^2 / (0.09 + 0.18)] / 4$$
$$= 12.31 (\text{m}^3)$$

Ⅱ、Ⅴ方格为三点填方(或挖方),一点挖方(或填方)即五角形
(三角形)方格,其计算公式如下:

$$V_{三角} = a^2 h_3{}^3 / [6(h_3 + h_2)(h_3 + h_4)]$$

$$V_{五角} = a^2 (2h_2 + 2h_4 + h_1 - h_3)/6 + V_{三角}$$

$$V_{Ⅱ三角+} = 20^2 \times 0.08^3 / 6 \times (0.08 + 0.16) \times (0.08 + 0.09)$$
$$= 0.84 \, (m^3)$$

$$V_{Ⅱ五角-} = 20^2 \times (2 \times 0.16 + 2 \times 0.09 + 0.33 - 0.08)/6 + 0.84$$
$$= 50.84 \, (m^3)$$

$$V_{Ⅴ三角-} = 20^2 \times 0.09^3 / 6 \times (0.09 + 0.08) \times (0.09 + 0.18)$$
$$= 1.06 \, (m^3)$$

$$V_{Ⅴ五角+} = 20^2 \times (2 \times 0.18 + 2 \times 0.08 + 0.41 - 0.09)/6 + 1.06$$
$$= 57.06 \, (m^3)$$

$$\sum V_- = 118 + 11.71 + 26.31 + 50.84 + 1.06 = 207.92 (m^3)$$

$$\sum V_+ = 111 + 15.04 + 12.31 + 0.84 + 57.06 = 196.25 (m^3)$$

将各方格挖填土方量填写在方格内。并将计算方格网图、计算式报监理工程师审核签字认可。

六、场地设计标高的调整

由于土的可松性,会使场地理论设计标高 H 增加一个值 Δh,需要进行设计标高的调整,调整后的设计高程 H_T 为

$$H_T = H + \Delta h$$

式中 $\Delta h = V_W(K'_p - 1)/(F_T + F_W \cdot K'_p)$

V_W、V_T——按设计标高计算出的总挖、填土方量;

F_W、F_T——按设计计算出的总挖方区、填方区面积;

K'_p——土的最终可松性系数(见表 1-3)。

表 1-3　各种土的可松性参考数值

土的类别	体积增加百分比		可松性系数	
	最初	最终	K_P	K'_P
一类(种植土除外)	8~17	1~2.5	1.08~1.17	1.01~1.03
一类(种植土、泥浆)	20~30	3~4	1.20~1.30	1.03~1.04
二类	14~28	1.5~5	1.14~1.28	1.02~1.05
三类	24~30	4~7	1.24~1.30	1.04~1.07
四类(泥灰岩、蛋白石除外)	26~32	6~9	1.26~1.32	1.06~1.09
四类(泥灰岩、蛋白石)	33~37	11~15	1.33~1.37	1.11~1.15
五~七类	30~45	10~20	1.30~1.45	1.10~1.20
八类	45~50	20~30	1.45~1.50	1.20~1.30

注:最初体积增加百分比 = $[(V_2 - V_1)/V_1] \times 100\%$

最后体积增加百分比 = $[(V_3 - V_1)/V_1] \times 100\%$

K_P——为最初松散系数,$K_P = V_2/V_1$;

K'_P——为最终松散系数,$K'_P = V_3/V_1$;

V_1——开挖前土自然地面状态的体积;

V_2——挖掘时的最初松散体积;

V_3——填方的最终松散体积。

在土方工程中,K_P是计算装运车辆及挖土机械的重要参数,K'_P是计算填方所需挖土工程的重要参数。

第三节　场地平整及挖填土方

一、土方工程质量控制流程

土方工程施工前,监理工程师应熟悉土方工程质量控制流程,掌握重点工序的质量控制方法,对土方工程质量控制做到心中有数,这样才能做好土方工程质量控制工作。土方工程质量控制流程见图 1-9。

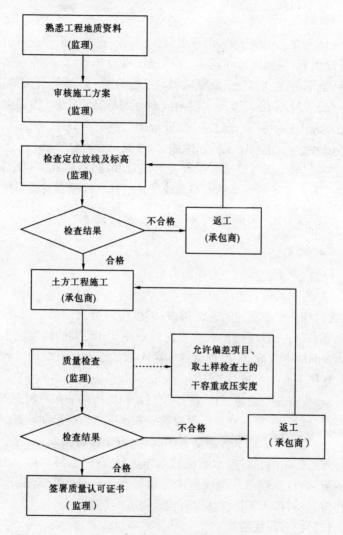

图 1-9　土方工程质量控制流程

二、预控措施

(1)土方工程施工前,监理工程师应熟悉有关的工程技术资料和设计图纸,包括地形测量图、工程地质勘察报告、文物考古钻探资料、地下管线、水文、气象资料和本工程的施工图纸等有关资料。

(2)工程开工前,监理工程师应审查图纸会审记录、施工组织设计和施工总平面图、施工方案。

(3)检查承包商施工机械的数量、性能是否符合要求。

(4)监理工程师应检查工程控制测量和建筑物(或构筑物)的定位放线工作。督促承包商对轴线定位点和水准基点妥善保护。

三、施工中的质量控制措施及质量检查

(一)平整场地

(1)检查承包商的土方平衡方案。

(2)检查承包商的防护措施。

(3)检查平整场地的表面坡度:坡度应符合设计要求,如果设计无要求时,一般应向排水沟方向做成不小于2‰的坡度。平整场地表面应逐点检查,检查点的间距不宜大于20 m,监理工程师进行复核。

(4)检查施工测量工作:应经常测量和校核水平标高和边坡等是否符合设计图纸要求。平面控制桩和水准点也应定期检查。

(5)检查防水排水措施落实情况:土方工程施工前,承包商应做好施工区域内临时排水系统的总体规划,并注意与原排水系统相适应,临时性排水系统设施应尽量与永久性排水设施相结合。应注意,临时排水不得损坏附近建筑物或构筑物。

(二)挖方质量控制

(1)检查挖方的弃土堆是否按施工总平面图规划布置,弃土堆不能影响周围的建筑物、构筑物、道路和排水等。如有废弃土需外

运,必须经监理工程师同意后,方可运出该工程范围以外有关方面允许收存的地方。

(2)在土方开挖过程中,如边坡出现裂纹、滑动等现象时,监理工程师应尽快审核承包商的处理方案,督促承包商采取安全防护措施,设置观测点,观测滑动情况,检查承包商的记录。

(3)检查挖方的标高、边坡是否符合设计和《施工规范》的要求。

(4)若发现工程实际地质与设计资料不符时,承包商应书面报告监理工程师,监理工程师应向上级反馈信息,通知设计及有关单位进行处理,待监理工程师发出设计变更指令后,承包商方可继续施工。

(5)土方开挖宜从上到下分层分段依次进行,做成一定坡度,以利排水,不得在影响边坡稳定的范围内积水。

(三)基坑(槽)和管沟开挖的质量控制

1.有关规定

(1)基坑(槽)、管沟的开挖应连续进行,尽快完成。施工中应防止地面水流入坑、沟内,以免边坡塌方或基土遭到破坏。

(2)雨期施工或基坑(槽)、管沟挖好后尽量减少对基土扰动,如不能及时进行下一工序时,可在基底标高以上留0.3 m厚土层,待下一工序开始前再挖除。

(3)采用机械开挖基坑(槽)或管沟时,可在基底标高以上预留一层人工清理,其厚度应根据施工机械确定。

(4)基坑(槽)底部的开挖宽度,除基础底部宽度外,应根据施工需要增加工作面、排水设施和支撑结构的宽度。

(5)管沟底部开挖宽度(有支撑者为撑板间净宽),除管沟结构宽外,应增加工作面。

(6)开挖低于地下水位的基坑(槽)、管沟时,应根据工程地质资料,采取措施降低地下水位,一般情况下要降到低于开挖底面

50 cm 以下方可开挖。

2. 监理工程师工作要点

(1)监理工程师应检查坡度是否符合下列要求：

在天然湿度的土中，开挖基坑(槽)和管沟时，当挖土深度超过下列数值时，应放坡或加支撑。

①密实、中密的砂土和碎石类土(充填物为砂土)——1.0 m。

②硬塑、可塑的粘质粉土及粉质粘土——1.25 m。

③硬塑、可塑的粘土和碎石类土(充填物为粘性土)——1.5 m。

④坚硬的粘土——2.0 m。

超过上述规定深度，在 5 m 以内时，当土具有天然湿度，构造均匀，水文地质条件好，且无地下水，不加支撑的基坑(槽)和管沟，必须放坡。边坡最陡坡度应符合表 1-4 的规定。

(2)监理工程师应检查承包商的基坑(槽)、管沟开挖顺序。

(3)监理工程师应检查承包商在基坑(槽)、管沟开挖过程中和敞露期间是否采取防止塌方措施。一般情况下，在槽边弃土时，应保证槽边坡和直立帮的稳定。当土质良好时，抛于槽边的土方(或材料)应距槽(沟)边缘 0.8 m 以外，高度不宜超过 1.5 m。在柱基周围、墙基或围墙一侧，不得堆土过高。

表 1-4　各类土的边坡最陡坡度

项次	土的类别	边坡坡度(高∶宽)		
		坡顶无荷载	坡顶有静载	坡顶有动载
1	中密的砂土	1∶1.00	1∶1.25	1∶1.50
2	中密的碎石类土(充填物为砂土)	1∶0.75	1∶1.00	1∶1.25
3	硬塑的轻亚粘土	1∶0.67	1∶0.75	1∶1.00
4	中密的碎石类土(充填物为粘性土)	1∶0.50	1∶0.67	1∶0.75
5	硬塑的亚粘土、粘土	1∶0.33	1∶0.50	1∶0.67
6	老黄土	1∶0.10	1∶0.25	1∶0.33
7	软土(经井点降水后)	1∶1.00		

(4)防止基底超挖,当挖土接近设计标高时,应督促承包商标出基本点、拉出基准线,预防超挖,防止扰动承载地基。

3.质量检验与验收

(1)保证项目:柱基、基坑、基槽和管沟基底的土质必须符合设计要求(土质野外鉴别见表1-5),并严禁扰动。

表1-5 土的野外鉴别法

<table>
<tr><th colspan="2">项目</th><th>粘土</th><th>亚粘土</th><th>轻亚粘土</th><th>砂土</th></tr>
<tr><td colspan="2">湿润时用刀切</td><td>切面光滑,有粘刀阻力</td><td>稍有光滑,切面平整</td><td>无光滑面,切面稍粗糙</td><td>无光滑面,切面粗糙</td></tr>
<tr><td colspan="2">湿土用手捻摸时的感觉</td><td>有滑腻感,感觉不到砂粒,水分较大时很粘手</td><td>稍有滑腻感,有粘滞感,感觉到有少量砂粒</td><td>有轻微粘滞感或无粘滞感,感觉到砂粒较多、粗糙</td><td>无粘滞感,感觉到全是砂粒、粗糙</td></tr>
<tr><td rowspan="2">土的状态</td><td>干土</td><td>土块坚硬,用锤才能打碎</td><td>土块用力可压碎</td><td>土块用手捏或抛扔时易碎</td><td>松散</td></tr>
<tr><td>湿土</td><td>易粘着物体,干燥后不宜剥去</td><td>能粘着物体,干燥后较易剥去</td><td>不易粘着物体,干燥后一碰就掉</td><td>不能粘着物体</td></tr>
<tr><td colspan="2">湿土搓条情况</td><td>塑性大,能搓成直径不小于0.5mm的长条(长度不短于手掌),手持一端不易断裂</td><td>有塑性,能搓成直径为0.5～2mm的短条</td><td>塑性小,能搓成直径为2～3mm的短条</td><td>无塑性,不能搓成土条</td></tr>
</table>

(2)允许偏差项目见表1-6。

(3)待土方工程开挖完毕,承包商应通知监理工程师、设计代表、业主代表进行验收,并向监理工程师提交《工程报验单》及附件。附件包括:①工程定位测量记录;②基槽(坑)自检记录。

待验收合格后各有关单位负责人在验收基槽(坑)记录上签字,监理工程师审批《工程报验单》,签发《工程质量认可证书》。

表 1-6　土方工程外形尺寸的允许偏差和检验方法

项次	项目	允许偏差(mm)					检验方法
		柱基、基坑、基槽、管沟	挖方、填方、场地平整		排水沟	地(路)面基层	
			人工施工	机械施工			
1	标高	0 −50	±50	±100	0 −50	0 −50	用水准仪检查
2	长度、宽度(由设计中心线向两边量)	0	0	0	+100 0		用经纬仪检查、拉线和尺量检查
3	边坡偏陡	不允许	不允许	不允许	不允许		观察或用坡度尺检查
4	表面平整度					20	用2m靠尺和楔形塞尺检查

注:地(路)面基层的偏差只适用于直接在挖、填方做地(路)面的基层。

(四)填方质量控制

1.有关规定

(1)基底上的树墩及主根应拔除,坑穴应清除积水、淤泥和杂物等,并分层回填夯实(或压实)。

(2)在建筑物和构筑物地面下的填方或厚度小于 0.5 m 的填方,应清除基底上的草皮或垃圾。

(3)当填方基底为耕植土或松土时,应将基底辗压密实,或打底夯。

(4)填土前承包商应提交基础报验单,监理工程师应对填方基底和已完隐蔽工程进行检查和中间验收,并作出记录,签署意见。基坑(槽)未经验收不得进行填土施工。

2.对土料的质量要求

土料应符合设计要求。设计无要求时应符合下列规定：

(1)含水量符合要求的粘性土,可用作各层填料。

(2)碎块、草皮和有机质含量大于8%的土仅用于无压实要求的填方。

(3)淤泥质土不能用作填料。

3.监理工程师工作要点

(1)检查土的虚铺厚度及压实遍数是否符合要求。

(2)监督承包商按规定的取样频率取土样。填土压实的质量要求和取样数量应符合规定。土方压实后的干容重,应有90%以上符合设计要求,其余10%的最低与设计值相差不得大于0.089 kN/m^3 ,且分散不得集中。经检验下层土质量合格后才能填筑上一层土。

(3)填料为粘土或排水不良的砂土时,其最佳含水量与相应的最大干容重,宜按《土方与爆破工程施工及验收规范》(GBJ201—83)附表五的击实试验测定。如无试验条件时,可按 GBJ201—83附录六计算。

(4)填料为粘性土,填土前应检验其含水量,必须在控制范围内。

(5)填料为碎土(充填物为砂)时,碾压前应充分洒水湿透,以提高压实效果。

(6)填方每层铺土厚度和压实遍数应根据土质、压实系数和机具性能确定;碾压时,轮(夯)迹应相互搭接,防止漏压。

(7)分段填筑时,每层接缝应做成斜坡形,碾迹重叠0.5~1.0 m;上、下层错缝距离大于1 m。

(8)回填土夯(压)实时,不得出现"橡皮土",若出现"橡皮土"必须挖除,重新回填好土夯(压)实。"橡皮土"应作废土运出。

四、冬、雨期施工应注意的问题

(一)雨期施工

(1)雨期施工前,监理工程师应检查承包商是否对施工现场按照设计要求及实际情况采取必要的排水措施,来保证水流畅通。

(2)雨期施工,监理工程师应检查现场运输道路是否畅通,路面是否加铺防滑材料,两侧是否修排水沟,低洼积水处是否设置涵管,以利泄水。

(3)填方施工中,监理工程师应检查取土、运土、铺填、压实等各道工序是否连续进行。雨前应及时压完已填土层或将表面压光,并做成一定坡势,以利排除雨水。

(4)雨期开挖基坑(槽)或管沟时,应注意边坡稳定,必要时可适当放缓边坡或设支撑,并应在坑(槽)外侧围筑土堤或开挖水沟,防止地面水流入,如发现基坑积水,应及时排水。

(二)冬季质量控制

(1)冬季施工中,监理工程师应检查承包商制订的冬季施工措施。

(2)冬季填方每层铺土厚度比常温施工时减少 20% ~25%,预留沉陷量应比常温施工时适当增加。

(3)冬季填土施工应符合下列规定:

①填土前,应清除基底上的冰雪或保温材料;

②填方边坡表层 1 m 以内不得用冻土填筑;

③填土上层应用未冻的、不冻胀的或透水性好的土料填筑,其厚度应符合设计要求。

(4)开挖基坑(槽)或管沟时,必须防止基础下的基土遭受冻结。如基坑(槽)开挖完毕至地基与基础施工或埋设管道之前有间歇时间,应在基底标高以上预留适当厚度的松土或用其他保温材料覆盖。

(5)冬季开挖土方时,如可能引起邻近建筑物(或构筑物)的地基或其他地下设施产生冻结破坏时,应采取防冻措施。

(6)冬季回填基坑(槽)或管沟除应遵守本节基坑(槽)和管沟开挖与回填中的施工要求有关规定外,尚应符合下列规定:

①室外的基坑(槽)或管沟可用含有冻土块的土回填,但冻土块体积不得超过填土总体积的15%,且冻土最大粒径不得大于20 mm;

②管沟底至管顶0.5 m范围内不得用含有冻土块的土回填;

③室内的基坑(槽)或管沟不得用含有冻土块的土回填;

④回填工作应连续进行,防止基土或已填土层受冻。

五、监理工程师应注意的问题

(1)基底超挖。开挖基坑(槽)或管沟均不得超过基底标高,如个别地方超挖时,其处理方法应取得设计单位的同意,不得私自处理。

(2)软土地区桩基挖土应防止桩基位移。在密集群桩上开挖基坑,应在打桩完成后,间隔一段时间,再对称挖土;在密集桩附近开挖基坑(槽)时,应事先确定防桩基位移的措施。

(3)基底未保护。基坑(槽)开挖后应尽量减少对基土的扰动。如基础不能及时施工时,可在基底标高以上留出0.3 m厚土层,待做基础时再挖掉。

(4)施工顺序不合理。土方开挖宜先从底处进行,分层分段依次挖开,形成一定坡度,以利排水。

(5)开挖尺寸不足。基坑(槽)或管沟底部的开挖宽度,除结构宽度外,应根据施工需要增加工作面宽度。如排水设施、支撑结构所需的宽度,在开挖前均应考虑。

(6)基坑(槽)或管沟边坡不直不平,基底不平。应加强检查,随挖随修,并要认真验收。

第四节　回填土工程

一、质量预控措施

(1)监理工程师应对基础、箱型基础墙或地下防水层、保护层等进行检查验收，并且要办好隐检手续。

(2)监理工程师必须严格控制填方的基底处理，基底处理必须符合设计要求和施工验收规范的规定。基底处理不合格不准进行下步工序。

(3)回填土中的土宜优先利用基槽中挖出的土，但不得含有有机杂质，使用前应过筛，其粒径不大于 50 mm，含水率应符合有关规定。

(4)检查填方土料的含水率虚铺厚度和压实遍数。

(5)检查上下水、煤气管道的安装和管沟墙间加固质量是否合格。沟槽、地坪上的积水和杂质是否清理干净。

(6)施工前，应做好水平标志，以控制回填土的高度或厚度。如在基坑(槽)或管沟边坡上，每隔 3 m 钉上水平橛；室内和散水的边墙上弹上水平线或在地坪上钉上标高控制木桩。

二、回填土工程施工中的质量控制

(1)检查回填土的土内杂质含量及粒径是否符合要求，回填土的含水量是否在控制的范围内。如含水量偏高，可采用翻松、晾晒或均匀掺入干土等措施；如遇回填土的含水量偏低，可采用预先洒水润湿等措施。

(2)回填土应分层铺摊。每层铺土厚度应根据土质、密实度要求和机具性能确定。一般蛙式打夯机每层铺土厚度为 200~250 mm；人工打夯不大于 200 mm。每层铺摊后，随之耙平。

(3)深浅两基坑(槽)相连时,应先填夯深基础;填至浅基坑相同的标高时,再与浅基础一起填夯。如必须分段填夯时,交接处应填成阶梯形,阶梯形的高宽比一般为1:2。上下层错缝距离不小于1.0 m。

(4)基坑(槽)回填应在相对两侧或四周同时进行。基础墙两侧标高不可相差太多,以免把墙挤歪;较长的管沟墙,应采用内部加支撑的措施,然后再在外侧回填土方。

(5)回填埋管时,为防止管道中心线位移或损坏管道,应用人工先在管子两侧填土夯实;并应由管道两侧同时进行,直至管顶0.5 m以上时,在不损坏管道的情况下,方可采用蛙式打夯机夯实。在接口处、防腐绝缘层或电缆周围,应回填细粒料。

(6)回填土每层填土夯实后,应按规范规定用环刀取样,测出干土的容重;达到要求后,再进行上一层的施工。

(7)检查修整找平的质量。填土全部完成后,应进行表面拉线找平,凡超过标准高程的地方,及时依线铲平;凡低于标准高程的地方,应补土夯实。

三、雨、冬期施工应注意的问题

(1)基坑(槽)或管沟的回填土应连续进行,尽快完成。施工中注意雨情,雨前应尽快夯完已填土层或将表面压光,并做成一定坡势,以利排除雨水。

(2)施工时应有防雨措施,要防止地面水流入基坑(槽)内,以免边坡塌方或基土遭到破坏。

(3)冬期回填土每层铺土厚度应比常温施工时减少20%～50%;其中冻土块体积不得超过填土总体积的15%,冻土粒径不得大于150 mm。铺填时,冻土块应均匀分布,逐层压实。

(4)填土前,应清除基底上的冰雪和保温材料;填土的上层应用未冻土填铺,其厚度应符合设计要求。

(5)管沟底至管顶 0.5 m 范围内不得用含有冻土块的土回填;室内房心、基坑(槽)或管沟不得用含冻土块的土回填。

(6)冬期回填土施工应连续进行,防止基土或已填土层受冻,并应及时采取防冻措施。

四、回填土工程的质量检查与验收

(1)质量标准:

①基底处理,必须符合设计要求或施工规范的规定。

②回填的土料,必须符合设计或施工规范的规定。

③回填土必须按规定分层夯实。取样测定夯实后土的干土容重,其合格率不应小于 90%,不合格的干土容重的最低值与设计值的差,不应大于 0.08 g/cm³,且不应集中。环刀取样的方法及数量应符合规定。

(2)允许偏差见表 1-6。

(3)待回填土工程施工完毕,承包商应提交《工程报验单》及质量记录,附件如下:

①地基处理记录。

②地基钎探记录。

③回填土的实验报告(各层回填土)。

④回填土自检资料。

验收合格后监理工程师签发《工程质量认可证书》。

五、监理工程师应注意的工程质量问题

(1)未按要求测定土的干土质量密度。回填土每层都应测定夯实后的干土容重,符合设计要求后才能铺摊上层土。试验报告要注明土料种类、试验日期、试验结论及试验人员签字。未达到设计要求部位,应有处理方法和复验结果。

(2)回填土下沉。因虚铺土超过规定厚度或冬季施工时有较

大的冻土块,或夯实不够遍数,甚至漏夯,坑(槽)底有有机杂物或落土清理不干净,以及冬季做散水,施工用水渗入垫层中,受冻膨胀等造成。这些问题均应在施工中执行规范的有关各项规定,并要严格检查,发现问题及时纠正。

(3)管道下部夯填不实。管道下部应按标准要求填夯回填土,如果漏夯不实会造成管道下方空虚,造成管道折断而渗漏。

(4)回填土夯压不密。应在夯压时对干土适当洒水加以润湿;如回填土太湿,同样夯不密实,呈"橡皮土"现象,这时应将"橡皮土"挖出,重新换好再予夯实。

第二章　地基与基础工程

第一节　灰土地基质量控制

一、地基与基础工程质量控制流程

地基与基础工程施工前,监理工程师应熟悉地基与基础工程的质量控制流程(见图2-1),掌握地基与基础工程施工重点工序的质量控制方法,对质量控制的全过程作到心中有数,这样才能对地基与基础工程的质量进行有效的控制。

二、预控措施

(1)监理工程师应按照设计图纸、技术规范要求,审核承包商的施工方案、技术措施、材料样品和试验报告。

(2)监理工程师检查承包商的测量放线工作及检查、校核原有的轴线点和水准基点。

(3)检查灰土的土料:宜优先采用基槽中挖出的土,但不得含有有机杂物,使用前应先过筛,其粒径不大于 15 mm,含水量应符合规定。

(4)检查灰土的石灰:应用块灰或生石灰粉,使用前应充分熟化过筛,不得含有粒径大于 5 mm 的生石灰块,也不得含有过多的水分。

(5)监理工程师在基坑(槽)铺筑灰土前必须进行验槽。发现坑(槽)内有局部软弱土层或孔穴,应挖除,用素土或灰土分层填实。如基坑(槽)内有积水、淤泥,应清除干净,待干燥后再填土。

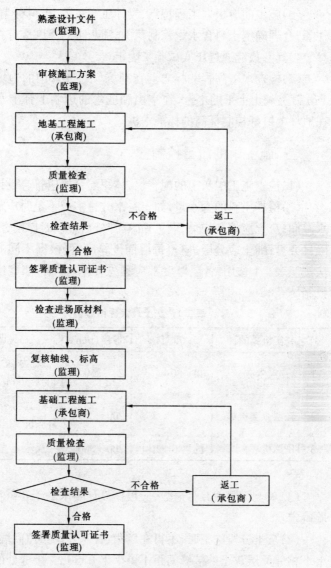

图 2-1 地基与基础工程质量控制流程

(6)施工前应根据工程特点、设计压实系数、土料种类、施工条件等,合理确定土料含水量控制范围、铺灰土的厚度和夯打遍数等参数。其参数应通过压实试验来确定。

(7)检查水平高程的标志。在基坑(槽)或管沟的边坡上每隔3 m钉上灰土上平的木橛,在室内和散水的边墙上弹上水平线或在地坪上钉好控制标高的标准木桩。

三、施工中的质量控制

(1)检查施工中灰土的配合比,体积配合比应符合设计要求。

(2)检查土料的含水量,如土料水分过多或不足时应晒干或洒水湿润;灰土应拌和均匀,颜色一致,拌好后应及时摊铺夯实,不得隔日夯打;铺土应分层进行,每层铺土厚度,可根据不同的施工方法按照表 2-1 选用,各层厚度都应预先在基坑(槽)侧壁设控制桩控制。

表 2-1　灰土最大虚铺厚度

项次	夯实机具的种类	重量	厚度(mm)	说明
1	石夯、木夯	40~80 kg	20~250	人力送夯,落高 400~500 mm
2	轻型夯实机械		200~250	蛙式打夯机,柴油打夯机
3	压路机	机重 6~10 t	200~300	双轮

(3)灰土每层的夯打遍数,应根据设计要求的干容重在现场试验确定。

(4)灰土分段施工时,不得在墙角、柱基及承重窗间墙下接缝,上下相邻两层灰土的接缝间距不得少于 0.5 m。接缝处的灰土应充分夯实。当灰土地基高度不同时,应做成阶梯形,每阶宽度不少于 0.5 m。

(5)灰土夯实后,应及时进行基础施工和回填土,否则就做临时遮盖,防止日晒雨淋。刚打完毕或尚未夯实的灰土,如遭受雨淋浸泡,则应将积水及松软灰土除去并补填夯实。

(6)当地下水位高于基坑(槽)底时,施工前应采取排水或降低地下水位的措施,使地下水位经常保持在施工面以下 0.5 m 左右。夯实后的灰土,在 3 d 内不得受水浸泡。

(7)房心灰土和管沟灰土的铺筑,应先完成上下水管道的安装或管沟墙间加固等措施后再进行。并且应将管沟、槽内、地坪上的积水或杂物、垃圾等有机物清除干净。

(8)沟、槽回填顺序,应按基底排水方向由高至低分层进行。

(9)基坑(槽)回填应在相对两侧或四周同时进行。

(10)回填管沟时,为防止管中心位移或损坏管道,应用人工先在管子周围填土夯实,并应从管道两侧同时进行,直至管顶面 0.5 m 以上。在不损坏管道的情况下,可采用机械回填和夯实。

(11)在抹带接口处,防腐绝缘层周围,应使用细粒土料回填。

四、质量检查与验收

(一)保证项目
(1)基底的土质必须符合要求。

(2)干土质量密度或贯入度必须符合设计要求或施工规范的规定。

(二)基本项目
(1)灰土配料正确,拌和均匀,虚铺厚度符合规定,夯压密实,灰土与三合土表面无松散和起皮。

(2)分层留槎位置、方法正确,接槎密实、平整。

(三)允许偏差项目
允许偏差项目的允许偏差见表 2-2。

表 2-2　顶面标高与表面平整度允许偏差

项次	项　目		允许偏差(mm)	检验方法
1	顶面标高		±15	用水准仪或拉线和尺量检查
2	表面平整度	灰土	15	用2 m检测尺和楔形塞尺检查
		砂、砂石、三合土	20	

(四)应检查的资料

(1)对不良地基采取的处理措施(如换土、井眼、洞穴的处理等)。

(2)灰土试验资料。

(3)工程自检资料。

第二节　钻孔灌注桩

一、预控措施

(1)熟悉工程地质资料、基础工程的施工图。

(2)审核承包商的桩基施工方案。

(3)检查承包商的进场原材料的合格证及复验报告单。

(4)检查承包商的施工机械及其配套设备是否符合要求。

(5)检查沉淀池是否符合要求。

(6)检查场地的平整工作,对不利于施工机械运行的松软场地应进行适当处理。如在雨季施工,必须督促承包商采取有效的排水措施。

(7)复核测量基线、水准基点及桩位。桩基轴线定位点及施工地区附近所设的水准点应设置在不受桩基施工影响处。

(8)审查试桩的各种参数。

(9)在建筑物旧址填土地区施工时,应预先进行钎探并将探明的在桩位处的旧基础、石块、废铁等障碍挖除,或采取其他处理措施。

(10)检查供水、供电、道路、排水等的情况。

二、施工中的质量控制及质量检查

(一)钻孔灌注桩

(1)成孔设备就位必须平正、稳固,确保施工中不发生倾斜。为准确控制钻孔深度,应在桩架或桩管上作出控制深度的标尺,以便在施工中进行观测、记录。

(2)检查钻杆的垂直度,垂直偏差应控制在 2‰ 以内,钻头应对孔正确,钻头中心与护筒中心的偏差宜控制在 15 mm 以内。

(3)检查钻孔质量,孔深、孔径、沉渣厚度的质量标准见表2-3。

(4)检查钢筋笼的制作质量、压浆管的焊接质量。

(5)分段制作的钢筋笼,其长度以 5~8 m 为宜。搬运时应采取适当措施,防止扭转、弯曲。埋设钢筋笼时,要对准孔位,吊直扶稳,缓缓下沉避免碰撞壁。钢筋笼下放到设计位置后,应立即固定。两段钢筋笼连接时应采用焊接。

(6)钢筋笼的制作偏差应符合下列规定:

主筋间距	±10 mm
箍筋间距	±20 mm
钢筋笼直径	±10 mm
钢筋笼长度	±100 mm

(7)粗骨料可用卵石或碎石,其最大的料径,用于沉管灌注桩及配筋混凝土不宜大于 5 cm,并不得大于钢筋间最小净距的 1/3;用于直接在成孔中灌注的素混凝土,不得大于桩径的 1/4,一般不大于 7 cm 为宜。细骨料应选用干燥的中、粗砂。

表 2-3　灌注桩施工允许偏差

序号	成孔方法		桩径允许偏差 (mm)	垂直度允许偏差 (%)	桩位允许偏差(mm)	
					单桩、条形桩基沿垂直轴线方向和群桩中的基础边桩	条形桩基沿顺轴线方向和群桩基础中间桩的偏差
1	泥浆护壁冲（钻）孔桩	$d \leqslant 1\,000$	$-0.1d$ 且 $\leqslant -50$	1	$d/6$ 且 $\leqslant 100$	$d/4$ 且 $\leqslant 150$
		$d > 1\,000$	-50		$100 + 0.01H$	$150 + 0.01H$
2	锤击沉管、振动、振动冲击沉管成孔	$d \leqslant 500$	-20	1	70	150
		$d > 500$			100	150
3	螺旋钻、机动洛阳铲钻孔扩底		-20	1	70	150
4	人工挖孔桩	现浇混凝土护壁	± 50	0.5	50	150
		长钢套管护壁	± 20	1	100	200

注：d 为桩直径，mm；H 为桩长度，mm。

(8)检查导管,浇注过程中导管应始终处在孔的中心,随时量测浇注深度,确定埋置深度(一般控制在 1.5～2.0 m),防止导管提拔过快、过多,造成断桩。

(9)核算混凝土的浇注量。

(二)承台及承台梁

(1)必须在完成下列工序后才能施工承台及承台梁:

①基桩施工中间验收合格;

②桩顶疏松混凝土全部凿掉,如桩顶低于设计标高者,须用高一级混凝土接长,达到一定强度,并将埋入承台的桩顶部分凿毛、洗净;

③桩顶伸人承台中的钢筋符合要求。

(2)安放、绑扎承台及承台梁钢筋前,应清除槽底土、杂物,承台梁侧面应按设计要求回填夯实。

(3)对于地震设防区,当承台梁采用支模灌注混凝土时,承台梁侧面应按设计要求回填夯实。

(4)钢筋混凝土的质量控制见第四章《钢筋混凝土工程》的有关内容。

三、质量检查与验收

(一)钻孔灌注桩

1.保证项目

(1)灌注桩用的原材料和混凝土强度必须符合设计和施工规范的规定。

(2)成孔深度必须符合设计要求。以摩擦力为主的桩,沉渣厚度严禁大于300 mm,以端承力为主的桩,沉渣厚度严禁大于100 mm。

(3)实际浇注的混凝土量严禁小于计算体积。套管成孔灌注桩任意一段平均直径与设计直径之比严禁小于1。

(4)浇注后的桩顶标高及浮浆的处理必须符合设计和施工规范的规定。

2.允许偏差项目

允许偏差项目的允许偏差见表2-4。

3.应检查的资料

(1)桩位测量放线复核记录。

(2)原材料出厂合格及复验报告。

(3)混凝土试块试验报告。

(4)隐蔽工程验收记录。

(5)桩基检测报告。

(6)设计变更文件及质量事故处理记录有关文件。

表 2-4 灌注桩允许偏差

项目			允许偏差(mm)	检验方法
桩的位置偏移 泥浆护壁成孔、干成孔、爆扩成孔灌注桩	垂直于桩基中心线	1~2 根桩	d/6 且≤200	拉线和尺量检查
		单排桩		
		群桩基础的边桩		
	沿柱基中心线	条形基础的桩	d/4 且≤300	
		群桩基础的中间桩		
桩的位置偏移 套管成孔灌注桩	1~2 根或单排桩		70	
	3~20 根桩基的桩		d/2	
	桩数多于 20 根	边缘桩	d/2	
		中间桩	d	
垂直度			H/100	吊线和尺量检查

(7)工程质量检验评定记录。

(二)承台及承台梁

见第四章《钢筋混凝土结构》的有关内容。

第三节 基础工程

一、预控措施

(1)熟悉施工图纸,工程地质勘察报告、文件,考古钻探资料,原有地下管线资料以及其他有关资料。

(2)检查承包商的施工组织、施工方案。

(3)检查施工技术交底及落实情况。

(4)在原有建筑物或构筑物邻近处进行的基础工程施工,施工前必须了解相邻建筑物或构筑物的原基础的详细情况,施工时如有可能影响到相邻建筑物或构筑物的使用和安全时,应及时提出处理方案,经监理工程师批准后,方可继续施工。

(5)检查基础工程所使用材料的品种、规格、混凝土(砂浆)配合比、标号等,是否符合设计要求和有关规范的规定。

(6)检查承包商施工机械设备和施工管线是否符合要求。

(7)检查承包商对建筑物或构筑物的测量放线工作,对轴线定位和水准基点,要复核后加以妥善保护,并经常复测。

二、施工中的质量控制

(1)在冬季进行基础工程施工前,必须清除施工部位的冰雪,冻结的材料不得使用,基础施工要采取有效的防冻措施,保证质量。

(2)基础工程施工完毕,经工程师验收合格后,应立即进行土方回填,回填土应符合设计及施工规范的有关规范。

砖基础:砖基础的质量控制及质量检查见第三章《砌筑工程》的有关规定。

灰土基础:灰土基础的质量控制及质量检查见本章第一节的有关规定。

混凝土基础(包括基础圈梁):①混凝土基础施工前,应先进行验槽,轴线、标高、基坑(槽)尺寸应符合设计规定。槽内浮土、积水、淤泥应清除干净,局部软弱土层应挖去,用灰土或素土夯填至基底。②混凝土基础的质量控制质量检查见第四章《钢筋混凝土工程》的有关规定。

第三章　砌筑工程

第一节　砖砌体

一、砌筑工程质量控制流程

砌筑工程施工前,监理工程师应熟悉砌筑工程的质量控制流程(见图 3-1),掌握重点工序的质量控制方法,对砌筑工程质量控制的全过程作到心中有数,这样才能对砌筑工程质量进行有效的控制。

二、预控措施

(一)监理工程师的工作要点

(1)熟悉设计文件,记住各部位砖的标号、砂浆的标号、砌体内的配筋、预留洞、预埋件、预埋木砖的位置、规格、尺寸。

(2)审核承包商的施工组织设计及施工方案。

(3)审查承包商提供的砖、水泥、外加剂的出厂合格证及复验报告单,砂的试验报告。

(4)检查进场的砖的外观质量、砂的质量。

(5)审查承包商提供的砂浆配合比报告单。

(6)审查承包商的技术交底及落实情况。

(7)审查承包商的施工机具的数量及性能。

(8)检查施工弹线、标高及皮数杆设立情况。

(9)砖在砌筑前一天应浇水湿润,严禁使用干砖砌筑。

(10)检查基层清理、浇水、找平情况。

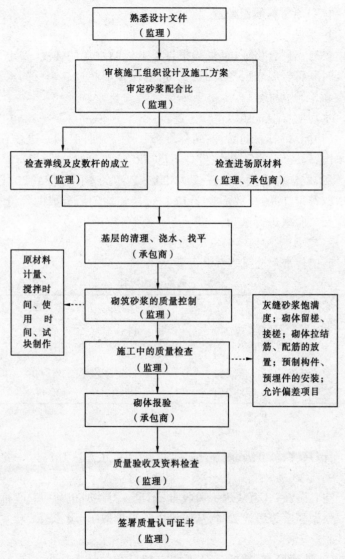

图 3-1 砌筑工程质量控制流程

(二)原材料质量检查

1. 水泥

要有出厂合格证,且复验报告单上标明水泥的强度、安定性、初凝时间符合要求(见第四章)。进场保存期超过 3 个月的水泥,应重新检验其标号。

水泥取样应按照以下规定进行:

(1)同水泥厂、同品种、同标号、同一生产时间、同一进场日期的水泥,每 400 t 为一验收批。不足 400 t 时,也按一批计算。

(2)取样应有代表性,一般从 20 个以上的不同部位或 20 袋水泥中取等量样品,总数不少于 12 kg,拌和均匀后分成两等份,一份送交试验室进行试验,一份密封保存,备校验用。

2. 砖

砖的标准尺寸见表 3-1。

表 3-1 砖的标准尺寸 （单位:mm）

名　称	长	宽	厚
普通砖	240	115	53
空心砖	190	190	90
	240	115	90
	240	180	115

(1)取样:

普通砖:每 20 万块为一验收批,不足 20 万块时也为一验收批。

空心砖:每 3 万块为一验收批,不足 3 万块时也为一验收批。

仅做强度等级检验时,从砖垛中随机抽取 10 块砖送试验室进行试验。

(2)外观检查:普通砖外观检查项目及质量标准见表 3-2;空心砖外观检查项目及质量标准见表 3-3。

表 3-2　普通砖外观质量标准

项目		特等	一等	二等
强度等级不低于		MU15	MU10	MU7.5
耐久性能	抗冻、泛霜、石灰爆裂和吸水率试验	按表 3-4 规定		
外观指标	(1)尺寸偏差不超过(mm)			
	长度	±4	±5	±6
	宽度	±3	±4	±5
	厚度	±2	±3	±3
	(2)两个条面的厚度相差不大于(mm)	2	3	5
	(3)弯曲不大于(mm)	2	3	5
	(4)杂质在条面上造成的凸出高度不大于(mm)	2	3	5
	(5)缺棱掉角的三个破坏尺寸不得同时大于(mm)	20	20	30
	(6)裂纹长度不大于(mm)			
	①大面上宽度方向及其延伸到条面上的长度	70	70	110
	②大面上长度方向及其延伸到顶面上的长度或条、顶面上水平裂纹的长度	100	100	150
	(7)颜色(一条面和一顶面)	基本一致		
	(8)完整面不得少于	一条面和一顶面	一条面和一顶面	
	(9)混等率(指本等中混入该等以下各等产品的百分数)不得超过(%)	5	10	15

注:完整面:要求裂纹宽度大于 1 mm 的长度不得超过 30 mm;缺棱掉角在条、顶面上造成的破坏面不得同时大于 10 mm×20 mm。

　　(3)耐久性检查。耐久性检查项目及指标见表 3-4。

　　(4)强度等级标准:普通砖强度等级标准见表 3-5;空心砖强度等级标准见表 3-6。

　　3. 砂

　　宜采用级配良好的中砂,砂浆强度≥M5 时,含泥量不应大于5%;砂浆强度<M5 时,含泥量不应大于 10%。

表 3-3　空心砖外观质量标准

项　目	指标(mm)	
	一等	二等
(1)尺寸允许偏差不大于		
尺寸为 240、190、180 mm	±5	±7
尺寸为 115 mm	±4	±5
尺寸为 90 mm	±3	±4
(2)完整面不得少于(非完整面:缺棱掉角在条、顶面上造成的破坏面同时大于 20 mm×30 mm;裂缝宽度超过 1 mm,其长度超过 70 mm;有严重的焦花、沾底)	一个条面和一个顶面	一个条面或一个顶面
(3)缺棱掉角的三个破坏尺寸不得同时大于	30	40
(4)裂纹长度不大于		
大面上深入孔壁 15 mm 以上的宽度方向裂纹	100	140
大面上深入孔壁 15 mm 以上的长度方向裂纹	120	160
条、顶面上的水平裂纹	120	160
(5)杂质在砖面上造成的凸出高度不大于	5	5
(6)混等率(指本等中混入该等以下各等产品的百分数)不得超过	10%	15%

4.石灰膏

熟化时间不得少于 7 d,石灰膏不得干燥、冻结和被污染,严禁使用脱水硬化的石灰膏。

5.水

不含有害杂质的水。

6.外加剂

有出厂合格证及复验报告单,证明外加剂合格。

表 3-4　耐久性检查

项目	鉴别指标
抗冻试验	每块砖样均须符合下列要求： (1)干重损失不大于 2% (2)被冻裂砖样的裂纹长度不大于表 3-2 中(6)的二等砖规定
泛霜试验	每块砖样不应出现起砖粉、掉屑和脱皮现象
石灰爆裂试验	各等砖试验后每块砖样的外观指标应符合表 3-2 中(4)、(5)、(6)规定,同时每组砖样的表面必须符合下列要求： (1)特等砖 ①具有最大直径为 2~5 mm 的爆裂点不超过两处的砖样不得多于 2 块,但爆裂点不得在同一条面或顶面上出现 ②具有最大直径 5~10 mm 的爆裂点一处者不得多于一块 ③在各面上不允许有最大直径大于 10 mm 的爆裂点 (2)一等砖 ①具有最大直径大于 5 mm 不大于 10 mm 的爆裂点不超过两处的砖样不得多于 2 块,但爆裂点不得在同一条面或顶面上出现 ②在各面上不允许有最大直径大于 10 mm 的爆裂点 (3)二等砖 在条面和顶面上不得具有最大直径大于 10 mm 的爆裂点
吸水率试验	每组砖样的平均吸水率： 特等砖　　不大于 25% 一等砖　　不大于 27% 二等砖　　无要求

表 3-5　普通砖强度等级标准

强度等级	强度平均值≥(MPa)	强度标准值≥(MPa)
MU20	20.0	14.0
MU15	15.0	10.0
MU10	10.0	6.5
MU7.5	7.5	5.0
MU5.0	5.0	3.5

表 3-6 空心砖强度等级标准

强度等级	抗压强度(MPa)		抗折荷重(kN)	
	5块平均值 不小于	单块最小值 不小于	5块平均值 不小于	单块最小值 不小于
MU20	20	14	9.45	6.15
MU15	15	10	7.35	4.75
MU10	10	6.0	5.3	3.10
MU7.5	7.5	4.5	4.3	2.60

三、墙体施工中的质量控制

(一)砌筑砂浆的质量控制

(1)督促承包商严格按砂浆配合比配料,各种配料都应称量。塑化剂的掺量对砂浆的性能影响很大,因此应特别注意塑化剂的掺量。

(2)砂浆应采用机械拌和,拌和时间,自投料完算起,不得少于 1.5 min。使用微沫剂时,拌和时间,自投料完算起为 3~5 min。

(3)砂浆的稠度:

实心砖墙、柱 70~100 mm;实心砖平拱式过梁 50~70 mm。

空心砖墙、柱 60~80 mm;空斗墙、筒拱 60~70 mm。

(4)砂浆的分层度不宜大于 20 mm。

(5)砂浆应随伴随用,水泥砂浆和混合砂浆必须在拌成后 3 h 和 4 h 内使用完毕。如施工期间最高气温超过 30 ℃,则相应缩短 1 h。隔夜砂浆不能使用。

(6)砂浆检验:

取样:每一楼层(基础可按一个楼层计)或 250 m³ 砌体中的各种标号的砂浆,每台搅拌机应至少检查一次,每次至少制作一组试块(每组 6 块)。

试块制作:将内壁事先涂刷机油的 7.07 cm×7.07 cm×7.07 cm 的无底金属或塑料试模,放在预先铺有吸水性较好的湿纸的普通砖上,砖的含水率不应大于 2%;砂浆拌和后一次注满试模内,用直径 10 mm、长 350 mm 的钢筋捣棒(一端呈半球形)均匀插捣 25 次,然后用油漆刮刀沿试模壁插捣数下,砂浆应高出试模顶 6~8 mm;当砂浆表面开始出现麻斑状态时,将高出部分的砂浆沿试模顶面消平。

养护:试块制作好后,一般应在正温度环境中养护一昼夜;当气温较低时,可适当延长时间,但不超过两昼夜,然后对试块进行编号并拆模。拆模后的试块,应在标准条件或自然条件下养护 28 d,然后进行试压。

标准养护条件:水泥混合砂浆——温度(20±3)℃、相对湿度 60%~80%;水泥砂浆和微沫剂砂浆——温度(20±3)℃、相对湿度 90% 以上。

(二)砌筑过程中的质量控制

(1)检查是否按皮数杆控制砖层,内外墙砖是否相互咬槎,拉结筋的间距、长度是否符合要求。

(2)检查灰缝厚度及饱满度,灰缝一般为(10±2) mm,水平灰缝砂浆的饱满度不得低于 80%,竖缝内的砂浆应饱满。

(3)检查砌体中的预埋件、预留洞及配筋是否符合要求,预埋木砖应做防腐处理,沿高度方向每 10 皮砖放置一块。单砖墙或轻质隔墙应采用混凝土木砖。

(4)砖砌体的转角处和交接处应同时砌筑。对不能同时砌筑又必须留置的临时间断处,应砌成斜槎。斜槎长度不应小于高度的 2/3。接槎时,接槎处必须清理干净并浇水湿润。

(5)隔墙和填充墙的顶面与上部结构接触处宜用侧砖或立砖斜砌挤紧。

(6)每层承重墙的最上一皮砖,应用丁砌法砌筑,在梁或梁垫下面,砖砌体的阶台水平面上以及砖砌体的挑出层中,也应用丁砌法砌筑。

(7)砖柱和宽度小于1 m的窗间墙应用整砖砌筑,半砖和破损的砖应分散使用在受力较小的部位。

(8)应特别注意室外大角的垂直度、墙面平整度,装饰线条的横平竖直、勾缝等影响观感质量评定的因素。

(三)冬季砖砌体施工质量控制

(1)当预计连续10 d的平均气温低于-5 ℃或当日最低气温低于-3 ℃时,即进入冬季施工。

(2)砖在砌筑前,应清除冰霜;砂浆宜采用普通水泥拌制;石灰膏、粘土膏和电石膏应防止受冻,如遭冻结,应融化后方可使用;砂中不得含有冰块和直径大于10 mm的冻结块。

(3)拌制砂浆时,水的温度不得超过80 ℃,砂的温度不得超过40 ℃。

(4)普通砖和空心砖在正温度条件下砌筑时,应适当浇水湿润;负温度条件下砌筑时应适当增加砂浆的稠度;抗震烈度为9度的建筑物,普通砖和空心砖无法浇水湿润时,如无特殊措施,不得砌筑。

(5)不得使用无水泥的砂浆。

(6)基土为不冻胀性时,基础可在冻结的地基上砌筑;基土为冻胀性时,必须在未冻的地基上砌筑。在施工和回填土时,均应防止地基遭受冻结。

(7)每日砌筑后应在砌体表面覆盖保温材料。

四、质量检查

(一)保证项目

(1)砖的品种、标号必须符合设计要求。检查方法:检查出厂合格证及复验报告单。

(2)同品种、同标号砂浆各组试块的平均强度$\geqslant f_{m,k}$;任意一组试块的强度$\geqslant 0.75\ f_{m,k}$,当砂浆按规定仅取一组试件时,其强度应$\geqslant f_{m,k}$。检查方法:检查试块试验报告。

(3)砌体砂浆必须密实饱满,实心砖砌体水平灰缝的砂浆饱满度不小于80%。检查数量:每步架抽查不少于3处。

(4)外墙转角处严禁留直槎,其他临时间断处的留槎做法必须符合施工规范的规定。

(二)基本项目

(1)砖柱、垛无包心砌法;窗间墙及清水墙面无通缝;混水墙每间(处)无4皮砖通缝(上下二皮砖搭接长度小于25 mm者为通缝)。

(2)接槎处灰浆密实,缝、砖平直,每处接槎部位水平灰缝厚度小于5 mm或透亮的缺陷不超过5个。

(3)拉结筋的数量、长度均应符合设计及施工规范的要求,留置间距偏差不超过1皮砖。

(4)构造柱留置位置正确,大马牙槎先退后进;上下顺直;残留砂浆清理干净。

(5)清水墙面组砌正确,刮缝深度适宜、一致,棱角整齐,墙面清洁美观。

检查数量:外墙,按楼层(或4 m高以内)每20延长米抽查1处,每处3延长米,但不少于3处;内墙,按有代表性的自然间抽查10%,但不少于3间。

(三)允许偏差项目

砖墙施工允许偏差见表3-7。

(四)应检查的资料

(1)水泥、砖、外加剂的出厂合格证及复验报告单,砂的检验报告单。

表 3-7　砖墙施工允许偏差

项目			允许偏差 （mm）	检验方法
轴线位置偏差			10	经纬仪或拉线和尺量
基础和墙砌体顶面标高			±15	水准仪和尺量
垂直度	每层		5	2 m 检测尺
	全高	≤10 m	10	经纬仪或吊线和尺量
		>10 m	20	
表面平整度	清水墙、柱		5	2 m 检测尺和楔形塞尺
	混水墙、柱		8	
水平灰缝平直度	清水墙		7	拉 10 m 线和尺量
	混水墙		10	
水平灰缝厚度（10 皮砖累计数）			±8	与皮数杆比较尺量检查
清水墙游丁走缝			20	吊线和尺量检查,以底层第一皮砖为准
门窗洞口（后塞口）	宽度		±5	尺量
	门口高度		+15,−5	
预留构造柱截面（宽度、深度）			±10	尺量
外墙上下窗口偏移			20	经纬仪或吊线检查以底层窗口为准

注: 每层垂直度偏差大于 15 mm 时,应进行处理。

(2)砂浆试块强度试验报告。

(3)隐蔽验收记录(基础砌体;沉降缝、伸缩缝和防震缝;砌体中的配筋等)。

(4)砌砖工程质量检验评定。

(5)质量事故处理报告。

五、监理工作中应注意的问题

(1)每次原材料及砂浆取样时,监理工程师均要保存一份试样,以备查验。

(2)承包商的砂浆试块制作方法不规范,试块强度不能反映砌体中砂浆的实际强度。

(3)构造柱底部夹渣:安装模板前,构造柱底部的砖块、灰浆块未清理干净。

(4)构造柱处砖墙鼓胀开裂:施工组织不合理,砌墙与浇筑构造柱混凝土的时间间隔短,砂浆强度尚未充分增长,浇筑混凝土构造柱时,混凝土的侧压力使墙体鼓胀开裂。

(5)水平灰缝不均匀:皮数杆标高不一致,砌砖时拉线不紧。

(6)灰缝饱满度差:砌砖方法不正确,砖的湿润程度不够,砂浆的和易性差。

(7)混水墙外观质量差:砌墙时不注意收灰,半砖或破损砖集中使用造成通缝。

(8)墙体交接处透亮或灰浆不饱满:墙体未同时砌筑,且留槎做法不符合施工规范的要求。

(9)阴雨天时,外墙局部渗水:竖缝灰浆不饱满;架眼未封堵密实。

第二节　中型砌块墙工程

一、预控措施

(一)监理工程师的工作要点

(1)熟悉设计文件,记住各部位砌块的标号、砂浆的标号、预留洞、预埋件的位置规格尺寸。

(2)熟悉通用图集中有关砌筑排块及构造做法的规定。

(3)审核承包商的施工组织设计及施工方案。

(4)审查承包商提供的砌块的出厂合格证、水泥的出厂合格证及复验报告单,砂的试验报告。

(5)检查进场的砌块的外观质量,砂的质量。

(6)审查承包商提供的砂浆配合比报告单。

(7)审查承包商的技术交底及落实情况。

(8)审查承包商的施工机具的数量及性能。

(9)检查施工弹线、标高情况。

(二)原材料检验

(1)水泥、砂的取样及检验见本章第一节。

(2)砌块检验:见表3-8、表3-9。

二、砌块墙施工中的质量控制

(一)砌筑砂浆的质量控制

砌筑砂浆的质量控制见本章第一节。

取样:在每一楼层(基础可按一个楼层计)或 250 m^3 砌体中,

表 3-8　密实砌块的允许偏差和外观质量标准

项　目	允许偏差(mm)和外观质量
表面疏松	不允许
贯穿面棱的裂缝	不允许
直径大于 50 mm 的灰团、空洞、爆裂和突出高度大于 20mm 的局部凸起	不允许
尺寸允许偏差	
长度	+5、-10
高度	+5、-10
厚度	±8
翘曲	不大于 10
条面、顶面相对两棱高低差,即大小头倾斜	不大于 8
缺棱掉角深度	不大于 50

表 3-9　空心砌块的允许偏差和外观质量标准

项　　目	允许偏差(mm)和外观质量
长度	+5、-10
高度	+5、-10
厚度	+5、-3
壁、肋厚	+5、-3
大面的不平整翘曲	±5
每面两对角线差	10
表面疏松	不允许
贯穿面棱的裂缝	不允许

每种标号的砂浆或细石混凝土应至少制作一组试件(混凝土试块,每组三块)。

(二)砌筑过程中的质量控制

(1)检查砌体中的预埋件、预留洞及配筋是否符合要求。

(2)督促承包商尽量采用主规格砌块,砌块应交错搭砌,搭砌长度不得小于块高的1/3,也不应小于 150 mm。

(3)内外墙应同时砌筑,墙体交接处应交错搭砌。

(4)砌块砌筑应横平竖直,砌体表面清洁,砂浆饱满,灌缝密实,超过 30 mm 的垂直缝应用不低于 C20 的细石混凝土灌实。

(5)洞口、沟槽、管道和预埋件应于砌筑时预留或预埋,空心砌块墙体不得打凿通长沟槽。

(6)门窗框的固定点:每边不得少于 3 处;当窗宽小于 800 mm 时,每边不得少于 2 处。

(7)隔墙和填充墙的顶面与上部结构接触处宜用侧砖或立砖斜砌挤紧。

(8)应特别注意室外大角的垂直度、墙面平整度、勾缝等影响观感质量评定的因素。

(三)冬、雨季砌块墙施工质量控制

(1)砌块不得浇水湿润,不能使用受冻的砌块。砌筑前应清除砌块上的冰霜等冻结物。

(2)如设计未规定,当平均气温低于-10℃时,其抗冻砂浆的标号应较常温时提高一级。

(3)砌筑好的砌体应覆盖保温,避免受冻。

(4)雨天不得使用过湿的砌块;雨后继续施工时,应复核砌体垂直度。

三、质量检查

(一)保证项目

(1)砌块的品种、强度必须符合设计要求,且应有出厂合格证。

(2)砂浆的品种、强度必须符合设计要求;灰缝饱满;砂浆试块的平均抗压强度不小于 $f_{m,k}$,任意一组的试块的抗压强度不小于 $0.75 f_{m,k}$。

(3)转角处必须同时砌筑,严禁留直槎,交接处应留斜槎。

(二)基本项目

(1)每道墙3皮砌块的通缝不得超过3处,不得出现四皮砌块及四皮砌块以上的通缝。

(2)接槎部位砂浆应密实,不得出现破槎、松动现象。

(3)拉结筋的长度、间距、规格应符合设计要求,间距偏差不得超过一皮砌块。

(三)允许偏差项目

砌块允许偏差见表3-10。

(四)应检查的资料

(1)水泥、砌块、外加剂的出厂合格证及复验报告单,砂的检验报告单。

(2)砂浆试块强度试验报告。

表 3-10　砌块允许偏差

项目			允许偏差 （mm）	检验方法
轴线位置偏差			10	经纬仪或拉线和尺量
基础和墙砌体顶面标高			±15	水准仪和尺量
垂直度	每层		5	2 m 检测尺
	全高	≤10 m	10	经纬仪或吊线和尺量
		>10 m	20	
表面平整			10	2 m 检测尺和楔形塞尺
水平灰缝 平直度	清水墙		7	拉 10 m 线和尺量
	混水墙		10	
水平灰缝厚度（10 皮砖累计数）			+10 −5	与皮数杆比较尺量 检查
垂直缝宽度			+10、−5 <30 （用细石混凝土）	尺量
门窗洞口宽度（后塞口）			+10 −5	尺量
清水墙面游丁走缝			20	吊线和尺量

（3）隐蔽验收记录（沉降缝、伸缩缝和防震缝；砌体中的配筋等）。

（4）砌块工程质量检验评定。

（5）质量事故处理报告。

四、监理工作中应注意的问题

（1）墙上破损的砌块较多：砌块在搬运中损坏，砌筑前又不粘结修整。

(2)灰缝不均匀:砌筑前不对灰缝进行计算,施工时不拉通线。

(3)墙体与梁、板底部出现较大空隙:梁、板施工时未事先留置拉结筋,砌筑时又未采取拉结措施。

(4)排块及局部做法不符合要求:砌筑时不按通用图集的规定进行排块。

第四章 钢筋混凝土工程

第一节 钢筋工程

一、钢筋工程质量控制流程

钢筋工程施工前,监理工程师应熟悉钢筋工程的质量控制流程(见图 4-1),掌握重点工序的质量控制方法,熟悉图纸,掌握施工规范中的有关规定,从而保证钢筋工程质量控制工作能准确、有效地进行。

二、预控措施

(一)监理工程师的工作要点

(1)熟悉设计文件(施工图纸、图纸会审纪要、设计变更等),弄清结构各部位钢筋的品种、规格、构造要求以及所起的作用。掌握《施工规范》中有关钢筋构造措施的规定。

(2)检查承包商提供的钢筋出厂合格证及复验报告单。

(3)检查钢筋表面是否洁净、有无损伤,带有颗粒状或片状老锈的钢筋不得使用。

(4)成盘和弯曲的钢筋使用前应调直,不得使用火焰加热调直,如采用冷拉法调直时,Ⅰ级钢筋的冷拉率不宜大于 4%,Ⅱ级钢筋的冷拉率不宜大于 1%。

(5)检查焊条、焊剂的合格证及选用的焊条、焊剂是否符合焊接形式、母材种类或设计要求。

(6)检查焊工的上岗证及试焊试件报告单。

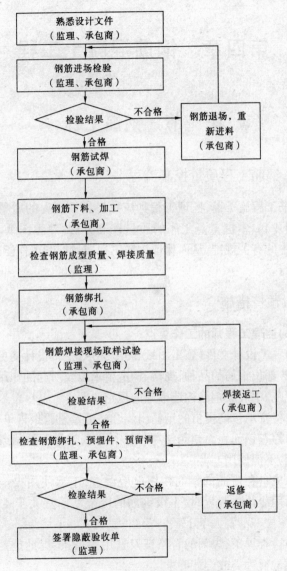

图 4-1　钢筋工程质量控制流程

(7)检查承包商的施工方案及施工机具情况。

(8)检查承包商的施工技术交底及落实情况。

(二)钢筋的检验

1．外观检查

钢筋的外观检查见表 4-1。

2．力学性能

热轧钢筋的力学性能见表 4-2。

表 4-1　钢筋外观检查

钢筋种类	外观要求
热轧钢筋	表面无裂纹、结疤和折叠,凸块不得超过螺纹的高度
热处理钢筋	表面无裂纹、结疤和折叠,凸块不得超过横肋的高度
冷拉钢筋	表面不得有裂纹和局部颈缩
冷拔低碳钢丝	表面不得有裂纹和机械损伤
碳素钢丝	表面不得有裂纹、小刺、机械损伤、氧化铁皮和油迹,但允许有浮锈和回火色
刻痕钢丝	表面不得有裂纹、分层、铁锈、结疤,但允许有浮锈和加火色
钢绞线	不得有折断、横裂和相互交叉的钢丝,表面不得有润滑剂、油迹,允许有轻微浮锈,但不得有锈麻坑

3．钢筋取样

1)热轧钢筋

同品种、同直径的钢筋,每 60 t 为一批,不足 60 t 时,也按一验收批计算。

每一验收批中取一组试样(2 根做拉伸试验,2 根做冷弯试验)。

试样在每根钢筋距端头不小于 500 mm 处截取。拉伸试样长度:5d + 200 mm(d 为钢筋直径,下同);冷弯试样长度:5d + 150 mm。

表 4-2　热轧钢筋的力学性能

品种		牌号	公称直径 (mm)	屈服点 (MPa)	抗拉强度 (MPa)	伸长率 (%)	冷弯	
外形	强度等级			不小于			弯曲角度 (°)	弯曲直径
光圆钢筋	I	A_3、AY_3	8~25	235	370	25	180	d
			28~50					$2d$
变形钢筋	II	20MnSi 20MnNb(b)	8~25	335	510	16	180	$3d$
			28~50	315	490			$4d$
	III	25MnSi		370	570	14	90	$3d$
	IV	40Si$_2$MnV 45SiMnV 45Si$_2$MnTi	10~25	540	835	10	90	$5d$
			28~32					$6d$

注： d 为钢筋直径。

2）冷拉钢筋

同品种、同直径的钢筋，每 20 t 为一批，不足 20 t 时，也按一验收批计算。每批中取 2 根钢筋，每根钢筋取 2 根试样分别进行拉伸试验和冷弯试验。

4.合格判定

钢筋应进行拉伸试验、冷弯试验，如有一项不符合钢筋的技术要求，应取双倍试件进行复试，再有一项不合格，则该验收批钢筋判为不合格。

(三)常用焊条牌号及主要用途

常用焊条焊号及主要用途见表 4-3。

(四)常用焊剂牌号及主要用途

常用焊剂牌号及主要用途见表 4-4。

表 4-3 常用焊条牌号及主要用途

焊条型号（（）内为原编号）	焊条牌号	药皮类型	电流种类	主要用途
E4313(T421)	结 421	高钛钾型	交直流	焊接低碳钢薄板结构
E4303(T422)	结 422	钛钙型	交直流	焊接低碳钢结构和同强度等级的普通低合金钢
E4301(T423)	结 423	钛铁矿型	交直流	焊接低碳钢结构和同强度等级的普通低合金钢
E4320(T424)	结 424	氧化铁型	交直流	焊接低碳钢结构
E4316 (T426)	结 426	低氢钾型	交直流	焊接重要的低碳钢结构及普通低合金钢结构
E4315(T427)	结 427	低氢钠型	直流	焊接重要的低碳钢结构及普通低合金钢结构
E5003(T502)	结 502	钛钙型	交直流	焊接 16 锰钢及相同强度等级普通低合金钢的一般结构
E5001(T503)	结 503	钛铁矿型	交直流	焊接 16 锰钢及相同强度等级普通低合金钢的一般结构
E5016(T506)	结 506	低氢钾型	交直流	焊接中碳钢及重要的普通低合金钢结构
E5015(T507)	结 507	低氢钠型	交直流	焊接中碳钢及 16 锰钢等重要的普通低合金钢结构
E5515 - G(T557)	结 557	低氢钠型	交直流	焊接中碳钢及相同强度的普通低合金钢结构
E6016 - D1(T606)	结 606	低氢钾型	交直流	焊接中碳钢及相同强度的普通低合金钢结构
E6015 - D1(T607)	结 607	低氢钠型	直流	焊接中碳钢及相同强度的普通低合金钢结构

表 4-4　常用焊剂牌号及主要用途

焊剂牌号	焊剂类型	电流种类	主要用途
HJ350	中锰中硅中氟	交直流	焊接低碳钢及普通低合金钢结构
HJ360	中锰高硅中氟	交直流	电渣焊大型低碳钢及普通低合金钢结构
HJ430	中锰高硅低氟	交直流	焊接重要的低碳钢及普通低合金钢结构
HJ431	中锰高硅低氟	交直流	焊接重要的低碳钢及普通低合金钢结构
HJ433	中锰高硅低氟	交直流	焊接低碳钢

三、钢筋工程施工的质量控制

(一)监理工作要点

(1)未经监理工程师许可,承包商不得进行钢筋代换。

(2)重要部位钢筋接头的施工方案,需经监理工程师批准后实施。

(3)对于重要或复杂部位的钢筋,应进行钢筋放样,经监理工程师认可后再进行施工。

(4)在钢筋加工过程中,监理工程师应加强监督检查,发现问题要及时通知承包商予以纠正。

(5)监理工程师在收到承包商的隐蔽报验单后,24 h内应到场检验。主要检查:①钢筋的品种、规格、数量、长度、间距、锚固长度、绑扎或焊接质量、接头位置是否符合施工图及《施工规范》的要求。②是否有足够数量及刚度的支撑钢筋,来保证钢筋的位置准确。③预埋铁件、预埋钢筋的规格及位置是否符合施工图及《施工规范》的要求。④钢筋保护层垫块的强度、厚度及位置。

(二)有关规定及质量标准

1. 钢筋加工

(1) Ⅰ 级钢筋的末端应做 $180°$ 弯钩,弯曲直径 $D \geqslant 2.5d$,弯钩平直部分的长度不宜小于 $3d$;用于轻骨料混凝土结构时,其弯曲直径 $D \geqslant 3.5d$。

(2) Ⅱ、Ⅲ 级钢筋末端需做 $90°$ 或 $135°$ 弯折,Ⅱ 级钢筋弯曲直径 D 不宜小于 $4d$;Ⅲ 级钢筋不宜小于 $5d$。

(3) 箍筋的末端应做弯钩,当设计无要求时,用 Ⅰ 级钢筋或冷拔低碳钢丝制作箍筋,其弯钩的弯曲直径应大于受力钢筋直径,且不小于箍筋直径的 2.5 倍;弯钩平直部分的长度,对于一般结构,不宜小于箍筋直径的 5 倍,对于有抗震要求的结构,不应小于箍筋直径的 10 倍。

(4) 钢筋加工的允许偏差:受力钢筋顺长度方向的净尺寸 ± 10 mm;弯折钢筋的弯折位置 ± 20 mm。

2. 钢筋焊接

焊接长度:单面焊 Ⅰ 级钢筋不小于 $8d$,Ⅱ 级钢筋不小于 $10d$;双面焊 Ⅰ 级钢筋不小于 $4d$,Ⅱ 级钢筋不小于 $5d$。

轴心受拉和小偏心受拉杆件中的钢筋接头,均应焊接,普通混凝土中直径大于 22 mm 的钢筋和轻骨料混凝土中直径大于 20 mm 的 Ⅰ 级钢筋及直径大于 25 mm 的 Ⅱ、Ⅲ 级钢筋的接头,均宜采用焊接。

对轴心受压和偏心受压柱中的钢筋接头,当直径大于 32 mm 时,应采用焊接。

对有抗震要求的受力钢筋接头,宜采用焊接或机械连接。一级抗震等级的纵向钢筋接头及框架底层柱、剪力墙加强部位的纵向钢筋接头均应采用焊接。

受力钢筋采用焊接时,接头宜设置在受力较小的部位,设置在同一构件内的焊接接头应相互错开。35d 长度且不小于 500 mm 的区段内,同一根钢筋不得有两个接头;在该区段内有接头的受力钢筋截面积占受力钢筋总截面面积的百分率,应符合以下规定:

非预应力钢筋:受拉区不宜超过 50%;受压区和装配式构件连接处不限制。

预应力钢筋:受拉区不宜超过 25%;受压区和后张法的螺丝端杆处不限制。

焊接接头距钢筋弯折处,不应小于钢筋直径的 10 倍,且不宜位于构件的最大弯矩处。

1)电弧焊

外观检查:焊接表面不得有较大的凹槽焊瘤,焊接接头区域内不得有裂纹。咬边深度、气孔、夹渣等缺陷应符合表 4-5 规定。

力学性能:每 300 个同接头形式、同钢筋级别的接头作为一批,从成品中每批随机抽取 3 个试样进行拉伸实验。

2)闪光对焊

外观检查:接头处不得有横向裂纹,与电极接触处的钢筋表面不得有烧伤,接头处的弯折角不得大于 4°,接头处的轴线偏移不得大于 0.1d,且不大于 2 mm。

力学性能:在同一台班内,由同一焊工完成 300 个同级别、同直径的焊接接头作为一批,当同一台班内焊接接头数量较少时,可在一周内累计计算;累计仍不足 300 个时,应按一批计算。从每批接头中随机抽取 6 个试件,3 个做拉伸试验,3 个做弯曲试验。

3)电渣压力焊

外观检查:四周焊包凸出钢筋表面的高度不小于 4 mm;钢筋与电极接触处,不应有烧伤缺陷;接头处的弯折角不得大于 4°;接头处的轴线偏移不得大于钢筋直径的 0.1 倍,且不大于 2 mm。

表 4-5　钢筋电弧焊接头尺寸允许偏差及缺陷允许值

项次	项目	允许偏差(mm)	检验方法
1	帮条沿接头中心线的纵向偏移	$0.5d$	尺量
2	接头弯折 预埋件 T 形接头钢筋间距	$4°$ 不大于 10	刻槽直尺
3	接头处钢筋轴线偏移	$0.1d$ 且不大于 3	尺量
4	焊缝厚度	$+0.05d$	卡尺和直尺
5	焊缝宽度	0	尺量
6	焊缝长度	$-0.5d$	尺量
7	横向咬边深度	0.5	目测
8	焊缝气孔及夹渣的数量和大小	2 个、6 mm^2,直径 不大于 1.5	尺量、目测

　　力学性能:在一般构筑物中,应以 300 个同级别钢筋接头为一批;在现浇钢筋混凝土结构中,应以每一楼层或施工区段中 300 个同级别钢筋接头作为一批,不足 300 个接头仍应作为一批。从每批接头中随机取 3 个试件做拉伸试验。

　　3.钢筋绑扎

　　(1)梁和柱的箍筋,除设计有特殊要求外,应与受力钢筋垂直设置,箍筋弯钩叠合处,应沿受力钢筋方向错开设置。

　　(2)在柱中竖向钢筋搭接时,角部钢筋的弯钩平面与模板面的夹角:对矩形柱应为 45°,对多边形柱应为模板内角的平分角;圆形柱钢筋弯钩平面应与模板的切平面垂直;当浇筑小型截面柱,采用插入式振动器时,弯钩平面与模板面的夹角不得小于 15°。

　　(3)受拉钢筋绑扎接头的搭接长度应符合表 4-6 的规定;受压钢筋绑扎接头的搭接长度,应取受拉钢筋绑扎接头长度的 0.7 倍。

表 4-6　受拉钢筋绑扎接头的搭接长度

钢筋类型		混凝土强度等级		
		C20	C25	高于 C25
Ⅰ级钢筋		35d	30d	25d
月牙纹	Ⅱ级钢筋	45d	40d	35d
	Ⅲ级钢筋	55d	50d	45d
冷拔低碳钢丝		300 mm		

注:①当Ⅱ、Ⅲ级钢筋直径 $d>25$ mm 时,其受拉钢筋的搭接长度应按表数值增加 5d 采用。

②当螺纹钢筋直径 d 不大于 25 mm 时,其受拉钢筋的搭接长度应按表中值减少 5d 采用。

③当混凝土在凝固过程中受力钢筋易受扰动时,其搭接长度宜适当增加。

④在任何情况下,纵向受拉钢筋的搭接长度不应小于 300 mm;受压钢筋的搭接长度不应小于 200 mm。

⑤轻骨料混凝土的钢筋绑扎接头搭接长度应按普通混凝土搭接长度增加 5d,对冷拔低碳钢丝增加 50 mm。

⑥当混凝土强度等级低于 C20 时,Ⅰ、Ⅱ级钢筋的搭接长度应按表中 C20 的数值相应增加 10d。

⑦对有抗震要求的受力钢筋的搭接长度,对一、二级抗震等级应增加 5d。

⑧两根直径不同钢筋的搭接长度,以较细钢筋的直径计算。

(4)受力钢筋的绑扎接头位置应相互错开。从任一绑扎接头中心至 1.3 倍搭接长度的区段内,有绑扎接头的受力钢筋的截面面积占受力钢筋总截面面积的百分率:受拉区不得超过 25%;受压区不得超过 50%。绑扎接头中钢筋的横向净距不应小于钢筋直径且不应小于 25 mm。

4.钢筋安装

钢筋的级别、直径、根数和间距均应符合设计要求。绑扎或焊接的钢筋网和钢筋骨架,不得有变形、松脱和开焊。

钢筋位置的允许偏差应符合表 4-7 规定。

表 4-7 钢筋位置的允许偏差

项　目		允许偏差(mm)
受力钢筋的排距		±5
钢筋弯起点位置		20
箍筋、横向钢筋间距	绑扎骨架	±20
	焊接骨架	±10
焊接预埋件	中心线位置	5
	水平高差	+3 0
受力钢筋的保护层	基础	±10
	柱、梁	±5
	墙、板、壳	±3

受力钢筋的混凝土保护层厚度,当设计无要求时,不应小于受力钢筋直径,且应符合表 4-8 规定。

表 4-8 钢筋的混凝土保护层厚度　　　(单位:mm)

环境与条件	构件名称	混凝土强度等级		
		低于 C25	C25 及 C30	高于 C30
室内正常环境	墙、板、壳	15		
	梁、柱	25		
露天或室内高湿度环境	墙、板、壳	35	25	15
	梁、柱	45	35	25
有垫层	基础	35		
无垫层		70		

四、监理工程师应注意的问题

(1)柱竖筋位移:振捣混凝土时碰动钢筋。浇筑混凝土时应安排人员随时整修钢筋,在混凝土初凝前修正钢筋的位移。

(2)梁主筋伸入到支座内的锚固长度不够,弯起钢筋的起弯点位置不正确:在绑扎前,应按施工图检查摆好的钢筋是否正确,无误后再进行钢筋绑扎。

(3)板的扣筋、弯起钢筋、悬挑结构中的负弯矩钢筋被踩到下面:负弯矩筋下应有足够数量和刚度的支撑钢筋;检查和施工时,人及车辆只能在马道上行进。

(4)主梁、次梁、板交接处受力钢筋放置不当:分清主次,优先保证主要结构构件的主筋位置。

第二节 模板工程

一、模板工程质量控制流程

模板工程施工前,监理工程师应熟悉模板工程的质量控制流程,熟悉图纸及施工规范的有关规定。模板工程质量控制流程见图4-2。

二、预控措施

(1)审核承包商的模板工程施工方案:

①模板的数量及周转情况能否满足施工进度的要求。

②能否保证结构各部位的形状、尺寸及位置的正确,对结构结点及异形部位的模板设计是否合理。

③是否有足够的承载力、刚度和稳定性,保证在浇筑混凝土时,能承受混凝土的自重和侧压力及施工荷载,且产生的变形在允许的范围内。

④模板的接缝处理方案能否保证浇筑混凝土时不漏浆,且不影响拆模后混凝土表面的质量。

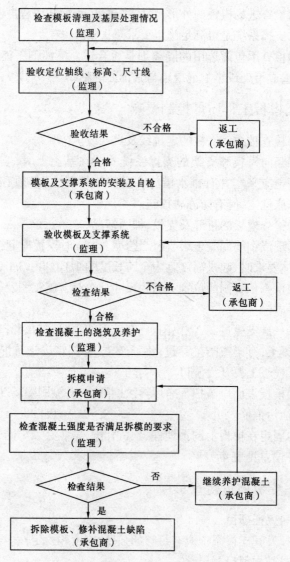

图 4-2 模板工程质量控制流程

(2)检查进场模板的外形尺寸、平整度、表面洁净程度及角模、连接件、支撑系统是否满足施工要求。

(3)检查承包商选用的隔离剂是否合适。隔离剂不能对混凝土表面造成污染或影响混凝土与其饰面的粘结。

三、模板工程质量控制要点

(1)检查轴线,墙、柱的定位线及尺寸线。

(2)竖向模板和支架的支撑系统安装在基土上时,应加设垫板,且基土应坚实并有排水措施。对湿陷性黄土,必须有排水措施;对冻胀性土,应有防冻融措施。

(3)检查模板的拼缝及支设、加固情况。

(4)现浇钢筋混凝土梁、板,当跨度≥4 m时模板应起拱,当设计无具体要求时,起拱高度宜为全跨长度的 1/1 000～3/1 000。

(5)检查预留洞的位置、标高、尺寸是否符合施工图及《施工规范》的要求。

(6)一次支模过高,浇捣困难;有较大的预留洞口,洞口下难以浇筑混凝土;有梁或暗梁穿过;钢筋较密,下部难以浇筑混凝土等情况下,模板上要开设洞口。

(7)模板表面应清扫干净后再涂刷隔离剂,涂刷隔离剂时应注意不能沾污钢筋。

(8)固定在模板上的预埋件、预留孔洞,安装必须牢固,位置准确,允许偏差见表4-9。

四、模板质量检查

(一)保证项目
模板及其支撑系统应有足够的强度、刚度和稳定性。

(二)基本项目
(1)模板接缝严密,预埋件安置牢固。

表 4-9　预埋件、预留孔洞的允许偏差

项　目		允许偏差(mm)	检查方法
预埋钢板中心线位置		3	
预埋管、预留孔中心线位置		3	
预埋螺栓	中心线位置	2	拉线和尺量
	外露长度	+ 10 0	
预留洞	中心线位置	10	
	截面内部尺寸	+ 10 0	

（2）模板与混凝土的接触面清洁干净，隔离剂涂刷均匀，无漏刷、沾污钢筋现象。

（三）允许偏差项目

（1）现浇结构模板安装允许偏差见表 4-10。

（2）预制构件模板安装允许偏差见表 4-11。

表 4-10　现浇结构模板安装允许偏差

项　目		允许偏差(mm)	检查方法
轴线位置		5	尺量
底模上表面标高		±5	用水准仪或拉线和尺量
截面内部尺寸	基础	±10	尺量
	墙、梁、柱	+4、-5	
层高垂直	全高≤5 m	6	用 2 m 检测尺
	全高>5 m	8	
相邻两表面高低差		2	直尺和尺量
表面平整		5	用 2 m 检测尺和楔形塞尺

表 4-11　预制构件模板安装允许偏差

项　　目		允许偏差(mm)
长　度	梁、板	±5
	薄腹梁、桁架	±10
	柱	0 −10
	墙板	0 −5
宽　度	板、墙板	0 −5
	梁、薄腹梁、桁架、柱	+2 −5
高　度	板	+2 −3
	墙板	0 −5
	梁、薄腹梁、桁架、柱	+2 −5
板的对角线差		7
拼板表面高低差		1
板的表面平整(2 m 长度上)		3
墙板的对角线差		5
侧向弯曲	梁、板、柱	$L/1\,000$ 且 $\leqslant 15$
	墙板、薄腹梁、桁架	$L/1\,500$ 且 $\leqslant 15$

注: L 为构件长度。

第三节　混凝土工程

一、混凝土工程质量控制流程

混凝土作为构成房屋结构的主要材料,其质量的优劣直接影响到房屋的安全,对此监理工程师应给予高度的重视。监理工程师应熟悉混凝土工程的质量控制流程,熟悉图纸及施工规范的有关规定,掌握重点工序的质量控制方法,对质量控制的全过程了然于胸,这样才能实现对混凝土工程质量的有效控制。混凝土工程质量控制流程见图 4-3。

二、预控措施

(一)监理工作要点

(1)熟悉设计文件,记住结构各部位混凝土的强度等级、抗渗等级等内容。

(2)作好钢筋隐蔽检查,模板截面尺寸、标高等要符合要求,且有足够的强度、刚度和稳定性,模板内杂物应清除干净。

(3)检查承包商提供的水泥出厂合格证及复验报告单,砂、石的检验报告单。

(4)检查承包商提供的混凝土配合比,若该配合比为实验室配合比,尚应根据测定的砂、石含水率调整为施工配合比。

(5)审核承包商的混凝土浇筑方案:着重审核混凝土的浇筑顺序,施工缝的留设及处理方法,冬季施工措施,雨季施工措施,劳动力组织及混凝土原材料的供应,停电应急措施。

(6)检查承包商的马道搭设情况。

(7)检查承包商的施工机具的数量、性能及易损机具或配件(如振动棒)的备用情况。

(8)检查水、电、照明等施工现场条件。

(二)混凝土原材料的检验

1. 水泥

取样:(1)同水泥厂、同品种、同标号、同一生产时间、同一进场日期的水泥,每 400 t 为一验收批。不足 400 t 时,也按一批计算。

(2)取样应有代表性,一般从 20 个以上的不同部位或 20 袋水

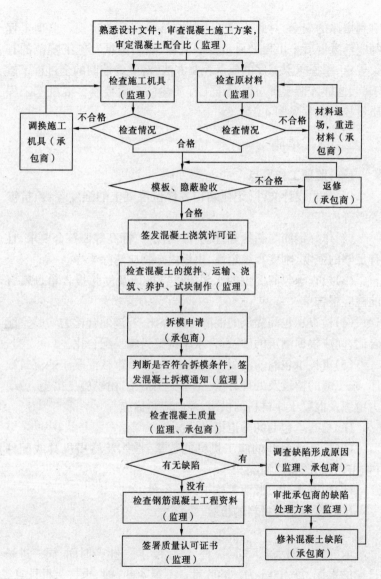

图 4-3 混凝土工程质量控制流程

泥中取等量样品,总数不少于 12 kg ,拌和均匀后分成两等份,一份送交试验室进行试验,一份密封保存备校验用。

(3)进场储存期超过 3 个月的水泥,应重新取样检验。

检查标准:

安定性:用沸煮法检验必须合格。

强度:见表 4-12。

表 4-12　水泥强度检验标准

品种	标号	抗压强度(MPa)			抗折强度(MPa)		
		3d	7d	28d	3d	7d	28d
硅酸盐水泥	425	22.0		42.5	4.0		6.5
	525	23.0		52.5	4.0		7.0
	525R	27.0		52.5	5.0		7.0
	625	28.0		62.5	5.0		8.0
	625R	32.0		62.5	5.5		8.0
	725R	37.0		72.5	6.0		8.5
普通水泥	325	12.0		32.5	2.5		5.5
	425	16.0		42.5	3.5		6.5
	425R	21.0		42.5	4.0		6.5
	525	22.0		52.5	4.0		7.0
	525R	26.0		52.5	5.0		7.0
	625	27.0		62.5	5.0		8.0
	625R	31.0		62.5	5.5		8.0
矿渣水泥、火山灰水泥、粉煤灰水泥	275		13.0	27.5		2.5	5.0
	325		15.0	32.5		3.0	5.5
	425		21.0	42.5		4.0	6.5
	425R	19.0		42.5	4.0		6.5
	525	21.0		52.5	4.0		7.0
	525R	23.0		52.5	4.5		7.0
	625	28.0		62.5	5.0		8.0

2.砂

宜采用级配良好的中砂,配制 C30 以下混凝土用砂的含泥量不得超过 5%,配制 C30 以上及有抗冻、抗渗要求的混凝土用砂的含泥量不得超过 3%。

3.石子

泥块含量:C30 以上混凝土,不大于 0.5%;C30～C15 混凝土,不大于 0.7%;C15 以下混凝土,不大于 1.0%。

针、片状软弱颗粒含量:C30 及 C30 以上混凝土,不大于 15%;低于 C30 的混凝土,不大于 25%。

石子粒径:最大粒径不得超过结构截面最小尺寸的 1/4,同时不得大于钢筋净间距的 3/4。对于混凝土实心板,最大粒径不得超过板厚的 1/2,且不能大于 50 mm。

4.外加剂

必须有出厂合格证及使用说明,使用前应进行性能检验。

5.水

宜采用饮用水,不能用海水拌制混凝土。

三、混凝土工程施工质量控制

(一)一般混凝土的质量控制

(1)运送砂、石子的车应专车专用,开盘前检查记录空车重量,装满应装砂、石子后的重量及加水量(时间或用容器加水的次数),应注意这些数值应随砂、石子含水率的不同而随时调整。混凝土外加剂应用专用容器计量,记下拌一盘混凝土所用外加剂在其专用容器上的刻度。

(2)混凝土浇筑中,要旁站监督混凝土各组成材料的计量情况,检查混凝土的坍落度。

(3)若采用商品混凝土,则应对供方进行考察、认证和监控,并审核混凝土的运输方案,保证混凝土在浇筑时有良好的和易性。

(4)旁站监督混凝土的振捣情况,振捣适宜(以混凝土表面呈现浮浆、混凝土中的气体排出且混凝土不再沉落为准),不能漏振或过振。有跑模、钢筋位移现象时,应及时处理。

(5)混凝土试块的制作及养护后的强度试验应在监理工程师的监督下进行。

(6)检查和督促承包商作好混凝土的养护工作。

(二)冬季混凝土施工的质量控制

(1)审核承包商的冬季混凝土施工方案是否完善和切实可行。在施工中检查方案的落实情况。

(2)了解中期天气预报,根据天气情况,随时调整施工方案和施工进度。

(3)拌和混凝土用水的温度不能超过 60 ℃,骨料温度不能超过 40 ℃。

(4)检查到场保温材料的质量和数量是否满足施工需要。

(5)对结构的关键部位应加强现场监督检查。

(6)对浇筑完毕的混凝土应及时采取防风保温措施。

(7)浇筑大体积混凝土时应检测混凝土的内外温差(温差不宜大于 25 ℃),必要时应采取措施,防止混凝土裂缝的发生。

(8)应同时制作两种混凝土试块:一种与结构同条件下养护,用以判定结构混凝土的实际强度和决定混凝土的拆模时间;一种在标准条件下养护,用以评定混凝土的强度。

(三)混凝土的养护

(1)对已浇筑完毕的混凝土应在 12 h 内加以覆盖和浇水。混凝土表面应保持湿润状态,不能有混凝土表面干燥发白的现象。

(2)混凝土的浇水养护时间,对采用硅酸盐水泥、普通硅酸盐水泥或矿渣硅酸盐水泥拌制的混凝土,不得少于 7 d,对掺用缓凝型外加剂或有抗渗要求的混凝土,不得少于 14 d。

(3)采用塑料布覆盖养护的混凝土,其表面应用塑料布覆盖严密,并应保持塑料布内有凝结水。

(4)在已浇筑的混凝土强度未达到 1.2 MPa 以前,不得在其上踩踏或安装模板及支架。

四、混凝土试块制作及养护

1.取样

对结构构件混凝土,应在混凝土浇筑地点随机取样。

(1)每拌制 100 盘且不超过 100 m³ 的同配合比的混凝土,取样不得少于一次。

(2)每工作班拌制的同配合比的混凝土不足 100 盘时,其取样不得少于一次。

(3)对现浇混凝土结构,取样尚应符合以下规定:①每一现浇楼层同配合比的混凝土,取样不得少于一次;②同一单位工程每一验收项目中同配合比的混凝土,取样不得少于一次。

2.试块制作

标准试块为边长 150 mm 的立方体,制作参见第三章砂浆试块制作。

3.养护

混凝土试块应在温度(20±3)℃,相对湿度 90% 以上或水中的标准养护条件下养护 28 d。

五、有关规定

(1)混凝土原材料每盘称量的允许偏差见表 4-13。

表 4-13　混凝土原材料每盘称量的允许偏差

材料名称	允许偏差(%)
水泥	±2
砂、石	±3
水、外加剂	±2

(2)混凝土浇筑时的坍落度见表4-14。

表4-14　混凝土浇筑时的坍落度

结构种类	坍落度(mm)
基础或地面等的垫层,无配筋的大体积结构或配筋稀疏的结构	10～30
梁、板和大型及中型截面的柱子等	30～50
配筋密列的结构	50～70
配筋特密的结构	70～80

注:①本表系采用机械振捣混凝土时的坍落度,当采用人工捣实混凝土时,其值可适当加大。

②当需要配制大坍落度混凝土时,应掺用外加剂。

③曲面或斜面结构混凝土的坍落度应根据需要另行规定。

④轻骨料混凝土的坍落度,宜比表中数值减少10～20 mm。

(3)混凝土的最短搅拌时间见表4-15。

表4-15　混凝土的最短搅拌时间　　　　　(单位:s)

混凝土坍落度(mm)	搅拌机机型	搅拌机出料量		
		<250 L	250～500 L	>500 L
≤30	强制式	60	90	120
	自落式	90	120	150
>30	强制式	60	60	90
	自落式	90	90	120

(4)混凝土从搅拌机中卸出到浇筑完毕不宜超过表4-16的规定。

(5)在浇筑竖向混凝土前,应先在底部填以50～100 mm厚与混凝土内砂浆成分相同的水泥砂浆;当浇筑高度超过3 m时,应采用串筒、溜管或振动溜管使混凝土下落。

表 4-16　搅拌机出料到浇筑完毕时间规定　（单位：min）

混凝土强度等级	气温	
	≤25 ℃	>25 ℃
≤C30	120	90
>C30	90	60

(6)混凝土浇筑层厚度应符合表 4-17 的规定。

表 4-17　混凝土浇筑层厚度

振捣混凝土的方法		浇筑层厚度(mm)
插入式振动棒		振动器作用部分长度的 1.25 倍
表面振动		200
轻骨料混凝土	插入式振动棒	300
	表面振动(振动时需加荷)	200

(7)混凝土运输、浇筑及间歇的全部时间不得超过表 4-18 的规定。

表 4-18　混凝土运输、浇筑及间歇的全部时间（单位：min）

混凝土强度等级	气　温	
	≤25 ℃	>25 ℃
≤C30	210	180
>C30	180	150

(8)当采用插入式振动器时,捣实普通混凝土的移动间距,不宜大于振捣器作用半径的 1.5 倍;捣实轻骨料混凝土的移动间距不宜大于其作用半径;振捣器与模板的距离不应大于其作用半径的 0.5 倍,振捣器插入下层混凝土的深度应不小于 50 mm。

(9)当采用表面振动器时,其移动间距应保证振动器的平板能覆盖已振实部分的边缘。

(10)梁和板宜同时浇筑混凝土;拱和跨度大于 1 m 的梁等结构,可单独浇筑混凝土。

(11)在浇筑主要承受静力荷载的叠合梁时,预制构件的叠和面应有凹凸差不小于 6 mm 的自然粗糙面,并不得有疏松和有浮浆;当浇筑叠和板时,预制板的表面应有凹凸差不小于 4 mm 的人工粗糙面。

(12)施工缝的位置应在混凝土浇筑前确定,并宜留置在结构受剪力较小且便于施工的部位。施工缝的留置位置应符合以下规定:

①柱,宜留置在基础的顶面、梁或吊车梁牛腿的下面、吊车梁的上面、无梁楼板柱帽的下面。

②与板连成整体的大截面梁,留置在板底面以下 20~30 mm 处,当板下有梁托时,留置在梁托下部。

③单向板,留置在平行于板的短边的任何位置。

④有主次梁的楼板宜顺着次梁方向浇筑,施工缝应留置在次梁跨度的中间 1/3 范围内。

⑤墙,留置在门洞口过梁跨中 1/3 范围内,也可留在纵横墙的交接处。

(13)在施工缝处继续浇筑混凝土时,应符合以下规定:

①已浇筑的混凝土,其抗压强度不应小于 1.2 MPa。

②已硬化的混凝土表面,应清除水泥薄膜和松动的石子及软弱混凝土层,并冲洗干净,且不得积水。

③在浇筑混凝土前,宜先在施工缝处铺一层水泥浆或与混凝土成分相同的水泥砂浆。

六、模板拆除

(1)现浇结构的模板及其支架拆除时的混凝土强度,应符合设计要求;当设计无具体要求时,应符合以下规定:

①侧模,在混凝土强度能保证其表面及棱角不因拆除模板而受损坏后,方可拆除。

②底模,在混凝土强度符合表4-19规定后,方可拆除。

表4-19 现浇结构拆模时所需混凝土强度

结构类型	结构跨度(m)	按混凝土立方体抗压强度标准值的百分率计(%)
板	≤2	50
	>2,≤8	75
	>8	100
梁、拱、壳	≤8	75
	>8	100
悬臂构件	≤2	75
	>2	100

(2)对大体积混凝土拆模时,混凝土内外温差不得超过25℃,不能满足要求时应采取边拆模边覆盖等方法,降低混凝土的内外温差,避免混凝土出现温度裂缝。

(3)预制构件模板拆模时的混凝土强度,应符合设计要求;当设计无具体要求时,应符合以下规定:

①侧模,在混凝土强度能保证构件不变形,棱角完整时,方可拆除。

②芯模或预留孔洞的内模,在混凝土强度能保证构件和孔洞表面不发生坍塌和裂缝时,方可拆除。

③底模,当构件跨度不大于4 m时,在混凝土强度达到设计的混凝土标准值的50%后,方可拆除;当构件跨度大于4 m时,在混凝土强度达到设计的混凝土标准值的75%后,方可拆除。

(4)预应力混凝土结构构件模板的拆除,除应符合上述规定外,侧模应在预应力张拉前拆除,底模应在结构构件建立预应力后拆除。

七、混凝土的质量评定

对结构强度或混凝土试块的代表性有怀疑时,可采取无破损检验方法或从结构构件中取芯样的方法,进行检验评定。

(一)保证项目

(1)混凝土所用的水泥、骨料、水、外加剂等必须符合施工规范的有关规定。检验方法:检查出厂合格证或试验报告。

(2)混凝土的配合比、原材料计量、搅拌、养护和施工缝处理必须符合施工规范的规定。

(3)评定混凝土强度的试块强度必须符合下列规定:

用统计方法评定混凝土强度时,其强度应同时符合下列两式的规定

$$m_{fcu} - \lambda_1 s_{fcu} \geqslant 0.9 f_{cu,k}$$

$$f_{cu,min} \geqslant \lambda_2 f_{cu,k}$$

用非统计方法评定混凝土强度时,其强度应同时符合下列两式的规定

$$m_{fcu} \geqslant 1.15 f_{cu,k}$$

$$f_{cu,min} \geqslant 0.95 f_{cu,k}$$

式中　　m_{fcu}——同一验收批混凝土立方抗压强度的平均值,MPa;

s_{fcu}——同一验收批混凝土的标准差,MPa;当 s_{fcu} 的计算值小于 $0.06 f_{cu,k}$ 时,取 $s_{fcu} = 0.06 f_{cu,k}$;

$f_{cu,k}$——混凝土立方抗压强度标准值,MPa;

$f_{cu,min}$——同一验收批混凝土立方抗压强度的最小值,MPa;

λ_1、λ_2——合格判定系数,见表4-20。

表 4-20　合格判定系数

合格判定系数	试块组数		
	10～14	15～24	≥25
λ_1	1.7	1.65	1.6
λ_2	0.9	0.85	0.85

(4)对设计不允许出现裂缝的结构,严禁出现裂缝;设计允许出现裂缝的结构,其裂缝宽度必须符合设计要求。

(二)基本项目

(1)蜂窝:梁、柱上一处不大于 200 cm²,累计不大于 400 cm²;基础、墙、板上一处不大于 400 cm²,累计不大于 800 cm²(蜂窝系指混凝土表面无水泥浆,露出石子深度大于 5 mm,但小于保护层厚度的缺陷)。

(2)混凝土应振捣密实无孔洞、露筋及缝隙夹渣缺陷(孔洞系指深度超过保护层厚度,但不超过截面 1/3 的缺陷)。

(三)允许偏差项目

允许偏差项目见表 4-21。

(四)应检查的资料

(1)钢筋、水泥、外加剂的质量合格证及检验报告,砂、石的检验报告。

(2)钢筋的焊接接头试验报告。

(3)混凝土试块的试验报告。

(4)隐蔽工程验收记录。

(5)分项工程质量评定。

(6)质量事故处理报告。

八、常见质量问题

(1)混凝土各组成材料计量不准,砂石级配不好;拌和不均匀;

表 4-21　现浇混凝土结构构件的允许偏差

项　目		允许偏差(mm)				检验方法
		单层、多层	高层框架	多层大模	高层大模	
轴线位移	独立基础	10	10	10	10	尺量
	其他基础	15	15	15	15	
	柱、墙、梁	8	5	8	5	
标高	层高	±10	±5	±10	±10	水准仪或尺量
	全高	±30	±30	±30	±30	
截面尺寸	基础	+15 −10	+15 −10	+15 −10	+15 −10	尺量
	柱、墙、梁	+8 −5	±5	+5 −2	+5 −2	
柱墙垂直度	每层	5	5	5	5	用2 m检测尺
	全高	$H/1\,000$ 且不大于20	$H/1\,000$ 且不大于30	$H/1\,000$ 且不大于20	$H/1\,000$ 且不大于30	用经纬仪或吊线尺量
表面平整度		8	8	4	4	用2 m检测尺和楔形塞尺
预埋钢板中心线位置偏移		10	10	10	10	尺量
预埋管、预留孔中心线位置偏移		5	5	5	5	
预埋螺栓中心线位置偏移		5	5	5	5	
预留洞中心线位置偏移		15	15	15	15	
电梯井	井、筒长、宽对中心线	+25 0	+25 0	+25 0	+25 0	
	井筒全高垂直度	$H/1\,000$ 且不大于30	$H/1\,000$ 且不大于30	$H/1\,000$ 且不大于30	$H/1\,000$ 且不大于30	吊线和尺量

注:H 为柱、墙全高。

漏振或振捣不够;模板板缝漏浆;自由倾落高度过高,混凝土离析,使混凝土产生蜂窝、麻面、孔洞、露筋等质量缺陷。

(2)引起麻面的原因还有:脱模剂涂刷不均匀或露刷;模板清理不干净;拆模过早;木模板未浇水湿润。

(3)引起孔洞的原因还有:钢筋太密,石子最大粒径超出《施工规范》的要求。

(4)引起露筋的原因还有:钢筋保护层垫块稀少;钢筋过密;钢筋绑扎不紧,浇筑混凝土时,钢筋位移。

(5)缺棱掉角:拆模过早或拆模方法不当;模板上的隔离剂涂刷不均匀或漏刷;板缝漏浆;养护不好。

(6)错台:测量放线误差过大;接茬浇筑上层混凝土时,上层模板在接茬处刚度不足,固定不牢,造成胀模;下层模板顶部倾斜或胀模,上层模板纠正复位形成错台。

(7)夹渣:浇筑混凝土前,模板内杂物未清理干净。

(8)裂缝:水泥安定性不合格;养护不好,混凝土表面脱水形成干缩裂缝;浇筑大体积混凝土时,混凝土内外温差过大,使混凝土开裂;钢筋保护层过小,混凝土沿钢筋开裂;拆模过早、方法不当将混凝土撬裂等。

九、混凝土工程缺陷处理

(1)混凝土的质量缺陷经监理工程师认定需处理时,承包商应提出处理方案,经监理工程师审核批准后实施。

(2)需修补部位应剔凿,并用水及钢丝刷清理干净。

(3)修补缺陷用的水泥品种应与原混凝土所用的水泥品种一致,所用混凝土应比原混凝土高一个等级,并适量掺加膨胀剂。

(4)被修补的部位,应略高于原混凝土表面,待达到构件设计强度后,再将高出的部分凿掉。

(5)加强被修补部位混凝土的养护,避免新的质量问题产生。

十、监理工作中应注意的问题

(1)接到承包商隐蔽工程报验单 24 h 内,监理工程师应到场检验,未经检验而私自隐蔽的工程部位,监理工程师有权要求剥露检查,所发生的费用由承包商承担,工期不予顺延,情况严重者,应向承包商发停工通知单,要求承包商停工整顿。

(2)基础钢筋的制作宜在验槽或证明地基土质与设计图纸符合后进行,避免由于地基土质与施工图不符而导致基础变更,使已加工的基础钢筋报废,承包商提出索赔。

(3)砂、石的含水率随天气不同而变化,砂堆内、外、上、下砂的含水率不同,拌制混凝土时,应注意随砂、石含水率的变化及时调整施工配合比。

(4)梁、板、柱交接部位等钢筋密集处,混凝土工程难以施工时,承包商应与设计方协商处理方案,严禁承包商私自截断钢筋或使钢筋移位。

(5)严格执行工序交接检查和施工预检制度,认真检查测量放线质量。

(6)督促承包商做好安全生产、文明施工工作,严禁在结构上,尤其是悬挑结构上堆放过多的建筑垃圾。

第四节　装配式混凝土结构工程

一、混凝土构件安装工程质量控制流程

混凝土构件安装工程施工前,监理工程师应首先熟悉混凝土构件安装工程的质量控制流程,对重点工序应予以严格控制。混凝土构件安装工程质量控制流程见图 4-4。

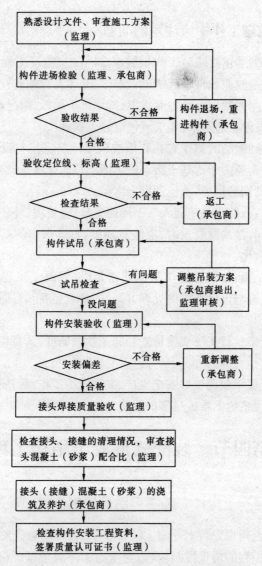

图 4-4 混凝土构件安装工程质量控制流程

二、预控措施

(1)熟悉设计文件,记住结构各部位构件的型号及连接方式。

(2)审核承包商的施工方案:着重审核吊装方法和吊装顺序。

(3)对预制构件厂进行考察认证。

(4)检查构件合格证及混凝土试块试验报告单。

(5)检查构件的外观和外形尺寸。

(6)检查构件接头(接缝)混凝土(砂浆)的配合比报告单。

(7)构件安装时的混凝土强度,当设计无具体要求时,不应小于设计的混凝土强度标准值的 75%;预应力混凝土构件的孔道灌浆的强度,不应小于 15 MPa。

(8)检查承包商的技术交底及落实情况。

(9)检查承包商的构件轴线的弹线和标高控制标记。

(10)检查定位放线工作质量,校核支撑结构和预埋件的标高及平面位置。

(11)对预应力混凝土空心板尚应检查板端堵孔情况。

(12)检查承包商的施工机具是否满足施工及安全需要。

三、构件外观检查和允许偏差项目

(1)外观检查见表 4-22。

(2)允许偏差项目见表 4-23。

四、构件安装质量控制

(1)构件吊装时,绳索与构件水平面所成夹角不宜小于 45°,当小于 45°时,应经过验算或采用吊架起吊。

(2)构件安装就位后,检查保证构件稳定性的临时固定措施。

(3)安装就位的构件,必须经过监理工程师校核后(根据水准点和主轴线)方可焊接或浇筑接头混凝土。

表 4-22　构件外观检查

项　　目		质量要求	检查方法
露筋	主筋	不应有	观察、用尺量测
	副筋	外露总长度不超过 600 mm	
孔洞	任何部位	不应有	观察、用尺量测
蜂窝	主要受力部位	不应有	观察、用百格网量测
	次要部位	总面积不超过所在构件面积的 1%，且每处不超过 100 cm^2	
裂缝	影响结构性能和使用的裂缝	不应有	观察和用尺、刻度放大镜量测
	不影响结构性能和使用的少量裂缝	不宜有	
连接部位缺陷	构件端头混凝土疏松或外伸钢筋松动	不应有	观察、摇动
端头不直、倾斜、缺棱掉角、飞边、凸肋疤瘤	清水表面	不应有	观察、用尺量测
	混水表面	不宜有	
麻面、起砂、掉皮	清水表面	不应有	观察、用百格网量测
	混水表面	不宜有	
外表沾污	清水表面	不应有	观察、用百格网量测
	混水表面	不宜有	

(4)板的搁置长度：应等于板厚,且不小于 70 mm;有抗震要求时,在混凝土梁上不小于 80 mm,在砖墙上不小于 100 mm。

(5)要求板与梁、墙预埋件焊接时,焊点不得少于板的三个角。

(6)对构件接头处的钢筋及钢筋焊接质量进行隐蔽验收。

表 4-23　构件外观允许偏差项目

项　目			允许偏差(mm)	检查方法
截面尺寸	长度	梁、板	+10 −5	尺量
		柱	+5 −10	
		墙板	±5	
		薄腹梁、桁架	+15 −10	
	宽度、高度	梁、板、柱、墙板、薄腹梁、桁架	±5	
	肋宽、厚度		+4 −2	
侧向弯曲		梁、板、柱	l/750 且 20	拉线,尺量侧向弯曲最大处
		墙板、薄腹梁、桁架	l/1 000 且 20	
预埋件		中心线位置	10	尺量纵、横两个方向的中心线,取较大值
		螺栓位置	5	尺量纵、横两个方向的中心线,取较大值
		螺栓明露长度	+10 −5	尺量
预留孔		中心线位置	5	尺量纵、横两个方向的中心线,取较大值
预留洞		中心线位置	15	
保护层厚度		板	+5 −3	尺量
		梁、柱、墙板、薄腹梁、桁架	+10 −5	
对角线差		板、墙板	10	尺量
表面平整		板、墙板、柱、梁	5	2 m 靠尺和楔形塞尺
预应力构件预留孔位置		梁、墙板、薄腹梁、桁架	3	尺量纵、横两个方向的中心线,取较大值

(7)构件接头的焊接质量,应符合《钢结构工程施工及验收规范》和《钢筋焊接及验收规程》的要求。

(8)承受内力的接头和接缝,应采取混凝土或砂浆浇筑,其强度等级宜比构件混凝土强度等级提高二级;对不受力的接缝,应采用混凝土或砂浆浇筑,其强度不应低于 15 MPa。

(9)承受内力的接头或接缝,当其混凝土或砂浆强度未达到设计要求时,不得吊装上一层结构构件;当设计无具体要求时,应在混凝土强度不小于 10 MPa 或具有足够的支撑时,方可吊装上一层结构构件。

(10)对接头或接缝的混凝土或砂浆宜采取快硬措施,施工时必须捣实并加强养护。

(11)施工过程中,对已浇筑混凝土的强度判定,应以同条件养护的混凝土试块强度为依据。

五、质量检查

(一)保证项目

(1)吊装时构件混凝土强度、预应力混凝土构件孔道灌浆的水泥砂浆强度、下层结构承受内力的接头(接缝)的混凝土或砂浆的强度,必须符合设计要求和施工规范的规定。

检查方法:检查构件出厂证明及同条件养护试块的试验报告。

(2)构件的型号、位置、支点锚固必须符合设计要求,且无变形损坏现象。检查方法:观察或尺量检查和检查吊装记录。

(3)构件接头(接缝)混凝土(砂浆)必须计量准确,浇捣密实,认真养护,其强度必须达到设计要求或施工规范的规定。

检查方法:观察和检查标准养护条件下混凝土试块 28 d 的试验报告及施工记录。

(二)基本项目

(1)构件的标高、坐浆、空心板的堵孔、板缝宽度符合设计要求和施工规范的规定。

(2)钢筋焊接接头的焊缝长度符合要求,表面平整,无凹陷、焊瘤。接头处无裂纹、气孔、夹渣及咬边。

(3)钢材接头焊接质量应符合《钢结构工程质量检验评定标准》(GB 50221—95)的规定。

(三)允许偏差项目

(1)柱、梁、板、屋架等构件的安装允许偏差见表4-24。

(2)大模板及装配式大板构件的安装允许偏差见表4-25。

(四)应检查的资料

(1)构件接头(接缝)所用混凝土(砂浆)的试块试验报告。

(2)隐蔽工程验收记录。

(3)结构构件安装记录。

(4)分项工程质量评定。

(5)质量事故处理报告。

六、常见质量问题

(一)梁、柱

(1)节点处的混凝土不密实:节点处钢筋很密,混凝土和易性不好,坍落度不适宜;振捣不认真;模板扣合不严造成漏浆。

(2)主筋位移:运输、吊装时钢筋受到碰撞而变形,安装前钢筋未修正。

(3)节点处的钢筋杂乱:节点处钢筋较密,为施工方便而任意撬动钢筋。

(4)柱的垂直度偏差过大:安装时未认真进行柱垂直度的检查和校正。

(5)梁身位移:梁的主筋与其他梁或柱的主筋相碰,使梁不能按正确位置就位;或在安装其他构件时梁被碰产生位移。

表 4-24　柱、梁、板、屋架等构件的安装允许偏差

项目			允许偏差(mm)	检查方法
杯形基础	中心线对轴线位置偏移		10	尺量
	杯底安装标高		0 −10	用水准仪
柱	中心线对定位轴线位置偏移		5	尺量
	上下柱接口中心线位置偏移		3	
	垂直度	≤5 m	5	用经纬仪或吊线和尺量
		>5 m,<10 m	10	
		≥10 m	1/1 000 柱高 且≤20	
	牛腿上表面 和柱顶标高	≤5 m	0 −5	用水准仪或尺量
		>5 m	0 −8	
梁或吊车梁	中心线对定位轴线位置偏移		5	尺量
	梁上表面标高		0 −5	用水准仪或尺量
屋架	下弦中心线对定位轴线位置偏移		5	尺量
	垂直度	桁架形屋架	1/250 屋架高	用经纬仪或吊线和尺量
		薄腹梁	5	
天窗架	中心线对定位轴线位置偏移		5	尺量
	垂直度		1/300 天窗架高	用经纬仪或吊线和尺量
托架梁	底座中心线对定位轴线位置偏移		5	尺量
	垂直度		10	用经纬仪或吊线和尺量
板	相邻板下表 面平整度	抹灰	5	用直尺和楔形塞尺
		不抹灰	3	
楼梯、阳台	水平位置偏移		10	尺量
	标高		±5	用水准仪或尺量
工业厂房 墙板	标高		±5	
	墙板两端高低差		±5	

表 4-25　大模板及装配式大板构件的安装允许偏差

项　　目		允许偏差(mm)		检查方法
		大模板	装配式大板	
轴线位置偏移		5	3	尺量
标高	层高	±10	±10	用水准仪或尺量
	全高	±20	±20	
垂直度	墙板	5	3	用2m检测尺
	全高	1/1 000 全高 且≤20	10	用经纬仪或吊线和尺量
	每层山墙内侧	2	2	用2m检测尺
墙板拼缝	高差	±5	±5	用直尺和楔形塞尺
	垂直度	5	5	用2m检测尺
楼板搁置长度		±10	±10	尺量
大楼板同一轴线相邻板上表面高差		5	5	用直尺和楔形塞尺
小楼板下表面相邻板高低差	抹灰	5	5	
	不抹灰	3	3	
楼梯、阳台、雨篷	位置偏移	10	10	尺量
	标高	±5	±5	用水准仪或尺量

(6)焊接不符合要求:操作环境狭窄,操作不便,要焊接的钢筋不顺直靠紧。

(二)楼板、屋面板

(1)板端堵孔不符合要求:板在安装后才堵孔,操作不便,堵孔过浅。

(2)板的搁置长度不够:板的长(宽)尺寸负偏差过大;安装就位不准。

(3)板与支座处搭接不严密:找平层平整度差,安装板时未坐浆。

第五章 装饰、楼地面工程

第一节 装饰工程

一、装饰工程质量控制流程

装饰工程质量的优劣,直接影响到房屋的使用效果及工程质量等级的评定,对此监理工程师应给予高度重视,装饰工程的施工应在主体工程验收合格后进行。监理工程师应熟悉装饰工程的质量控制流程,熟悉图纸及施工规范的有关规定,熟悉各类装饰材料的质量检查标准。装饰工程的质量控制流程见图5-1。

二、预控措施

(1)熟悉设计文件(施工图纸、图纸会审纪要、设计变更等),弄清各部位装饰材料的品种、规格、构造要求。掌握《施工规范》中有关装修构造措施的规定。

(2)装饰工程进行前,结构工程应经监理工程师、业主、设计单位及政府质量监督机构检验并认定合格。

(3)检查门窗框的位置是否正确,与墙连接是否牢固,与墙交接处的缝隙是否用砂浆填塞密实。

(4)检查墙洞、架眼、楼板洞是否用相应材料填塞密实。

(5)检查各种管道是否安装完毕,消防箱、配电箱等是否有防护措施。

(6)鉴定装饰材料样品,样品经监理工程师认可后方可购货,

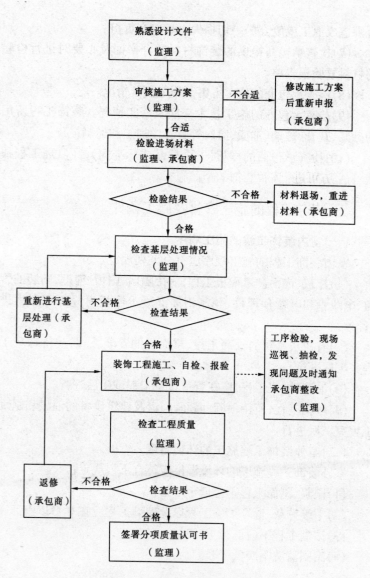

图 5-1 装饰工程质量控制流程

否则造成返工或废弃的一切损失由承包商负担。

(7)检查承包商提供的装饰材料的合格证及必要时进行检验的材料复验报告单。

(8)检查承包商的施工方案及施工机具情况。

(9)检查承包商的施工技术交底及落实情况。装饰工程所用的砂浆、灰膏、玻璃、油漆、涂料等宜集中加工和配制。

(10)检查承包商的样板(一个样品或标准间),经监理工程师认可后方可进行该种装饰的全面施工。

三、装饰工程的施工安排及施工条件

(一)室内装饰工程的施工顺序

室内装饰工程的施工顺序应符合下列规定:

(1)抹灰、饰面和罩面板工程,应待隔墙、门板、窗框、暗装的管道、电线管和电器预埋件、预制钢筋混凝土楼板灌缝等完工后进行。

(2)有抹灰基层的饰面工程、罩面板的安装工程,应待抹灰工程完工后进行。

(3)油漆、刷浆工程,应在管道设备工程试压后进行。

(4)裱糊工程,应待顶棚、墙面、门窗及建筑设备的油漆和刷浆工程完工后进行。

(二)室外装饰工程施工的环境温度

室外装饰工程施工的环境温度应符合下列规定:

(1)刷浆、刷面工程不应低于5℃。

(2)中级抹灰、混合油漆工程以及玻璃工程应在0℃以上。

(3)裱糊工程不应低于15℃。

(4)涂刷清洗不应低于8℃。

四、装饰工程施工的质量控制

(一)抹灰工程

1. 材料的质量控制

(1)水泥:见第四章中的有关规定。

(2)石灰膏:抹灰用石灰膏应用块状生石灰淋制,淋制时必须用孔径不小于 3 mm×3 mm 的筛过滤,并贮存在沉淀池中,熟化时间,常温下一般不少于 15 d。石灰膏必须洁白细腻,冻结风化的石灰膏不得使用,用于罩面的石灰膏,常温下熟化时间不应小于 30 d。

(3)砂子:抹灰应使用中砂或中砂与粗砂的混合砂,要求砂的颗粒坚硬洁净,粘土、泥灰、粉末等杂质含量不超过 3%,施工时砂子应过筛。

(4)颜料:掺入装饰砂浆的颜料,应用耐碱、耐光的矿物颜料。

(5)聚乙烯醇缩甲醛(107 胶):固体含量 10% ~ 20%,比值 1.05,pH 值 7~8,掺量不宜超过水泥重量的 40%,要用耐碱容器贮运。

(6)装饰抹灰及水磨石中的彩色石粒颗粒应洁净,有棱角,不得含有风化的石粒,施工时应冲洗干净后使用。

2. 施工工序质量控制

一般抹灰工程施工工序:抹灰基层的表面处理 → 阳角找方 → 贴饼冲筋 → 全层赶平 → 修整、表面压光 。

1)检查抹灰基层的表面处理

抹灰工程在施工前,必须对基层加以适当处理,使其表面粗糙,以增强抹灰层与基层的粘结,避免出现空鼓、裂缝现象,基层表面应清扫干净,填平孔洞和沟槽。对于过分干燥的基层尚须洒水湿润,但又不能过湿,以防抹灰滑落。砖墙面应清理灰缝。隔断墙和顶棚灰板条的板条间缝隙应控制在 8~10 mm,对于不同用料的基层交接处应加铺金属网,以防抹灰层产生裂缝。

2)检查抹灰层的施工

(1)检查灰筋及弹线情况。

(2)检查各抹灰层。底层7~8成干时抹中层;在中层凝固前应在其表面上,每隔一定距离交叉划出斜痕,以增加其与面层间的粘结,中层达到7~8成干时抹面层;面层的施工必须精细,其施工质量的好坏对抹灰工程的装饰效果有决定性的影响。

(3)装饰抹灰的施工,监理工程师应注意以下几点:

①检查装饰抹灰面层的中层。中层应粗糙而平整,涂抹前应洒水湿润。粘贴在中层砂浆面上的分格条应宽窄厚薄一致,横平竖直,交接严密,完工后应适时取出。

②检查装饰抹灰的面层。面层的施工缝,应留在分格缝处、墙面阴面、水落管背后或独立装饰组成部分的边缘处。装饰抹灰外墙面面层施工时,中层砂浆表面的裂缝和麻坑,应处理并清扫干净,门窗和不做抹灰的部位,应采取可靠措施,防止沾污。白色和浅色的美术水磨石面层应采用白水泥作为胶结材料,面层宜用磨面机分遍磨光,表面用草酸清洗干净,晾干后打蜡。

3)其他检查项目

检查抹灰层的养护和成品保护工作。

3.一般抹灰工程的质量检查

1)保证项目

面层不得有爆灰和裂缝(风裂除外),各抹灰层之间及抹灰层与基体之间必须粘结牢固,不得有脱层、空鼓等缺陷。

2)基本项目

抹灰分格缝的宽度和深度应均匀一致,表面光滑,棱角整齐、横平竖直。

孔洞、槽、盒和管道后面的抹灰表面应尺寸正确、边缘整齐、光滑;管道后抹灰面平整。

滴水线(槽)流水坡向正确,滴水线顺直,滴水槽深度、宽度均不小于 10 mm,整齐一致。

抹灰面层的外观质量应符合下列要求:

(1)普通抹灰:表面光滑、洁净,接槎平整。

(2)中级抹灰:表面光滑、洁净,接槎平整,灰线清晰顺直。

(3)高级抹灰:表面光滑、洁净,颜色均匀,无抹纹,灰线平直方正,清晰美观。

3)允许偏差项目

一般抹灰工程质量允许偏差见表 5-1。

表5-1　一般抹灰工程质量允许偏差

项次	项目	允许偏差(mm)			检验方法
		普通	中级	高级	
1	表面平整	5	4	2	用 2 m 检测尺和楔形尺检查
2	阴阳角垂直		4	2	用 2 m 检测尺检查
3	立面垂直		5	3	用 2 m 检测尺检查
4	阴阳角方正		4	2	用 200 mm 方尺检查
5	分隔条(缝)平直		3		用 5 m 线和尺量检查

注:①中级抹灰,本表第 4 项阴阳角方正可不检查,但应顺平。

②顶棚抹灰,本表第 1、2 项表面平整可不检查,但应顺平。

检查数量:室外,按每层 20 m 抽查一处,室内按有代表性自然间抽查 10%。

4.装饰抹灰的质量检查

1)保证项目

各抹灰层之间及抹灰层与基体之间必须粘结牢固,不得有脱层、空鼓等缺陷。

2)基本项目

(1)喷砂:表面平整,砂粒粘接牢固、均匀密实,颜色一致。

(2)仿石、彩色抹灰:表面密实,线条纹理清晰,颜色协调,不显接槎。

(3)对分割条(缝)及滴水线(槽)的质量要求同一般抹灰工程。

3)允许偏差项目

装饰抹灰工程质量的允许偏差见表5-2。

表 5-2　装饰抹灰工程质量的允许偏差

项次	项　目	允许偏差(mm)			检验方法
		喷砂	喷涂、滚涂、弹涂	仿石、彩色抹灰	
1	表面平整	5	4	3	用2m检测尺和楔形尺检查
2	阴阳角垂直	4	4	3	用2m检测尺检查
3	立面垂直	5	5	4	用2m检测尺检查
4	阴阳角方正	3	3	3	用200mm方形尺检查
5	墙裙、勒脚上口平直			3	拉5m线检查,不足5m拉通线和尺量检查
6	分格条平直	3	3	3	同5检验方法

检查数量:室外,按每层20m抽查一处,室内按有代表性的自然间抽查10%。

5.质量通病治理

1)砖墙、混凝土基层抹灰空鼓、裂缝

(1)原因分析:

①基层清理不干净或处理不当,墙面浇水不透,抹灰后砂浆中的水分很快被基层吸收,影响粘结力。

②配制砂浆和原材料质量不好,使用不当。

③基层偏差较大,一次抹灰层过厚,干缩率较大。

④门窗框两边塞灰不严,墙体预埋木砖距离过大或木砖松动,经开关振动在门窗框处产生空鼓、裂缝。

(2)预防措施:

①抹灰前的基层处理是确保抹灰质量的关键之一,必须认真做好。

②抹灰前墙面应浇水。

③抹灰用的砂浆必须具有良好的和易性,并具有一定的粘结强度。

④抹灰用的原材料应符合质量要求。

2)抹灰面不平,阴阳角不垂直、不方正

(1)原因分析:抹灰前做灰饼和冲筋不认真,阴阳角两边没有冲筋,从而影响阴阳角的垂直。

(2)预防措施:

①按规矩将房间找方,挂线找垂直和贴灰饼。

②冲筋宽度为 30 mm 左右,其厚度应与灰饼相平。

③抹阴阳角时,应随时用方尺检查角的方正,不方正时及时修整。

(二)饰面工程

1.材料的质量控制

(1)外墙釉面砖、无釉面砖应表面光洁、质地坚固、颜色均匀、规格一致,无暗纹、裂纹。外饰面砖的吸水率应小于 10%,具有良好的耐水、抗冻性能。

(2)饰面板、饰面砖应表面平整、边缘整齐、棱角不得损坏。

(3)天然大理石、花岗岩饰面板,表面不得有隐伤、风化等缺陷。

(4)金属饰面板表面应平整、光滑、无裂缝和皱折,颜色一致,边角整齐、涂膜厚度均匀。龙骨的规格、尺寸及保温材料的品种、堆集密度、导热性,均应符合设计要求。

2.施工工序质量控制

对外墙面砖、内墙瓷砖的施工应作如下检查:

(1)检查基层是否清理干净,质量是否合格,试贴样板是否符合要求。

(2)检查分格弹线是否符合要求。

(3)检查挑选的面砖是否颜色、规格一致,是否符合质量要求,浸泡时间是否足够(一般应在 2 h 以上,晾干后方可使用)。

(4)检查基层洒水润湿的情况。

(5)检查砂浆饱满度是否符合要求,面砖粘贴是否整齐。

(6)镶贴饰面砖的部位,如遇有突出的管线、灯具与卫生设备的支撑等,应用整砖套割吻合,不得用非整砖拼凑镶贴。

3．饰面工程的质量标准

(1)饰面工程的表面不得有变色、起碱、污点、砂浆流痕和显著的光泽受损处,不得有歪斜、翘曲、空鼓、缺棱、掉角、裂缝等缺陷。

(2)饰面工程的表面颜色应均匀一致,花纹、线条应清晰、整齐、深浅一致,不显接槎。

(3)镶贴墙裙、门窗贴脸的饰面砖,其突出墙面的厚度应一致。

饰面工程质量的允许偏差见表 5-3。

表 5-3　饰面工程质量的允许偏差

项次	项目	饰面砖允许偏差不大于(mm)			检验方法
		外墙砖	釉面砖	马赛克	
1	表面平整	2	2	2	用 2 m 直尺、塞尺
2	立面垂直	2	2	2	用 2 m 检测尺
3	阳角方正	2	2	2	用 200 mm 方尺
4	接缝平直	3	2	2	5 m 拉线检查
5	墙裙上口平直	2	2	2	5 m 拉线检查
6	接缝高低	室外室内 0.5			用直尺、楔形尺

4．质量通病预防

空鼓、脱落预防措施:

(1)在结构施工时,外墙应尽可能按清水墙标准,做到平整垂直,为饰面砖工程创造良好条件。

(2)面砖在使用前,必须清净,并隔夜用水浸泡,晾干后(外干内湿)才能使用。

(3)粘贴面砖时砂浆要饱满,但使用砂浆过多,面砖也不易贴平,如果多敲会造成浆水集中到面砖底部或溢出,收水后形成空鼓。

(4)在面砖粘贴过程中,要做到一次成活,不宜多动,尤其是砂浆收水后,纠偏挪动,容易引起空鼓。

(5)认真做好勾缝。

(三)油漆工程

1.材料的质量控制

(1)油漆工程所用的涂料和半成品(包括施工现场配制的)均应有成分、颜色、制造时间和使用说明。

(2)油漆工程所用的腻子,应具有塑性和易涂性,干燥后应坚固,并按基层、底漆和面漆的性质配套使用。

2.施工工序的质量控制

木材表面涂刷混色油漆的主要工序见表 5-4,木材表面涂刷清漆的主要工序见表 5-5,金属表面涂刷油漆的主要工序见表5-6,混凝土表面和抹灰表面涂刷油漆的主要工序见表 5-7。

表 5-4　木材表面涂刷混色油漆的主要工序

项　次	工序名称	普通油漆
1	清扫起钉子,除油污	+
2	铲除脂,修补平整	+
3	砂纸磨光	+
4	节疤处点漆片	+
5	干性油或带色干性油刷底	+
6	局部刮腻子磨光	+
7	腻子处涂干性油	+
8	第一遍油漆	+
9	交补腻子	+
10	磨光	+

注:"+"号表示应进行的工序。下表同。

表 5-5　木料表面施涂清漆的主要工序

项次	工序名称	中级清漆	高级清漆
1	清扫、起钉子、除去油污等	+	+
2	磨砂纸	+	+
3	润　粉	+	+
4	磨砂纸	+	+
5	第一遍满刮腻子	+	+
6	磨　光	+	+
7	第二遍满刮腻子		+
8	磨　光		+
9	刷油色	+	+
10	第一遍清漆	+	+
11	拼　色	+	+
12	复补腻子	+	+
13	磨　光	+	+
14	第二遍清漆	+	+
15	磨　光	+	+
16	第三遍清漆	+	+
17	磨水砂纸		+
18	第四遍清漆		+
19	磨　光		+
20	第五遍清漆		+
21	磨　退		+
22	打砂蜡		+
23	打油蜡		+
24	擦　亮		+

1)基层表面的处理

(1)在木料基层表面油漆前,应将表面上的灰尘、污垢清除。

(2)表面上的缝隙、节疤、毛刺和脂囊修整后,用腻子填补,并用砂纸磨光,做到表面干净。

表 5-6　金属表面涂刷油漆主要工序

项　次	工序名称	普通油漆
1	除锈、清扫、磨砂纸	+
2	刷防锈漆	+
3	局部刮腻子	+
4	磨光	+
5	第一遍油漆	+
6	第二遍油漆	+

表 5-7　混凝土表面和抹灰表面涂刷油漆的主要工序

项　次	工序名称	普通油漆
1	清扫	+
2	填补缝隙、磨砂纸	+
3	第一遍满刮腻子	+
4	磨光	+
5	干性油打底	+
6	第一遍油漆	+
7	复补腻子	+
8	磨光	+
9	第二遍油漆	+
10	磨光	+
11	第三遍油漆	+

(3)金属基层表面油漆前,应将表面的灰尘、油渍、锈斑,焊渣、鳞片清除干净。

(4)抹灰层和混凝土表面油漆前,表面应干燥、洁净,不得有起皮和松散等缺陷,粗糙的表面应磨光,缝隙和小孔洞应用腻子填补。

2)刮腻子

腻子由涂料、填料、水或松香水配合而成。油漆工程所用的腻子,应具有塑性和易涂性,坚实牢固,不起皮,不出现裂缝。抹腻子可消除基层表面不平整、有缝隙和孔眼等缺陷,腻子干燥后经磨平可获得平整光滑的基层表面。

3)涂刷油漆

(1)油漆工程施工应在其他工种工程施工全部完工后进行,施工环境应当清洁干净,环境温度>10 ℃,相对湿度<60%,大风和雨雾天气不得施工。

(2)涂刷油漆的基层表面必须干燥,木基层表面含水率<12%,金属基层表面不得有湿气,抹灰面基层含水率<6%。

(3)油漆的工作粘度,必须加以控制,使其在涂刷时不流坠、不显刷纹为宜,涂刷过程中,不得任意稀释,最后一遍油漆不宜加催干剂。油漆过程中,后一遍油漆必须在前一遍干燥后进行,每遍油漆应涂刷均匀,各层必须结合牢固。

3.油漆工程的质量要求

油漆工程质量要求见表 5-8、表 5-9。

表 5-8　混色油漆表面质量要求

项次	项目	普通油漆	中级油漆	高级油漆
1	脱皮、漏刷、反锈	不允许	不允许	不允许
2	光亮、流附、皱皮	大面不允许	大面和小面明显处不允许	不允许
3	光亮和光滑	光亮均匀一致	光亮、光滑均匀一致	光亮足,光滑无挡手感
4	分色裹棱	大面不允许,小面允许偏差 3 mm	大面不允许,小面允许偏差 2 mm	不允许
5	装饰线、分色线平直(拉 5 m 线检查,不足 5 m 线拉通线检查)	偏差不大于 3 mm	偏差不大于 2 mm	偏差不大于 1 mm
6	颜色、刷纹	颜色一致	颜色一致,刷纹通顺	颜色一致,无刷纹
7	五金、玻璃等	洁净	洁净	洁净

表 5-9　清漆表面质量要求

项次	项目	中级	高级
1	漏刷、脱皮、斑迹	不允许	不允许
2	木纹	棕眼刮平、木纹清楚	棕眼刮平、木纹清楚
3	光亮和光滑	光亮足、光滑	光亮柔和、光滑无挡手感
4	裹棱、流坠、皱皮	大面不允许,小面明显处不允许	不允许
5	颜色、刷纹	颜色基本一致,无刷纹	颜色一致,无刷纹
6	五金、玻璃等	洁净	洁净

4. 质量通病防治

油漆流坠的现象、原因及防治。

(1)现象:在垂直物体的表面或线角的凹槽处,油漆产生流淌,较轻的形成泪痕,像串珠子,严重如帐幕下垂,形成突出的倒影山峰状态,用手摸明显地感到流坠处的漆膜比其他部分凸出。

(2)原因分析:

①油漆中加稀释剂过多,降低了油漆正常的施工粘度,漆料不能附着在物体表面,而流淌下坠。

②涂刷的漆膜太厚,聚合与氧化作用未完成前,由于漆自重造成流坠。

③施工环境温度过低,湿度过大,或漆质干性较慢,也易形成流坠。

④选用的漆刷太大,刷毛太长、太软或涂刷油漆时蘸油漆太多,均易造成油漆涂刷厚薄不匀,较厚处自然下垂。

(3)预防措施:

①选用优良的油漆材料和适当的稀释剂。

②涂漆前,物体表面油、水等必须清除干净。

③施工环境温度和湿度要选择适当,以温度 $15\sim25\ ℃$,相对湿度 $50\%\sim75\%$ 为最适宜的环境。

④每次涂刷油漆的漆膜不宜太厚,一般油漆应在 $50\sim70\ \mu m$。

⑤选择适宜的刷子。

⑥涂刷操作,应先开油,再横油、斜油,最后理油。理油前应在桶边将油刷内的油漆擦干净后,再将物面上的油漆面上下理平整,做到油漆厚薄均匀一致。

(4)治理方法:

①漆膜未完全干燥时,对油漆流坠部位,可用铲刀将多余的油漆铲除后,对这个部位再用同样的油漆刷一遍即可。

②漆膜已完全干燥时,对于轻微的油漆流坠,可以用砂纸将流坠油漆磨平整;对于大面积油漆流坠,可用水砂纸磨平或用铲刀铲除干净,修补腻子后,再满刷油漆一遍即可。

(四)刷浆工程

1.材料的质量控制

(1)刷浆工程所用的材料和半成品,均应有成分、颜色、品种、制造时间和使用说明。

(2)刷浆涂料的工作稠度,必须加以控制,使其在涂刷时不流坠、不显纹。

(3)刷浆工程常用腻子及配合比(重量比):

室内刷浆工程的腻子:乳胶:滑石粉或大白粉:2%羟甲基纤维素溶液=1:5:3.5。

室外刷浆工程的腻子:乳胶:水泥:水=1:5:1。

2.施工工序质量控制

刷浆工程施工必须在抹灰层充分干燥后进行。施工前应将抹灰层表面清理干净,表面裂缝和孔洞应用腻子填补磨平。刷浆工程施工工序见图5-2。

3.刷浆工程的质量标准

刷浆工程施工表面应色彩均匀,不显刷纹,不露喷点,不得产生脱皮、掉粉、泛碱、咬色、漏刷和透底现象。刷浆工程的施工,必须调好涂料,处理好基层表面,认真精细操作,才能保证施工质量。

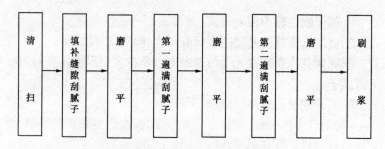

图 5-2 刷浆工程施工工序

刷浆工程的质量标准见表 5-10。

表 5-10 刷浆工程质量标准

项次	项目	中级刷浆	高级刷浆
1	掉粉、起皮	不允许	不允许
2	漏刷、透底	不允许	不允许
3	泛碱、咬色	允许有轻微少量	允许有轻微少量
4	喷点、刷纹	1.5 m 正视喷点均匀,刷纹通顺	1 m 正视喷点均匀,刷纹通顺
5	流坠、疙瘩、溅沫	允许有轻微少量	不允许
6	颜色、砂眼	颜色一致,允许有轻微少量砂眼	颜色一致,无砂眼
7	装饰线、分色线平直(5 m 拉线检查,不足 5 m 拉通线检查)	偏差不大于 3 mm	偏差不大于 2 mm
8	门窗灯具等	洁净	洁净

4.质量通病及防治措施

1)腻子翻皮

(1)现象:在混凝土或抹灰层基层表面刮腻子时,出现腻子翘起或呈鱼鳞状皱皮的现象。

(2)原因分析:

①腻子胶性较小或者过稠。

②混凝土或抹灰基层的表面有灰尘、隔离剂、油污等。

③在含有冰霜或很光滑的表面上以及在表面温度较高的情况下刮腻子。

④腻子刮抹得过厚,基层较干燥。

(3)治理方法:翻皮的腻子应铲干净,找出产生翻皮的原因,经采取措施后再重新抹腻子。

2)掉粉

(1)现象:在粉刷面表面擦抹就掉粉,甚至人靠近粉刷面层,能蹭一身白粉。

(2)原因分析:

①浆液胶性较小,与基层附着力差。

②基层太干或太湿。

(3)治理方法:

①清理掉浮粉,再刷喷一遍清胶液。

②如掉粉较严重,应用细砂纸轻轻打磨一遍,满刷喷清胶液。

③如掉粉已使腻子松动时应铲除腻子,重新刮抹腻子并喷浆。

(五)玻璃工程

1.材料的质量控制

(1)玻璃的品种、规格和颜色应符合设计要求,应具有合格证。

(2)油灰应用熟桐油等天然干性油拌制,用其他油料拌制的油灰,必须经试验合格,监理工程师同意后,方可使用。

(3)调制好的油灰,应具有塑性,嵌抹时不断裂,不出麻面。油灰在常温下应在 20 昼夜内硬化。

(4)玻璃宜集中裁配,并按设计尺寸长宽各缩小一个裁口宽度的 $\frac{1}{4}$,裁割边缘不得有缺口和斜曲。

2.施工工序质量控制

玻璃工程施工工序为:清理边框→裁口→打低油灰→安装玻

璃→固定玻璃→边框填满油灰。

(1)玻璃工程应在门窗校正和五金安装完毕后,并在门窗和玻璃隔断最后一遍油漆前进行,外墙门窗的玻璃根据气候条件和抹灰工程的要求,可在抹灰前安装。

(2)冬期施工,从寒冷处运到暖处的玻璃,应待其缓暖后方可进行裁割。

(3)安装玻璃前,应将裁口的污垢清除干净,并沿裁口的全长均匀涂抹 1~3 mm 厚度的底油灰。

(4)安装木门窗玻璃,应用钉子固定,钉距不得大于 300 mm,且每边不少于两个,并用油灰填实抹光。用木压条固定时,应先涂干性油,并不应将玻璃压得过紧。

(5)安装钢门窗玻璃,应用钢丝固定,间距不得大于 300 mm,且每边不少两个,并用油灰填实抹光。采用橡皮条固定时,应先将橡皮条嵌入裁口内,并用压条和螺钉固定。

(6)安装玻璃隔断时,隔断上框的顶应留有适量缝隙,以防止结构变形,损坏玻璃。

3.玻璃工程的质量检查

(1)安装好的玻璃应平整、牢固,不得有松动现象。

(2)油灰与玻璃及裁口应粘贴牢固,四角成八字形,表面不得有裂缝、麻面和皱皮,油灰与玻璃口表面不得剥离。

(3)油灰与玻璃及裁口接触的边缘应齐平,钉子等不得露出油灰表面。

(4)木压条接触玻璃处,应与裁口边缘齐平,木压条应互相紧密连接。

(5)竣工后的玻璃工程,表面应洁净,不得留有油灰、浆水、油漆等斑污。

4.质量通病及防治措施

油灰棱角不规矩、八字不见角的现象及防治措施。

(1)现象:油灰刮理表面不光滑,边沿厚薄不均,交角处未形成八字式。

(2)原因分析:

①油灰太软不易成形,油灰太硬或有杂质,不易刮理平整。

②操作技术不佳,油灰刀插放位置不符合要求。

(3)预防措施:根据施工环境温度不同,选择调配适当、无杂质的油灰,冬季油灰要软些,夏季油灰要硬些。

(4)治理方法:将多余的油灰刮除,不足处补油灰并修至平整光滑。

(六)裱糊工程

1.材料质量控制

(1)壁纸应整洁,图案清晰。壁纸的图案和质量应符合设计要求,经检验合格并得到监理工程师的认可后方可使用。

(2)胶粘剂应按壁纸的品种选配,并应具有防霉和耐久性能。

2.施工工序质量控制

裱糊工程施工工序见表5-11。

(1)裱糊工程施工时要求基层基本干燥,混凝土和抹灰层的含水率不得大于8%,裱糊壁纸的基层表面要坚实、平整、无飞刺,对于局部麻点、凹坑应用腻子找平、磨光,然后在表面上满刷一道用水稀释的107胶作为底,以避免因基层吸水太快,引起胶粘剂失效而影响壁纸与基层的粘结程度。

(2)裱糊工程用的壁纸,纸幅要垂直,保证花纹、图案纵横连贯一致,底胶干后在基层上划垂直线作标准,然后根据实际规划尺寸裁纸,纸幅要编号,按顺序粘贴。分幅拼花裁好时,要考虑主要墙面花纹的对称完整,对缝和搭缝裁切的一边只能采用搭缝,不能对缝。裁边应平直整齐,不得有纸毛、飞刺等。采用纸基塑料壁纸,由于裱糊时壁纸吸水能在宽度方向胀出1%,因此裱糊的墙面会出现皱褶,为了避免出现皱褶现象,裱糊施工时,应先在准备上墙

表 5-11 裱糊工程施工工序

项次	工序名称	抹灰面、混凝土面		石膏板面		木料面	
		普通	塑料	普通	塑料	普通	塑料
1	清扫基层、填补缝隙、磨砂纸	+	+	+	+	+	+
2	接缝处粘条			+	+	+	+
3	补腻子、磨砂纸			+	+	+	+
4	满刮腻子,磨平	+	+				
5	用1:1聚乙烯醇缩甲醛涂刷	+	+				
6	壁纸湿润	+		+		+	
7	基层涂刷胶粘剂	+	+	+	+	+	+
8	壁纸涂刷胶粘剂		+		+		+
9	裱糊	+	+	+	+	+	+
10	擦净挤出的胶水	+	+	+	+	+	+
11	清理修整	+	+	+	+	+	+

裱糊的壁纸背面刷一遍清水,使壁纸充分吸湿、伸胀,静置 5 min 后,再涂胶粘剂进行壁纸裱糊。墙面应采用整幅裱糊,并统一预排对花拼缝,不足一幅的应裱糊在较暗或不明显部位,阴角处接缝应搭接,阳角处不得有接缝。

（3）裱糊普通壁纸,应先将壁纸背面用水湿润,并在基层表面涂刷胶剂,裱糊时壁纸正面宜用纸衬托进行。裱糊塑料壁纸,应先将壁纸浸水湿润,裱糊时基层表面和壁纸背面均应涂刷胶粘剂。

3.裱糊工程的质量检查标准

（1）壁纸、墙布必须粘贴牢固,表面应色泽一致,不得有气泡、空鼓、翘边、皱折、斑污,斜视时无胶痕。

（2）表面平整,无波纹起伏。壁纸、墙布与挂镜线、贴脸板和踢脚板紧接,不得有缝隙。

（3）各幅的拼接横平竖直,拼接处花纹、图案吻合,不得露缝,距墙面 1.5 m 处正视,看不出拼缝。

(4)阴阳角垂直,棱角分明,阴角处搭接顺光,阳角处无接缝。

(5)壁纸、墙布边缘平直整齐,不得有纸毛、飞刺。

(6)搭接应顺光,不得有漏贴、补贴和脱层等缺陷。

4.质量通病的预防和治理

1)花饰不对称

(1)现象:有花饰的壁纸裱糊后,出现两张壁纸的正反面或阴阳面的花饰不对称,或者在门窗口的两边、室内对称的柱子、两面对称的墙裱糊的壁纸花饰不对称。

(2)预防措施:

①对准备裱糊壁纸的房间,首先应观察有无对称部位,如有对称部位,就应仔细设计排列壁纸花饰;如无对称部位,则应保证门、窗两边保持对称。

②在同一张壁纸只印有正花与反花,要仔细分辨,最好采用搭缝法进行裱糊,以避免由于花饰略有差别而误贴。

(3)治理方法:具有明显花饰不对称的壁纸工程,应将裱糊的壁纸全部铲除干净,重新裱糊。

2)死折

(1)现象:在壁纸表面上有皱纹、棱角凸起,影响壁纸的美观。

(2)预防措施:

①选用材质优良的壁纸,不使用次残品。

②裱糊壁纸时,应用手将壁纸舒平后,才能用橡胶滚赶压,用力要匀。在壁纸未舒展平整时,不得使用钢皮刮板硬推压,特别是壁纸已出现皱折,必须将壁纸轻轻揭起,用手慢慢地推平,待无皱折时再赶压平整。

(七)花饰工程

1.材料质量要求

聚苯乙烯板,应表面平整、边缘整平、无翘曲,粘结剂经试验合格后,且经监理工程师同意,方可使用。

2. 施工工序质量控制

(1)粘贴聚苯乙烯板的基层,必须坚硬、平整、洁净,含水率不得大于8%,基层表面如有麻面,宜采用乳胶腻子修补平整,再用乳胶水溶液深刷一遍,以增加粘结力。粘贴前,基层表面应弹线预排,粘贴时,每次涂刷胶粘剂的面积不宜过大,厚度均匀,粘贴后,应采取临时固定措施,并及时擦去挤出的胶液。

(2)花饰安装前应检查预埋件位置是否正确、牢固,基层表面应清洁,并弹出花饰位置的中心线。

3. 质量检查

(1)检查装饰板是否为符合设计要求的品种、规格及图案。

(2)罩面板表面应平整,不得有污染、折裂、缺棱掉角等缺陷,表面色泽一致,接缝大小均匀。

(3)花饰板安装牢固,其质量要求及允许偏差,应符合下列规定:

①条形花饰的水平和垂直允许偏差,每米不大于2 mm,全长不大于3 mm。

②花饰板表面应光洁,图案清晰,接缝严密,不得有裂缝、翘曲、缺棱角等缺陷。

(4)浮雕花饰的拼缝应严密吻合。

第二节　楼地面工程

一、楼地面工程质量控制流程

楼地面工程质量的优劣,直接影响到房屋的使用效果及工程质量等级的评定,监理工程师应熟悉楼地面工程质量控制流程,熟悉施工规范的有关规定和各类地面材料的质量检查标准。楼地面工程质量控制流程见图 5-3。

二、预控措施

(1)熟悉设计文件(施工图纸、图纸会审纪要、设计变更等),弄清各部位装饰材料的品种、规格、构造要求。掌握《施工规范》中有关楼地面构造措施的规定。

(2)检查楼地面的基层质量是否符合要求。

(3)检查承包商提供的装饰材料的合格证,必要时进行材料复验。

(4)检查承包商的施工方案及施工机具情况。

(5)检查承包商的施工技术交底及落实情况。

三、楼地面工程的施工质量控制

楼地面工程施工应按以下顺序进行:

(1)位于沟槽、暗管等以上的地面与楼面工程,应在该项工程完工、经检查合格并交接验收后方可施工。

(2)铺设各层地面工程时,其下一层经检查符合施工规范有关规定后,方可继续施工。有特殊要求的应做好隐蔽工程记录。

(3)用掺有水泥的拌和料铺设面层、找平层、结合层和垫层时,环境温度不应低于 5 ℃,并应保持至其强度达到不小于设计要求的 50%。

(4)用掺有石灰的拌和料铺设垫层时,环境温度不应低于5 ℃。

(5)混凝土试块的做法及强度检验应按第四章《钢筋混凝土工程》的有关规定执行。

(6)在基土上铺设有坡度的地面,应修整基土来达到所需坡度,在钢筋混凝土板上铺设地面和楼面时,应用垫层或找平层达到所需的坡度。有地漏房间的地面坡度均应坡向地漏。凡出现倒泛

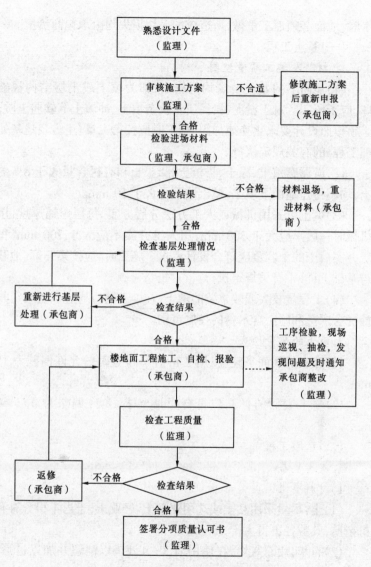

图 5-3 楼地面工程质量控制流程

水时,地面必须返工重做,所造成的一切损失均由承包商负担。

(一)基土工程

1. 材料及施工质量控制

(1)地面下的基土要求均匀密实,如为填土或土层结构被破坏,应予压实。对于淤泥、淤泥质土及杂填土、冲填土等软弱土质,必须按照设计要求更换或加固,施工时应按第二章《土方及地基处理工程》的有关规定执行。

(2)淤泥腐殖土、冻土、耕植土、膨胀土和有机含量大于8%的土,均不得作地面下填土,填土块不得大于50 mm。

(3)填土可采用机械或人工方法分层夯实,每层虚铺厚度:用机械时一般不应大于300 mm,用人工夯实不应大于200 mm,每层夯实后土的干容重应符合设计要求。施工时,应按第一章《地基与基础工程》中有关规定执行。

(4)工程量较大或较重要的填土,在施工前应通过试验确定其最优含水量和施工含水量的控制范围。

2. 基土的质量检查

(1)夯实的表面平整度:用2 m直尺检查时的允许偏差为15 mm。

(2)基土表面的标高应符合设计要求,允许偏差为0,-50 mm。

(二)垫层工程

1. 灰土垫层

1)材料要求

(1)土:尽量采用粘土或选用亚粘土、轻亚土,土内不得含有有机杂质,其粒径不得大于15 mm。

(2)石灰:用石灰块,在使用前3~4 d予以消解并加以过筛,其粒径不得大于5 mm。

2)施工质量控制

(1)灰土拌和料应保证比例准确,拌和均匀,并保持一定的温度。

(2)灰土拌和料应分层铺平夯实,每层虚铺厚度一般为150～250 mm,夯至100～150 mm,夯实后的表面应平整。经适当晾干后方可进行下道工序。

(3)上下两层灰土的接缝距离不得小于 500 mm,施工间歇后继续铺设前,接缝处应清扫干净,并应重叠夯实。

3)质量标准

灰土的质量检查,宜用环刀取样(体积不小于 200 cm³),测定其干容重。灰土垫层质量标准见表 5-12。

表 5-12　灰土质量标准

项　次	土料种类	灰土最小干容重(kN/m^3)
1	轻亚粘土	15.5
2	亚粘土	15.0
3	粘土	14.5

2.混凝土垫层工程

1)材料质量要求

(1)所用材料及配合比按第三章《钢筋混凝土工程》有关规定,骨料粒径不应超过 50 mm,并不得超过垫层厚度的 2/3。

特种混凝土的配合比及要求应符合设计要求,并应取得监理工程师的批准。

2)施工质量控制

(1)混凝土垫层浇筑前,垫层下的基层应予清扫、湿润,混凝土垫层内应根据设计要求预留孔洞及其预埋件。

(2)浇筑混凝土垫层,应纵横设置水平桩以控制厚度。

(3)混凝土垫层应分段浇筑,其宽度一般为 3～4 m,但应结合变形缝的位置,根据不同材料的地面与楼面的连接处和设备基础的位置等来划分。

(4)混凝土强度达到 1.2 MPa 以后,才能在其上面做面层。

(三)找平层

1．材料的质量控制

同装饰工程有关规定,水泥砂浆配合比宜为 1:3。

2．施工质量控制

(1)铺设找平层前,应将下一层表面清理干净,采用水泥砂浆做找平层,其下层应予湿润,铺设时,先刷以水灰比为 0.4~0.5 的水泥浆一道,并随刷随铺,如其表面光滑还应凿毛。

(2)在预制钢筋混凝土板上铺设找平层前,必须做好板缝间的填嵌和板端间的防裂构造装置,待符合设计要求后方可继续施工。

(四)面层工程

1．水泥砂浆面层

1)材料质量要求

(1)水泥:采用硅酸盐水泥、普通硅酸盐水泥,标号不应低于325 号(检验标准参见第三章地基与基础工程)。

(2)砂:中砂或粗砂,含泥量不应大于 3%。

2)施工质量控制

(1)面层宜在找平层混凝土或垫层混凝土砂浆强度达到 1.2 MPa 后铺设。

(2)水泥砂浆的配合比不宜低于 1:2,其稠度不应大于 3.5 cm,水泥砂浆须拌和均匀、颜色一致。

(3)水泥砂浆应随铺随拍实,抹平工作应在初凝前完成,压光工作在终凝前完成。

3)质量标准

(1)面层与基层结合牢固无空鼓。

(2)表面洁净,无裂纹、脱皮、麻面和起砂等现象。

(3)允许偏差:

①表面平整度:不大于 4 mm。

②踢脚线上口平直:不大于 4 mm。

③缝格平直:不大于 3 mm。

4)质量通病及防治

地面起砂的现象及预防措施。

(1)现象:地面表面粗糙,光洁度差,颜色发白,不坚实,走动后表面先有松散的水泥灰,用手摸时像干水泥面。随着走动次数的增多,砂粒逐步松动或有成片水泥硬壳剥落,露出松散的水泥和砂子。

(2)预防措施:

①严格控制水灰比,用于地面面层砂浆的稠度不应大于 3.5 cm。

②掌握好压光的时间,抹平工作应在初凝前完成,压光工作在终凝前完成。

③水泥地面压光后,应视气温情况进行洒水养护,用草帘、锯末覆盖后洒水养护。

④合理安排施工流向,避免过早上人。

2.水磨石面层

1)材料质量要求

水泥:深色水磨石面层,宜采用标号不低于 425 号的硅酸盐水泥、普通硅酸盐水泥、矿渣硅酸盐水泥,浅色或白色水磨石面层应采用白水泥。

颜料:宜用耐光、耐碱的矿物颜料,掺入量不宜大于水泥重量的 12%。

石料:应用坚硬耐磨的岩石(如白云石、大理石等)组成。

砂:同水泥砂浆面层。

2)施工工序质量控制

(1)水磨石拌和料应均匀,应先将水泥与颜料过筛后干拌均匀,再掺入石粒拌和均匀,然后加水搅拌。水磨石拌和料的稠度约为6 cm。

(2)水磨石面层铺设前,应在找平层上按设计要求的分格或图案设置铜条、铝条或玻璃条,分格嵌条应上平一致。

(3)铺设前应在基层表面上刷一遍与面层颜色相同的水灰比为0.4~0.5水泥浆作结合层,随刷随铺。先铺深色,后做浅色,先做大面,后做镶边,等前一种色浆凝固后,再做后一种。

(4)水磨石面层应使用磨石机分次磨光,开磨前应先试磨,如果表面石料不松动方可开磨。面层表面所呈现的细小孔隙和凹痕,应用同色水泥浆涂抹,适当养护后再磨,直至磨光、平整、无孔隙为准。普通水磨石面层磨光遍数不应小于三遍。

(5)水磨石面层的涂草酸和上蜡工作,应在影响面层质量的其他工程全部完工后进行。

3)质量标准

(1)面层与基层结合牢固无空鼓。

(2)表面光滑,无裂纹、砂眼和磨纹,石粒密实,显露均匀,颜色图案一致,不混色,分格条牢固、顺直和清晰。

(3)允许偏差:

①水磨石表面平整度:不大于3 mm。

②踢脚线上口平直:不大于3 mm。

③缝格平直:不大于2 mm。

4)质量通病及防治

分格条显露不清的防治措施。

(1)现象:分格条显露不清,呈一条纯水泥斑带,外形不美观。

(2)预防措施:

①控制面层水泥石子浆的铺设厚度,虚铺高度一般以比分格

条高 5 mm 为宜,用滚动筒压实后,则比分格条高出约 1 mm。

②应避免开磨时间过迟。

③第一遍磨光应用 60~90 号的粗金刚砂磨石,以加大其磨损量。

(3)治理方法:如因磨光时间过迟,或铺设厚度较厚而难以磨出分格条时,可在砂轮下撒些粗砂,以加大其磨损量。

3.块材面层

块材面层包括地板砖、花岗岩、大理石等。

1)材料质量要求

同第一节中饰面工程中材料质量要求。

2)施工工序质量控制

在水泥砂浆结合层上铺设板块面层,应待底层水泥砂浆抗压强度达到 1.2 MPa 以上,才能进行。铺砌前在水泥砂浆结合层上刷 0.4~0.5 水灰比的砂浆并随刷随铺。对于釉面砖应先用水浸泡,其表面无水时方可使用。板块应分段同时铺砌,板块与板块、墙面间均应以水泥砂浆紧密结合。铺砌时要求板块平整,镶嵌正确,铺砌工作应在所刷水泥砂浆凝结前完成。铺砌后 1~2 d 用水泥砂浆(水泥:细砂)勾缝。

3)质量检查

(1)面层所用板块的品种、质量必须符合设计要求;面层与基层的结合必须牢固、无空鼓。

(2)板块面层表面清洁、图案清晰、色泽一致,接缝均匀,周边顺直,板块无裂缝、缺棱掉角等缺陷。

(3)块材铺设允许偏差见表 5-13。

(4)有地漏处地面坡度应符合设计要求,不泛水,无积水,与地漏(管道)结合处严密牢固,无渗漏。

(5)踢脚板应表面洁净,接缝平整均匀,高度一致,结合牢固,出墙厚度适宜。

表 5-13　块材铺设允许偏差　　　（单位:mm）

项　目	陶瓷锦砖、高级水磨石板	缸砖、大水泥砖	普通水磨石板	大理石	塑料板
表面平整度	2	4	3	1	2
缝格平直	3	3	3	2	3
接缝高低差	1.5	0.5	1	0.5	0.5
踢脚线上口平直	3	4	4	1	2
板块间隙宽度	5	2	2	1	

(6)楼梯踏步和台阶的缝隙宽度一致,相邻两步高差不超过 10 mm,防滑条顺直。

(7)楼地面镶边及邻接处的用料尺寸应符合设计要求和施工规范的规定,边角整齐、光滑。

第六章 木作、钢铝门窗及屋面工程

第一节 木作及钢铝门窗工程

一、门窗工程质量控制流程

门窗工程施工前,监理工程师应熟悉门窗工程质量控制流程,熟悉施工规范的有关规定及门窗成品(材料)的质量检查标准,熟悉门窗质量控制的重点及方法。门窗工程质量控制流程见图6-1。

二、木门窗工程

(一)预控措施

(1)熟悉设计文件(施工图纸、图纸会审纪要、设计变更等),弄清建筑物各部位门窗的型号、种类。

(2)若采用成品门窗则应鉴定成品的样品,样品经监理工程师认可后方可购货。

(3)检查承包商的施工方案及施工机具情况。

(4)检查承包商的施工技术交底及落实情况。

(二)材料及门窗成品的质量控制

(1)木材:所有木门窗均用二级红松或一级杉木,选材标准见表6-1,含水率不应大于12%。

(2)镶板门、夹板门所用的胶合板为耐潮胶合板,质量按国家标准《阔叶树胶合板》(GB738—75)要求采用。

(3)木门窗与混凝土或抹灰层接触处,埋入砌体内的木砖均应满涂焦油沥青。

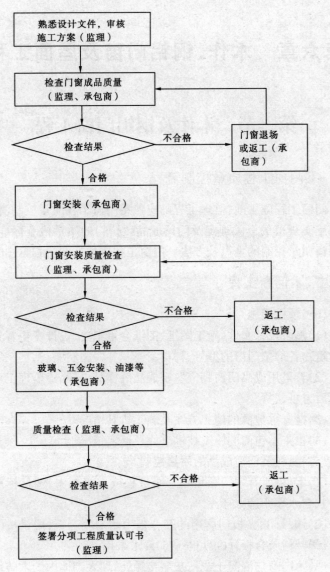

图 6-1 门窗工程质量控制流程

表 6-1　木材质量标准

木材缺陷			门窗扇的立挺、眉头、中冒头及楼梯扶手	窗棱、压条、披角、贴脸、挂镜线	门心板及护墙板门	门窗板、窗台板、踢脚板
活节	节径	不计个数应小于(mm)	15	5	15	15
		计个数时不应大于(mm)	材宽1/3	材宽1/3	30	材宽1/3
	数量	任何1m中不超过(个)	3	2	3	5
死结			允许包括在活节数中	不允许	允许包括在活节数中	
髓心			不露出表面的允许	不允许	不露出表面的允许	
裂缝			深度及长度不得大于厚度及材料长的1/5	不允许	允许可见裂缝	深度及长度不得大于厚度及材料长的1/4
斜纹斜率不大于(%)			7	5	不限	12
油眼			非正面允许	非正面允许	非正面允许	非正面允许
其他			波形纹理、图形纹理、偏心及化学变色允许			

(4)木作制品制成后,应立即刷一遍底油(干性油),防止受潮变形。

(5)门窗玻璃的采用,门及内窗一般采用 3 mm 厚玻璃,固定扇一般采用 2 mm。

木门窗制作允许偏差见表 6-2。

(三)工序质量控制

木门窗生产工序:配料→截料→刨料→画线→开榫→整理线角→堆放→拼装→(运输)→安装→调整→油漆。

表 6-2　木门窗制作的允许偏差

项次	项 目		允许偏差(mm)			检验方法
			Ⅰ级	Ⅱ级	Ⅲ级	
1	翘曲	框	3		4	将框、扇平卧在检查平台上,用楔形塞尺检查
		扇	2		3	
2	对角线长度差(框、扇)		2		3	尺量检查,框量裁口里角,扇量外角
3	胶合板(纤维板)门扇在 1 m² 内平整度		2		3	用 1 m 检测尺和楔形塞尺检查
4	宽,高	框	0,-1		0,-2	尺量检查,框量内裁口扇量外缘
		扇	+1,0		+2,0	
5	裁口线条和结合处高差(框扇)		0.5		1	用直尺和楔形塞尺检查
6	扇的冒头或棂子对水平线		±1		+2	尺量检查

1. 木门窗的加工及运输

(1)木门窗应在业主代表及监理工程师书面批准的加工厂加工。

(2)在成批生产前,木门窗要先制作一樘实样,经业主代表及监理工程师检查无误后才能投入成批生产,如承包人未经同意,加工出的半成品(或成品)又不符合图纸要求,业主代表及工程师有权命令重新加工,由此造成的一切费用由承包人支付。

(3)门窗框安装前应校正规方,钉好斜拉条,无下坎的门框应加钉水平拉条,防止在运输和安装过程中变形。

(4)运至工地上的木门窗应放置室内,用棱木四角垫起,离地20~30 cm 水平放置,并加以覆盖。

2. 木门窗的安装及油漆

(1)门窗框应按设计要求的水平标高和平面位置,在砌体施工的过程中进行安装或预埋木砖。

(2)在砌墙上安装门窗框时,应用钉子固定在墙内的木砖上,每边的固定点应不少于两处,间距应不大于 0.7 m。

(3)后塞门窗框,要预先检查门窗洞口的尺寸、垂直度及木砖数量,如有问题,应事先修好。

(4)在预留门窗洞口时,应留出门窗框走头的缺口,待门窗框调整就位后,封砌缺口。当受条件限制门窗框不能留走头时,经监理工程师同意,应采取可靠措施,将门窗固定在墙内的木砖上。

(5)门窗小五金应按图纸要求安装齐全,位置适宜,固定牢靠。

(四)质量检查标准

(1)门窗框安装位置必须符合设计要求。安装牢固,固定点符合设计要求和施工规范的规定。

(2)门窗框与墙体间需填塞保温材料时,保温材料应填塞饱满、均匀。

(3)门窗扇的安装应裁口顺直,刨面平整光滑,开关灵活、稳定,无回弹和翘曲。

(4)小五金安装应位置适宜,槽深一致,边缘整齐,尺寸准确。小五金安装齐全,规格符合要求,木螺丝拧紧卧平,插销开启灵活。

(5)门窗披水、盖口条、压缝条、密封条应尺寸一致,平直光滑,与门窗结合牢固严密,无缝隙。

(6)油漆、玻璃质量标准参考第五章装饰工程。

(7)门窗安装的留缝宽度见表6-3。

(8)门窗安装允许偏差见表6-4。

(五)质量通病的预防和治理

1. 门窗扇翘曲

1)现象

门窗扇立面不在同一个平面内,安装后关不平,插销棍插不进销鼻孔内。

表 6-3　门窗安装的留缝宽度

序号	项　目		留缝宽度(mm)
1	门窗扇对口缝、扇与框间立缝		1.5~2.5
2	双扇大门对口缝		2~5
3	框与扇间上缝		1~1.5
4	窗扇与下坎间缝		2~3
5	门扇与地面间缝	外门	4~5
		内门	6~8
		卫生间门	10~12
		大门	10~20

表 6-4　门窗安装允许偏差

序号	项　目	允许偏差(mm)
1	框的正、侧面垂直度	3
2	框对角线长度	3
3	框与扇接触面平整度	2

2)预防措施

(1)用含水率达到规定数值的干燥木材制作门窗扇。

(2)较高、较宽的门窗扇,设计时应加大断面尺寸,以防止木材稍有干缩就发生翘曲变形。

(3)门窗扇拼装成形后不要露天堆放,若必需在现场临时露天堆放,要覆盖;重叠堆放时,应使底面支撑点在一个平面内,以免发生翘曲变形。

(4)门窗安装前,表面应先涂上底子油,安装后,应及时涂刷油漆。

2.门窗框安装不牢

预埋木砖数量过少或木砖安装不牢。一般沿门框高度方向每700 mm 应设一层木砖,砌半砖墙时应采用带木砖的混凝土块。

3.上下层门窗不顺直,洞口预留偏移

安装前应按要求弹线,吊垂线。

三、钢铝门窗

(一)预控措施

同木门窗工程。

(二)钢铝门窗的采购、运输及安装、油漆的质量控制

(1)对钢铝门窗加工单位的选定,要经过业主同意,并书面批准加工工厂。

(2)钢铝门窗骨架运输时,应当按要求加固,避免损坏变形,要轻搬轻放。

(3)钢铝门窗制成品应保存于干燥阴蔽之处,不能淋雨,避免与水泥、石灰等有侵蚀性的物质堆放在一起。

(4)安装前,应按图纸要求核对型号、规格、数量及所带的五金零件是否齐全。

(5)钢窗框立好后,将铁脚置入预留孔内,随即用 1∶2 水泥砂浆填入。一般在 72 h 内不得碰撞振动。

(6)钢铝门窗的玻璃根据设计规定适当选用。安装玻璃前,先垫嵌 2~3 mm 底灰,然后把玻璃放入芯内,紧贴底灰,同时装上钢丝销子,压住玻璃,外面满嵌油灰,压紧刮平。

(7)刷油漆前,清除钢窗上的油污、锈斑、焊渣、毛刺等,对防锈漆脱落的,要补刷防锈漆后再刷调和漆(两遍)。

(三)质量检查

(1)钢铝门窗及其附件质量必须符合设计要求。

(2)钢铝门窗安装的位置、开启方向,必须符合设计要求。

(3)钢铝门窗安装必须牢固,预埋件的数量、位置、埋设连接方法必须符合设计要求。

(4)关闭严密,开关灵活。

（5）铝合金弹簧门应自动定位准确,开启角度为 $90°±3°$,自动关闭时间在 $6~10\ s$ 范围内。

（6）附件齐全,安装牢固,灵活适用,端正美观。

（7）门窗框与墙体间缝隙应填嵌饱满密实,表面平整、光滑、无裂缝,填塞材料、方法符合设计要求。

（8）铝合金门窗外观质量应表面洁净,无划痕、碰伤,无锈蚀,涂胶表面光滑、平整、厚度均匀、无气孔。

（9）允许偏差见表 6-5、表 6-6。

表 6-5　钢门窗安装允许偏差

序号	项　　目		允许偏差 （mm）	检验方法
1	门窗框两对角线长度差	≤2 000 mm	5	用 3 m 钢卷尺检查
		>2 000 mm	6	
2	窗框扇配合间隙的限值	铰链面	≤2	用 3 m 钢卷尺检查
		执手面	≤1.5	
3	窗框扇搭接量限值	实腹窗	≥2	用 1 m 检测尺检查
		空腹窗	≥4	
4	门窗框(含拼樘料)正、侧面垂直度		3	用 1 m 检测尺检查
5	门窗框(含拼樘料)的水平度		3	用 1 m 检测尺检查
6	门无下坎时,内门扇与地面间隙留缝值		4~8	用楔形塞尺检查
7	双层门窗内外框、梃(含拼樘料)的中心距		5	用钢板尺检查

(四)常见质量问题

1. 钢门窗

开关不灵活:门窗的垂直、方正偏差过大。

开启方向不到位:抹灰的口角不方正,凸线不直。

五金配件不齐全、不配套:钢门窗与五金配件应配套进场,一次订货备齐。

表 6-6　铝合金门窗允许偏差

序号	项目		允许偏差(mm)	检验方法
1	门窗框两对角线长度差	≤2 000 mm	2	用钢卷尺检查,量里角
		>2 000 mm	3	
2	平开窗	窗扇与框搭接宽度差	1	用钢板尺检查
3		同樘门窗相临扇的横端角高度差	2	用拉线和钢板尺检查
4	推拉窗	门窗扇开启力限值　扇面积≤1.5 mm² ≤40 N　扇面积>1.5 mm² ≤60 N		用 100 N 弹簧秤勾住拉手处,启闭取平均值
5		门窗扇与框或相邻扇立边平行度	2	用钢板尺检查
6	弹簧门扇	门扇对口缝或扇与框之间立、横缝	2~4	用楔形塞尺检查
7		门扇与地面间隙	2~7	
8		门扇对口缝关闭时平整	2	用深度尺检查
9		门窗框(含拼樘料)的垂直度	2	用 1 m 检测尺检查
10		门窗框(含拼樘料)的水平度	1.5	用 1 m 检测尺和楔形塞尺检查
11		门窗横框高	5	用钢板尺检查与基准线比较
12		双层门窗内外框、梃(含拼樘料)中心距	4	用钢板尺检查

2. 铝合金门窗

面层污染咬色:不注意成品保护,造成的污染未及时清理。

渗水:漏打泄水孔或密封胶未打密实。

四、细木制品工程

(一)预控措施

(1)熟悉设计文件(施工图纸、图纸会审纪要、设计变更等),掌握有关细木制品的构造措施。

(2)检查细木制品材料质量是否符合设计要求。

(3)检查承包商的施工方案及施工机具情况。

(4)检查承包商的技术交底及落实情况。

(二)质量控制

1.护墙板和筒子板

(1)检查打孔的位置是否符合设计规定,木楔子是否经过防腐处理。

(2)墙筋与墙面间应干铺一层油毡,墙筋与板的接触面必须刨光,墙筋上必须涂抹防腐剂。

(3)检查墙上的弹线分挡,钉墙筋时,墙筋后要垫实,表面要平整,并用钉子将墙筋与木楔钉牢。

(4)面层板如为纤维板,须按纤维板的宽度加钉立筋。

(5)外露钉帽必须砸扁,钉入板中 3 mm,钉钉时木面不得有伤痕,板子上口应平齐,高低相差不大于 3 mm。

(6)木压条(线)应按斜口 45°角相接。线条尺寸需一致,割角应严密。

(7)木墙裙大面积施工前,应先做一标准间,经监理工程师认可后,方能大面积施工。

2.木扶手

(1)木扶手应采用硬木,选用顺直少节的好料,各段接头应用暗燕尾榫加胶连接,花样应符合图纸要求。

(2)扶手下面的木槽应严密地卡在栏杆的铁板上,并用螺丝拧紧。

(3)扶手刷栗色蜡克漆(硝基清漆),施工要求见第五章有关规定。

(三)质量检查

(1)细木制品的材料和防腐处理必须符合要求。

（2）细木制品与基层必须镶钉牢固。

（3）尺寸正确,表面平直光滑,棱角方正,线条顺直,不露钉帽,无戗槎、刨痕、毛刺、锤印等缺陷。

（4）安装位置正确,割角整齐,交圈、接缝严密,平直通顺,与墙面贴紧,出墙尺寸一致。

（5）允许偏差见表6-7。

表6-7　细木制品安装允许偏差

序号	项目		允许偏差(mm)	检验方法
1	护墙板	上口平直	3	拉5 m线检查,不足5 m拉通线
		垂直	2	全高吊线和尺量检查
		表面平整	1.5	用1 m检查尺
		压缝条间距	2	尺量检查
2	筒子板	垂直	3	用2 m检查尺
		上下宽度差	2	用2 m卷尺
3	楼梯	栏杆垂直	2	吊线和尺量检查
		栏杆间距	3	尺量检查
		扶手纵向弯曲	4	拉通线和尺量检查

五、吊顶、玻璃隔断

（一）轻钢龙骨埃特不燃板吊顶

1. 材料及施工质量控制

（1）轻钢龙骨埃特不燃板材料,须向专门生产厂订货。

（2）对U型轻钢龙骨配件、埃特不燃板、嵌缝腻子、橡皮条等材料,经监理工程师检查批准后,才能采用。

（3）吊顶施工应与隔墙或轻钢龙骨隔墙密切配合,待墙面抹灰、地面施工完毕,管道安装完成后,再进行施工。

（4）吊顶大面积施工前,应先做标准小间,经监理工程师认可后,方能大面积施工。

(5)吊顶上通风口、检查口待留洞处,须按标准图纸要求增加附加龙骨。

(6)吊顶材料到货后,按各自的技术条件要求堆放,采用石膏板时,一定要防止受潮和损伤。

(7)施工中严格控制大小龙骨的位置、吊顶面板水平度和标高,吊杆与龙骨的连接要牢固。

2．质量检查

用 2 m 直尺检查,水平偏差不大于 4 mm,接缝处高低偏差不大于 2 mm;明缝对直线偏差,5 m 拉线检查不大于 5 mm。

(二)玻璃隔断

玻璃隔断按第五章玻璃工程中要求执行。

第二节　屋面防水工程

一、屋面工程质量控制流程图

屋面工程质量的好坏直接影响到房屋的使用效果,对此分项工程监理工程师应严格控制。监理工程师应熟悉屋面材料的质量检查标准、施工规范的有关规定,熟悉屋面工程质量控制流程。屋面工程质量控制流程见图 6-2。

二、预控措施

(一)监理工程师的工作要点

(1)熟悉设计文件(施工图纸、图纸会审纪要、设计变更等),弄清屋面各部位材料的品种、规格、构造要求。掌握《施工规范》中有关屋面构造措施的规定。

(2)检查屋面基层质量是否合格。

(3)鉴定屋面所用材料样品,样品经监理工程师认可后方可购

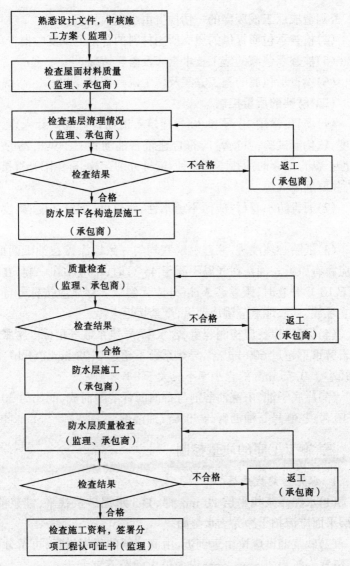

图 6-2　屋面工程质量控制流程图

货,否则造成返工或废弃的一切损失由承包人负担。

(4)检查承包商提供的屋面所用材料的合格证及复验报告单。

(5)检查承包商的施工技术交底及落实情况。

(6)检查承包商的施工方案及施工机具情况。

(二)材料的质量控制

(1)沥青:常用 10 号和 30 号建筑石油沥青。应做针入度、延伸度、软化点试验,其质量应符合建筑石油沥青 GB494—75 质量标准。沥青贮存时应按不同品种、标号分别存放,避免阳光直接曝晒,并要远离火源。

(2)沥青防水卷材:应做不透水性、耐热度、抗拉强度、柔度试验。

(3)纸胎必须浸透,涂盖材料宜均匀一致地涂盖在油纸两面,不应露有原纸。油毡在气温不高于 45 ℃时,不应粘在一起,在不低于 10 ℃开卷时,距卷芯 3 cm 外应无裂纹。存放应按标号分别直立堆放,存放地点应阴凉通风,严禁接近火源。

(4)保温材料:应检测容重、含水率、导热系数等指标。膨胀珍珠岩容重不超过 600 kg/m³,导热系数不超过 0.08 kgcal/(mh℃),粒径小于 0.15 mm 的含水率不应大于 8%。

(5)冷底子油,由汽油溶剂与石油沥青溶融而成,配比为 30%的 10 号或 30 号石油沥青与 70%汽油溶剂。

三、施工工序的质量控制

1.水泥砂浆找平层

(1)水泥砂浆找平层 20 mm 厚,1∶3 水泥砂浆找平,铺浆前,基层平面应清扫干净并洒水湿润。

(2)砂浆铺设应按由远到近、由高到低的程序进行,可留分格缝,缝宽一般为 20 mm,分格纵向最大间距不宜大于 6 m,在每分格内一次连续铺成。

（3）铺设找平层 12 h后，需洒水养护或刷冷底子油养护。

2. 水泥珍珠岩保温层

（1）水灰比的控制，由于珍珠岩吸水率高、吸水速度快，如果水灰比过大，会造成水分排出时间长和强度低的缺点，并易产生裂缝，如果水灰比过小，又会造成表面粗糙、压实困难、强度低等缺陷。一般现场检查是将拌好的材料用手紧握，以成团不散，并稍有水泥浆被挤出为合适。

（2）拌和有干湿两种方法。干拌是将水泥与珍珠岩先行拌和均匀，后均匀洒水拌和；湿拌是将水泥调成水泥浆，然后用小桶将水泥浆均匀地泼在定量的珍珠岩上，随泼随拌。

（3）保温层的虚铺厚度应根据设计厚度经试验确定，虚铺厚一般为设计厚度的 130%。

3. 防水层的施工

卷材铺贴工艺见流程图（图 6-3）。

1）油毡卷材防水层工序质量控制

（1）油毡防水层的施工必须在屋面上其他工程完工后进行。

（2）油毡防水层施工前，基层必须保持干燥。

（3）铺设多跨或高低跨房屋的防水层时，应按先高后低、先远后近的顺序进行。

（4）铺设同一跨房屋防水层时，应先铺设排水比较集中的部位（水落口、檐口斜沟、天沟等处）及有油毡附加层的部位，按标高由低向高的顺序进行。

（5）油毡铺设的方向屋面坡度＜3%时，油毡宜平行屋脊方向铺设；屋面坡度＞15%或屋面受振动时，油毡宜垂直屋脊方向铺设。

（6）油毡铺设的方法：

实铺法：底层油毡应不留空白地涂满沥青胶，沥青胶的厚度控制在 2 mm 以内，一般在 1～1.5 mm 之间。

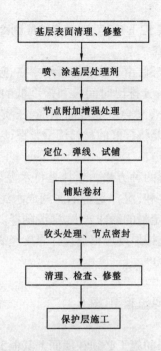

图 6-3　卷材铺贴工艺流程图

花撒法:铺设第一层油毡时,油毡底层面不满涂沥青胶,而采用条形或曲线花撒的方法,使油毡和找平层之间存在若干互相连接的空隙,可排气。

2)聚氯乙烯橡胶卷材

(1)聚氯乙烯橡胶卷材应由下向上平行于屋脊铺贴。

(2)先把卷材展开铺贴位置上,并将卷材对折至另一端,把基层胶粘剂按每平方米规定用量,同时均匀地涂刷于卷材和基层表面。约涂 5~10 m,等胶粘剂基本不粘手时将卷材平整贴合在基层上,再将卷材表面压实,排出气泡。

(3)卷材接口要保持一致,必须在基层弹线,长边搭接宽度 50~70 mm,短边搭接宽度 80~100 mm。

(4)卷材接口时,应用蘸有溶剂的棉纱,把卷材接口部位清洗干净,待其挥发后再用卷材搭接胶涂刷接口两边,边涂边将接口粘合起来,并加以压平。

(5)整个工程粘贴后,应严格检查,如有损坏或粘贴不良,应及时修补,可用比损坏处大 100 mm 的卷材粘补。

4. 保护层、架空板隔热层

(1)保持层:油毡防水层铺设完毕,经检查合格后,应立即进行绿豆砂保护层的施工。选用粒径 3~5 mm 的绿豆砂,加热至 100 ℃左右,趁热将其撒在油毡上面涂刷厚度为 2~3 mm 的沥青胶上,使其一半左右的粒径嵌入沥青胶中。

(2)上人屋面:在第二道防水涂膜完全固化并验收合格后,在其上做 25 mm 厚 1:3 水泥砂浆(掺 15% 的 107 胶)结合层。撒素水泥,洒适量水。铺 10 mm 厚地砖面层,用干水泥擦缝,缝内填1:3石灰砂浆。

(3)不上人架空板隔热屋面:支墩布置应整齐划一,高度一致,坐砌牢固,不得损坏防水层。预制块放置在砖墩上,板缝用 1:3 水泥砂浆勾缝。

四、质量检查

1. 找平层

(1)按保温(隔热)层面积每 100 m² 抽查一处,每处 10 m²,但不少于 3 处。

(2)找平层表面不应有脱皮和起砂缺陷。

(3)找平层紧贴在基层表面上,并应铺平垫稳,不应有松动现象。

(4)找平层与女儿墙、山墙、烟囱等连接处以及转角处,均应做成圆弧或钝角,表面平整,用 2 m 靠尺和楔形尺检查,允许偏差 5 mm,预制板接缝高低差不超过 3 mm。

2.保温(隔热)层

(1)保温材料的强度、容重、导热系数和含水率及配合比应符合要求。

(2)架空隔热板的强度必须符合设计要求,严禁断裂和漏筋等缺陷。

(3)松散保温材料应分层铺设,压实适当,表面平整,找坡正确。

(4)整体保温材料层应拌和均匀,分层铺设,压实适当,表面平整,找坡正确。

(5)架空隔热板铺设应表面平整、牢稳,边缘顺直,缝隙勾填密实,内部无杂物;架空高度及变形缝做法符合设计要求。

(6)允许偏差见表6-8。

表6-8　保温(隔热)层的允许偏差

项次	项　　目		允许偏差 (mm)	检验方法
1	整体保温层 表面平整度	无找平层	5	用检测尺和楔形塞尺检查
		有找平层	7	
2	保温层厚度	松散材料 整体材料	+10δ/100 -5δ/100	用钢针插入和尺量检查
		板状材料	±5δ/100 且 不大于4	
3	隔热板相临高度差		3	用直尺和楔形塞尺检查

注:δ为保温层厚度。

3.防水层

(1)按保温(隔热)层面积每100 m² 抽查一处,每处10 m²,但不少于3处。

(2)符合排水要求,无明显积水现象。

(3)冷底子油涂刷均匀,铺贴方法、压接顺序和搭接长度符合施工规范的规定,粘贴牢固,无滑移、翘边、起泡、皱折等缺陷。

(4)泛水、檐口及变形缝处应粘贴牢固,封盖严密;卷材附加层、泛水立面收头等做法符合施工规范的规定。

(5)绿豆砂保护层应撒铺均匀、粘贴牢固、表面清洁。

(6)落水管及变形缝、檐口等处薄钢板的安装:安装牢固,水落口平正,变形缝、檐口等处薄钢板安装顺直,防锈漆涂刷均匀。

五、应注意的质量问题

(1)找平层空鼓:基层未清理干净,养护措施不力。

(2)找平层起砂、开裂:养护不好,砂浆配合比不合适。

(3)排水口处积水:保温层厚度及坡度偏差较大或排水口标高偏差较大。

(4)防水层起泡:保温层内水分过大,水泥砂浆找平层未干燥时即进行防水层的施工,排气通道不通畅。

(5)防水层渗漏:卷材搭接长度过小,出水口、管道出屋面处,卷材收头处做法不符合设计或施工规范的要求。

第七章 室外工程

第一节 室外给排水工程

一、预控措施

监理工程师工作要点如下：

(1)熟悉设计文件(施工图纸、图纸会审纪要、设计变更等)，弄清给排水管网所用材料、构件的品种、规格、构造要求。掌握《施工规范》中有关给排水构造措施。

(2)检查材料、构件的合格证。

(3)检查承包商施工测量放线的工作质量。包括：

①检查水准基点桩、管道中线位置桩、坐标网控制基点桩。

②检查管道中线桩。

③检查管沟中线，沟底标高，管顶标高，管道长度、坡度。

④注意干管与支管起始位置及高程控制，注意管道与化粪池、污水处理站、排水明沟之间标高要求。

(4)检查承包商的施工技术交底及落实情况。

(5)检查承包商的施工方案及施工机具情况。

二、室外给排水工程有关规定

(1)窨井要按设计图纸规定的位置及标准图要求施工。窨井在道路上的要用重型铸铁井盖。井盖面和道路齐平，允许偏差为±5 mm。不在路面上的窨井采用轻型铸铁井圈井盖。井圈面高出地面50 mm，井口周围以0.02坡度向外做坡。

(2)污水干管在直线段上,检查井间距最大不超过 50 m;雨水管检查井间距最大不超过 70 m。

(3)窨井的井口、井筒和井室的尺寸要便于养护和检查。井室的尺寸要符合设计要求,允许偏差为 ±20 mm。

(4)排水系统中排水铸铁管施工要求按给水铸铁管施工规范执行,但试压要求按排水管规范要求执行。

(5)给水管与污水管相交时,给水管在上,污水管在下(给水管与雨水管相交不受此限制),管间距离要大于 0.4 m。若必须从污水管下面穿越时,每边要加不短于 3 m 的保护套管。

(6)消防栓按标准图(88C162—12)安装,与水平管连接要用阀门,消火栓井旁要有醒目的标志,能明显看到。

(7)设计须穿越混凝土硬化区域的给排水管道施工,应待道路基层灰土压实完成后,再开始挖槽施工。管道回填时,应采取措施保证回填土达到灰土压实度要求。

三、材料的质量控制

(一)材料的一般规定

(1)所用材料均应符合图纸要求,且选用大中型生产厂家,按国家标准、部颁标准组织生产的产品。

(2)所选用的材料均应提交符合有关标准的材质证明(出厂证明、产品合格证),并得到监理工程师的批准,未经批准的材料不得进入施工现场。

(3)凡选用无明确标准的材料,应按材料的主要用途提供 1～2 项主要材料性能指标及样品。样品及指标是否合适由监理工程师确定。

(4)采购材料前均先提交样品,经监理工程师批准后方可采购。

(5)承包人不得将不合格品用于工程,当监理工程师认为需要复检有关材料时,承包人应到经监理工程师批准的具有相应资质的实验检测单位进行复检,如果检测表明不符合要求,则该批材料应退出施工现场,承包商应重新购置材料。

(二)污、雨水管

污水管、雨水管按设计或业主要求可采用混凝土管或钢筋混凝土管。钢筋混凝土圆管成品应符合下列要求:

(1)管节端面应平整并与其轴线垂直,斜交管道出水口的管节外端面,应按斜交角度进行处理。

(2)管壁内外侧表面应平直圆滑,如有蜂窝,每处面积不得大于 3 cm×3 cm,其深度不得超过 1 cm;蜂窝总面积不得超过全面积的 1%,并不得露筋;蜂窝处修补完善后方可使用。

(3)管节各部尺寸,不得超过表 7-1 的规定。

表 7-1 管节各部尺寸允许偏差

项　　目	允许偏差(mm)
管节长度	±10
内(外)直径	±10
管壁厚度	±5

(4)管节混凝土强度应符合要求。

(5)管节外壁必须注明适用的管顶填土高度。

(6)破裂、严重漏筋、端部开裂等严重缺陷管节或有尺寸错误、变形等情况的管节应确定为不合格管,指令废弃。

(7)钢筋混凝土管的切断用凿打或锯割等均可,但切口要规整、无缺口及歪斜等缺陷,不允许磕断。

(三)窨井

(1)铸铁井盖、井座及爬梯采用《全国通用给水、排水标准图集SI 合订本》(S147 井盖、井座、铁爬梯),规格按设计要求,材料采用HT15-33 铸铁。

(2)井盖上应有"给水"、"排水"、"雨水"等字样。

(3)施工选用的重型和轻型井盖、井座,运到现场后,监理工程师应抽验并作称重检查。二者分开存放,不得混用。

(四)给水与排水铸铁管及管件

1.铸铁管的一般材质规定

承插铸铁管用于给水管道工程。按工作压力的不同,给水铸铁管分为低压管、普管和高压管三类。

给水铸铁管的工作压力和水压试验压力应符合表7-2的规定。

表7-2 给水铸铁管的工作压力和水压试验压力

(单位:MPa)

名 称		低压管道	普压管道 管材、管件	高压直管	高压管件
工作压力		0.49	0.75	1.0	1.0
水压试 验压力	$D_g \geqslant 500$	1.0	1.5	2.0	2.1
	$D_g \leqslant 500$	1.5	2.0	2.5	2.3

注:D_g 为铸铁管的公称直径。

(1)铸铁管应有制造厂的名称和商标、制造日期及工作压力符号等标记。

(2)铸铁管、管件应进行外观检查,每批抽10%检查其表面状况、涂漆质量及尺寸偏差。内外表面应整洁,不得有裂缝、冷隔、瘪陷和错位等缺陷。其他要求如下:

①承插部分不得有粘砂及凸起,其他部分不得有大于2 mm厚的粘砂及5 mm高的凸起。

②承口的根部不得有凹陷,其他部分的局部凹陷不得大于5 mm。

③机械加工部位的轻微孔穴不大于1/3厚度,且不大于5 mm。

④间断沟陷、局部重皮及疤痕的深度不大于 5%壁厚加 2 mm,环状重皮及划伤的深度不大于 5%壁厚加 1 mm。

⑤法兰与管子或管件的中心线应垂直,两端法兰应平行。法兰面应有凸台及密封沟。

铸铁管及管件,如无制造厂的水压试验资料时,使用前须每批抽 10%做水压试验,试压应按冶金部颁布的标准《连续铸铁直管及管件》(YB427—64)、《铸铁直管及管件》(YB428—64)规定进行。如有不合格者,则应逐根检查。

2．施工要求

(1)给水铸铁管应是连续浇铸的普压承插式灰口铸铁管,并符合国标(GB3422—82)的要求。铸铁管外观必须平直,无裂缝及毛刺、劈纹等缺陷。铸铁管内外壁均要浸涂沥青防腐漆,浸涂必须均匀。

(2)管件应是承插式或法兰连接的灰铸铁件,并符合国标(GB3420—82)要求。外观检查无裂缝及毛刺、劈纹、冷隔等缺陷。

(3)排水铸铁管及管件、建筑物出口连接管均采用排水铸铁管。要求内外光滑,无毛刺、劈纹。管子要平直,壁厚一致。

(4)铸铁管切断应用锯割,切口要平整,无歪斜、裂纹及凸凹不平等缺陷。用电弧切割时,要把切口铲平。

(5)给排水铸铁管连接:

铸铁管除与法兰、阀门及法兰配件连接用螺栓外,其余均采用承插口连接。承插口的对口间隙不得小于 3 mm,最大间隙应符合规范《采暖与卫生工程施工及验收规范》(GB242—82)表 7.2.1 之规定。铸铁管承插口间填料宜采用石棉水泥或膨胀水泥。如有特殊要求可采用青铅接口,铅的纯度应在 99%以上。采用石棉水泥或膨胀水泥接口,其接口面凹入承口边缘的深度不得大于 2 mm,并应做好湿养护,接口如有浸蚀性地下水,应在接口处涂后期沥青防腐层。采用何种接口材料,须符合设计要求;当设计无规定时,应报请监理工程师批准。

（6）给排水承插式铸铁管施工质量要求见表7-3。

表 7-3　给排水承插式铸铁管施工质量要求

承插口间隙 E		承插口深度 H	管子平直度(mm/m)	
$D_g \leqslant 800$	$\pm E/3$	$\pm 0.05H$	$D_g < 200$	3
			$D_g = 200 \sim 450$	2
$D_g > 800$	$\pm (E/3 + 1)$		$D_g > 450$	1.5

注:D_g 为铸铁管的公称直径。

(五)焊接钢管及镀锌钢管

（1）焊接钢管应是低压流体用焊管,且符合国标（GB3092—82）的要求,外观检查管壁内外应平滑,无显著腐蚀,无裂纹及气孔、压延不良和扭曲等缺陷。

（2）镀锌钢管应符合国标（GB3091—82）的要求,其他要求与焊接钢管相同。镀锌不得有脱皮、漏锌及超过 0.5 mm 的凹坑及蜂窝麻面等缺陷。

（3）管接头等零件为钢制或可锻铸铁件,应符合冶标（YB230—63、YB238—63）的要求。镀锌钢管应用镀锌管接头零件,且内外表面均要镀锌。管接头及配件的螺纹要完整无损,配合要紧密不松。

（4）钢管切断不论采用何种方法,切口均要平整、不歪斜、无氧化铁渣及管口尺寸不得缩小。

（5）钢管规格。焊接钢管一般适用于公称压力不超过 1.6 MPa 的管道。焊接钢管的品种和规格见表7-4。

(六)阀门

阀门要有出厂试验合格证书。在每批中抽查 10%（最少一个）进行强度试验和密封性试验,若检查有不合格,则要求进行逐个检查,剔除不合格品。阀门直径小于或等于 40 mm 的采用丝扣连接,直径大于 40 mm 的采用法兰连接。

表 7-4　焊接钢管的品种和规格

公称直径		外径 (mm)	普通管		加厚管		每米钢管部分分配的管接头重量(以每6m一个管接头计算)(kg)
(mm)	(in.)		壁厚 (mm)	不计管接头的理论重量 (kg/m)	壁厚 (mm)	不计管接头的理论重量 (kg/m)	
8	1/4	13.50	2.25	0.62	2.75	0.73	
10	3/8	17.00	2.25	0.82	2.75	0.97	
15	1/2	21.25	2.75	1.25	3.25	1.44	0.01
20	3/4	26.75	2.75	1.63	3.50	2.01	0.02
25	1	33.50	3.25	2.42	4.00	2.91	0.03
32	11/4	42.25	3.25	3.13	4.00	3.77	0.04
40	11/2	48.00	3.50	3.84	4.25	4.58	0.06
50	2	60.00	3.50	4.88	4.50	6.16	0.08
65	21/2	75.50	3.75	6.64	4.50	7.88	0.13
80	3	88.50	4.00	8.34	4.75	9.81	0.2
100	4	114.00	4.00	10.85	5.00	13.44	0.4
125	5	140.00	4.50	15.04	5.50	18.24	0.6
150	6	165.00	4.50	17.81	5.50	21.63	0.8

注:表中所列理论重量为不镀锌钢管(黑铁管)的理论重量,镀锌钢管比不镀锌钢管重 3%～5%。

四、室外给排水工程施工阶段的质量控制

(一)室外排水工程

室外排水工程包括院内室外污水管道、雨水管沟槽的测量放线、挖土、管道基础、管道敷设、接口试压、窨井及雨水口、化粪池、土方的回填、场地平整、土方外运等全部工作量。

1. 管沟土方的开挖和回填

管沟开挖前由承包人对图纸和施工现场进行核对,清除障碍。

根据图示坐标和标高进行放线测量。坐标的允差不超过±50 mm,标高的允差不超过±30 mm,沟槽是否需要加固或放边坡,由承包人根据土质情况及沟槽开挖深度以及经监理工程师批准的施工方案确定。

(1)管沟的开挖和回填应尽快完成。施工中应防止地面水流入沟内,以免边坡塌方或基土遭到破坏。

(2)雨期施工管沟挖好后不能及时进行下一工序时,可在基底标高以上留150～300 mm一层不挖,待下一工序开始前再挖除。

(3)采用机械开挖管沟时,可在基底标高以上预留一层人工清理。

(4)管沟底部开挖宽度,符合设计要求且不得小于0.6 m,管道端头工作坑的大小以便于工人操作为宜。

(5)管沟挖至基底标高,清理槽底后,承包人应请监理工程师检查基底土质、尺寸、标高、坡度是否符合要求,是否需夯实,并作出隐蔽工程记录。

(6)管沟开挖不得超过设计基坑标高。如个别地方超挖时,应用与基土相同的土料填补,并夯实至要求的密实度。在重要部位超挖时,可用与垫层相同级别的混凝土填补,并应取得监理工程师同意。

(7)管沟回填前,应清除沟内的杂物,基础或管沟的现浇混凝土应达到一定的强度(一般为5 MPa);回填土料、每层铺填厚度和压实应符合《施工规范》要求。

(8)回填管沟时,为防止管道中心线位移或损坏管道,应用人工先在管子周围填土夯实,并应从管道两侧同时进行,直至管顶面0.5 m以上。在不损坏管道的情况下,方可采用机械回填或夯实。

(9)在抹带接口处、防腐绝缘层周围,应使用细粒土料回填。

(10)排水管道施工完并经试水及渗水量实验合格,取得监理工程师的隐蔽书面通知后,方可进行回填土的施工。

2.污水、雨水管道的敷设与连接

污水、雨水管道在沟槽开挖验收合格后才能进行敷设。管道按设计坡度敷设,管道排列要平直,无扭曲及高低不平等现象。套环连接时套环与管道四周间隙要均匀一致。套环要对正两管接缝,石棉水泥接口材料要均匀填入,分层打实。使用水泥砂浆接口材料时要填塞密实,不渗漏水。使用水泥砂浆抹带接口时,抹带应宽度厚度一致,并应注意保养,不得裂纹,注意按标准图集要求设置钢丝片(规格、宽度、位置符合要求)。

在污水、雨水管连接支管及管道变径处、管道拐变处均用窨井连接。窨井井室的砌筑还必须符合下列要求:

(1)不同管径用检查井连接时要管顶平接,且进水管管底不能低于出水管管底;

(2)在管道拐弯或交接处的窨井流槽,水流角度不得小于90°;

(3)窨井内水流高差超过 1 m 时必须采用跌水井连接。在管道转弯处不准采用跌水井,一定要在直线段过渡。窨井按设计图施工。

(4)窨井深度超过 0.8 m 时要安装铁爬梯,铁爬梯要交错排列、安装坚固、间距适中。

(5)雨水口根据平面图道路坡度及路口布置(按设计要求)。雨水口与干管连接管直径按设计要求,设计无要求的按管径不小于 200 mm 考虑,雨水口及连接管施工时要与道路施工配合,雨水口井深一般为 1 m 左右,不得小于 0.5 m,雨水口框、篦为铸铁成品件,按标准图施工,井管连接处要严密不漏水。

(6)污水管排入城市污水管前要有化粪池,化粪池位置及施工按设计图要求。雨水管出口应接入城市雨水管网或直接排入水道。

(7)混凝土管座基础的宽度、高度、角度应符合设计标准图要求,其顶部弧形面应与管身紧密贴合,使管节受力均匀。同时管座混凝土振捣时,应选择合适的振动棒(30棒),避免损坏或使管道位移。

(8)安装管节时应注意各管节应顺流水坡度安装平顺,当管壁厚度不一致时应调整高度使内壁齐平;管节必须垫稳坐实,管道内不得遗留泥土等杂物。

(9)插口管的接口应平直,环形间隙应均匀,并应安装特制的胶圈或用沥青、麻絮等防水材料填塞,不得有裂缝、空鼓、漏水等现象。

(10)平接管的接缝宽度应不大于 1~2 cm,禁止用加大接缝宽度的办法来满足长度要求,接口表面应平整,并用有弹性的不透水材料嵌塞密实,不得有间断、裂缝、空鼓、漏水等现象。

3.污水、雨水管道的试验

污水、雨水管道施工完后,均应按设计要求做渗水试验,并提交试验记录。

(二)窨井工程

(1)内容包括:室内外给水、排水(污、雨水)等所有窨井(包括其他管道检查井)的挖土、混凝土垫层、砖砌井壁、井内勾缝、抹灰、铸铁井盖、回填土及有关的施工作业。

(2)检查窨井的测量定位。

(3)窨井挖土应与管道挖土同时进行,井坑基底土垫层回填夯实的要求:干容重应符合设计或规范的要求。基底应先夯实,然后再回填,每层回填虚铺厚度不大于 200 mm。

(4)所有排水窨井应做流槽,应用混凝土或砖砌筑,并用水泥砂浆抹光。流槽高度等于引入管中的最大管径,允许偏差 ±10 mm。流槽上部应做成垂直墙,其顶面应有 0.05 的坡度。排出管同引入管直径不相等时,流槽应按两个不同的直径做成渐扩形。弯曲流槽同管口连接处应有 0.5 倍直径的直线部分,弯曲部分为圆弧形,管端应同井壁内表面齐平。管径大于 500 mm 时,弯曲流槽同管口的连接形式应由设计确定。

(5)砖砌井壁的砖和砂浆标号应按设计执行,砌砖要求砂浆饱满、密实,内壁抹1:2.5水泥砂浆加 5％防水剂,厚度 20 mm,以防污雨水外漏而影响地基沉陷。井室尺寸应符合设计要求,允许偏差为 ±20 mm。

(6)铸铁井盖的安装:应用 1:3 的水泥砂浆坐底找平。井盖上表面应同路面相平,允许偏差 ± 5 mm;无路面时井盖应高出室外设计标高 50 mm,并应在井口周围以 0.02 的坡度向外做护坡。

(7)给水窨井(阀门、水表井),底板下应做集水坑,内壁抹1:2.5防水砂浆厚 20 mm。为了检修需要,主动轮轴距井侧墙不得小于 400 mm,在阀门杆轴线延长线上,埋设 Ø300 混凝土管,便于检修或更换阀杆用。闸阀必须设置支墩,支墩与阀底部应用MU7.5 水泥砂浆抹八字填实。

(8)所有排水井在回填前均应做灌水试验,与管道试水同时进行,允许渗水量不大于《采暖与卫生工程施工及验收规范》(GBJ242—82)表 7.3.5 的规定值。

(9)窨井回填土时,应先将盖板盖好,在井壁四周同时回填并分层夯实。夯实土的干容重应符合设计或规范的要求。

(三)地沟工程

(1)地沟工程包括:全部室内外地沟的挖土、地基处理、混凝土垫层、钢筋混凝土底板、砖砌沟壁、勾缝、抹灰、管道支架(或支墩)、预制沟盖板及过梁、混凝土检查井盖、回填土及有关的施工作业。

(2)材料质量控制。所有材料和半成品,均须符合设计图纸和前述有关章节的规定。在施工前,承包人应提供材料样品、试验资料和半成品出厂合格证,送工程师审查认可。对预制钢筋混凝土承重构件(如沟盖板、过梁等),要抽样做现场荷载检查试验。

(3)施工要求。地沟施工应与各种管道安装互相配合,统一安排。沟底标高、坡度及设计地面标高等应参照各种管道纵剖面图施工。

施工注意事项：

①地沟中固定支架必须预先埋置。

②砌筑沟壁时，砖缝间砂浆必须饱满密实；如内壁为勾缝时，砖缝应砌成凹型。

③铺设地沟盖板前，地沟必须清扫干净，完成一切施工作业。

④混凝土及钢筋混凝土底板浇制时，表面应压平，按设计要求找好坡度。

(4)地沟的施工，必需遵守施工规定，严格按设计图纸施工，并做好地基处理。雨期施工时，应防止沟槽被雨水或施工用水浸湿。基槽底土垫层回填夯实要严格按图纸执行，回填前基槽底面应先行夯实，然后再回填，每层回填松土厚度一般不大于 200 mm（或由试验确定）。

(5)开挖沟槽如遇其他管道时，承包人必须采取措施妥善保护，不得损坏，否则按原样修复。当工程师认为该管道必须拆迁改道时，承包人应接受其任务。

(6)地沟两侧及顶部回填土干容重应符合设计或规范的要求。且不得混有树皮、草根、建筑垃圾等杂物。沟顶回填 500 mm 以内，应采用轻夯轻打的方法（每层虚铺不大于 150 mm，夯打宜轻，夯数宜多）。沟周回填，应在砌体及混凝土达到设计强度及沟盖板铺设后方能进行。室内地沟回填土夯实质量与室内地坪回填土同。

(7)地沟的防水砂浆，应按设计图纸要求施工，用 1:2.5 水泥砂浆加 5% 的防水剂，厚度 15mm，抹至盖板底。

(8)沟盖板、梁支撑处，应铺以 1:3 水泥砂浆，沟盖板板缝间用 1:3 水泥砂浆填缝。钢筋混凝土预制构件待混凝土强度达到设计强度的 70%，才能进行运输及安装。

(9)所有外露铁件表面,均应先涂红丹漆两遍,再涂调合漆两遍。

(四)室外给水工程

内容包括院内生活和消防共用给水管道及水表、阀门等给水附件安装,水表井、阀门井及消火栓井砌筑工程,土方、管道冲洗等全部工程量。

1.管沟土方开挖和回填

内容同排水工程相关内容。

给水管道施工完并经试水及管道水压试验合格,取得监理工程师同意隐蔽的书面通知后方可进行回填土施工。回填土时,在管子两边要仔细夯填。回填土的密实度要大于95%。管顶上层50 cm以内的回填土密实度要大于80%,管顶上层50 cm以上的回填土密实度要达到95%以上。

2.给水管的敷设与连接

(1)承包人在沟槽检验合格后可进行管道及附件的敷设、接口等工作。

(2)承包人在将管子下入沟槽前要对管子进行仔细检查,并清除管子上的泥砂、砖石等杂物。

(3)铸铁管在沟槽内敷设稳定后用油麻石棉水泥填塞打实,阀门等附件用法兰连接。管道连接除符合前述有关规定外,还要符合以下规定:

①给水铸铁管承插口的对口间隙应不小于3 mm,最大间隙按表7-3要求执行。

②给水铸铁管的环形间隙应为10 mm,允许偏差为+3 mm、-2 mm。

③石棉水泥接口材料应采用不低于IV级的石棉绒。水泥为不低于325号的硅酸盐水泥,石棉水泥的重量比为3:7,加水量为总重量的11%左右为宜。石棉水泥接口要不低于72 h的养护期。

加水拌和好的石棉水泥不得超过 60 min。

3.水表、阀门及消火栓、消防结合器的安装

(1)水表、阀门及消火栓、消防结合器应安装在检查井中,不得直接埋在土壤中。如必须将法兰盘埋入土中时,要对埋地部分采取加强防腐措施。

(2)室外消火栓安装在给水管直径不小于 100 mm 的干管上,必须要有阀门连接。消火栓的顶部出口与井盖面距离不得大于 400 mm。若超过时应加短管补足。若设计为地上式消火栓,则推荐用 SS100 型消火栓。

(3)水表及阀门的安装要根据设计位置、施工规范要求选用。水表和阀门安装要垂直,表面清洁,开关灵活方便。

4.给水管的试压及检查井砌筑

(1)给水管接口达到养护要求后进行水压试验。试压标准按设计要求,设计无要求时,按有关规定执行。管道试压可分段进行,但每次试压长度不得超过 1 000 m。

(2)水压试验合格后,要提交压力试验合格单,并得到监理工程师同意隐蔽的文件后方可进行回填土施工。

(3)在水表、阀门及消火栓等给水附件安装完后,按图纸规定的标准图砌筑检查井。

五、室外给排水工程质量检验

(一)室外排水工程质量的检验

(1)排水管道在填土隐蔽前应做渗水量试验。如设计无要求,应符合下列规定:

①在潮湿土壤中,检查地下水渗管中的水量,可根据地下水位而定:地下水位超过管顶 2~4 m,渗入管道内的水量不应超过规范要求;地下水位超过管顶 4 m 以上,则每增加水头 1 m 允许增加渗入水量 10%。管道渗水量检查标准见表 7-5。

表 7-5　1 000 m 长的管道在一昼夜允许渗出或渗入水量

（单位:m³）

管径(mm)	小于 150	200	250	300	350	400
钢筋混凝土管、混凝土管、水泥石棉管	7.0	20	24	28	30	32

②在干燥土壤中,检查管道渗出水量,其充水高度,应高出上游检查井内管顶 4 m。渗出水量不应大于规范要求。

③在潮湿土壤中,当地下水位不高出管顶 2 m,可按②项要求做渗出水量试验。

④雨水管可不做渗出水量试验,若要求做试验时,渗水量试验时间不应小于 30 min。

检查数量:以检查井为分段,抽查 10%,但不少于 3 段。

检验方法:检查渗出或渗入水量试验纪录。

(2)管道的坡度须符合设计要求和施工规范规定。

检查数量:按管网内直线管段长度每 100 m 抽查 3 段,不足 100 m 不少于 2 段。

检验方法:用水准仪、拉线和尺量检查。

(3)管道和管座严禁铺设在冻土和未经处理松土上。

(4)管道穿过井壁处必须严密不漏水。

检查数量:不少于 5 座井。

检查方法:观察或灌水检查。

(5)管道承插接口结构和所用填料符合设计要求和施工规范,灰口密实、饱满,填料表面凹入承口边缘不大于 5 mm,环缝间隙均匀,灰口平整、光滑、养护良好。

检查数量:不少于 10 个接口。

检查方法:观察和尺量。

(6)管道支座构造符合设计,埋设平整牢固,管座与管子接触紧密。

检查数量:不少于 10 个。

(7)管道抹带接口材质、厚度、宽度、构造符合设计,无间断和裂缝,表面平整。检查数量:不小于 10 个接口。

(8)室外排水管道安装的允许偏差符合表 7-6 的规定。

表 7-6　室外排水管道安装的允许偏差和检查方法

项次	项　　目		允许偏差(mm)	检验方法
1	管道	坐标 埋地	50	用水准仪、直尺、拉线、尺量
		坐标 沟槽内	20	
2		标高 埋地	±10	
		标高 沟槽内		
3		水平管道纵横弯曲 每 1 m	2	
		水平管道纵横弯曲 全长(25 m 以上)	不大于 50	
4	井盖	标高	±5	
5	化粪池丁字管	标高	±10	

检查数量:①坐标、标高和纵横向弯曲,分别查两个检查井间的直线管段,各抽查 10%,但不少于 10 段;②井盖抽查 5%,但不少于 10 个;③化粪池丁字管应全部检查。

(二)室外给水工程的质量检查

(1)室外给水管道在填土隐蔽前须做水压试验,其试验结果必须符合设计和施工规范规定(见表 7-7)。

(2)水压试验时,先升至试验压力,观测 10 min,压力下降不大于 50 kPa,管道、附件和接口等未发生漏裂,然后将压力降至工作压力,进行外观检查,不漏为合格。

①一次水压试验的管道长度一般不超过 1 000 m。

②应在管件支座做完,并达到要求强度后做压力试验。

表 7-7　给水管道水压试验压力　　　　（单位:kPa）

管　材	工作压力(P)	试验压力
碳素钢管		$P+500$,并不小于 900
铸铁管	$P{\leqslant}500$	$2P$
	$P>500$	$P+500$
预应力混凝土管	$P{\leqslant}600$	$1.5P$
和钢筋混凝土管	$P>600$	$P+300$

③埋地管道,须在管基检查合格,管身上部回填土不小于 50 mm 后(管道接口工作坑除外)方可做压力试验。

(3)管道及支座严禁铺设在冻土和未经处理的松土上。

(4)给水管网竣工后或交付使用前,必须对系统进行吹洗,并做吹洗记录。

(5)管道坡度误差不超过设计坡度值的 1/3。检查数量:按管网内直线管段长度每 100 m 抽查 3 段,不足 100 m 抽查不少于 2 段。

(6)金属和非金属管道的承插及套箍接口结构和所用填料应符合设计和施工规范,灰口密实、饱满。填料表面凹入承口边缘不大于 2 mm,胶圈接口平直,无扭曲,对口间隙准确。检查数量:不少于 10 个接口。

(7)阀门安装型号、规格、耐压强度和严密性试验结果应符合设计要求,位置、进出口方向正确,连接牢固、紧密。启闭灵活,表面洁净。检查数量:按不同规格、型号抽查 10%,但不少于 10 个。

检验方法:手扳检查和检查出厂合格证、试验单。

(8)室外给水管道安装的允许偏差和检验方法见表 7-8。

检查数量:坐标、标高、纵横向弯曲分别按管网的起点、终点、分支点和变向点,在各点之间的直线管段,每 100 m 抽查 3 点(段),不足 100 m 抽查不少于 2 点(段)。

表7-8　室外给水管道安装的允许偏差和检验方法

项次	项　目		允许偏差（mm）	检验方法
1	坐标	铸铁管 埋　地	50	用水准仪直尺、拉线和尺量
		铺设在沟槽内	20	
		碳素钢管 埋　地	40	
		沟槽内	15	
2	坐高	铸铁管 埋　地	±30	
		沟槽内	±20	
		碳素钢管 埋　地	±15	
		沟槽内	±10	
3	水平管道纵横向弯曲	铸铁管 每1m	1.5	用水平尺、直尺、拉线和尺量
		全长25m以上	不大于40	

第二节　场区混凝土硬化工程

一、路基工程

（一）路基工程施工的预控措施

1.检查承包商的路基施工放样工作

承包人应根据设计施工图,复测平面和高程控制桩,确认无误后,据以定出路面中线、路面宽度和纵横高程等样桩,并及时加以固定,保证在整个道路施工期间牢固、准确、可靠。路基放样宽度应较设计路宽每侧宽出50cm,保证路基边缘压实度能满足要求。路面中线、边线及高程工程桩根据控制桩、样桩测量放样,密度应能够满足施工要求,边桩灰线清晰可见。承包人根据施工放样后确定的挖填土方高度进行土方工程量计算复核,并将放样记录及计算结果报监理工程师审核。监理工程师对施工放样检查时,应考察原地面清表和原地面压实的实际情况(土质、厚度)与原设计的差异,应要求承包商在施工现场至少测设两个水准控制点,以保证高程控制桩与路基、路面标高的正确性。路基施工放样完成,及时报监理工程师检查后,应尽快开始路基控、填方施工。

2. 施工机械的检查与审批

路基开工前承包人对已进场的施工机械的品种、规格、型号、配备数量及运行质量进行详细检查后向监理工程师报检,监理工程师对承包人报检的施工机械核实,重点是检查土方压实机械,例如二、三轮光轮压路机(静碾)及振动压路机的吨位、数量。要求光轮与振动式压路机配合施工,光轮压路机不低于 18 t 或通过现场试验段进行碾压试验后确定。

3. 进场材料的抽检与审批

路基开工前,承包人应确定取土坑、弃土坑的地点、位置,每一取土坑可取用的土方数量,弃土坑需占用的施工现场,运距及土质试验情况。对取土坑中可用来填筑路基的土样进行物理力学性质试验,并填写进场材料报验单,报监理工程师审查与确认,监理工程师对路基填土应抽检试验,确认质量合格后方可取用。

4. 批准开工申请

施工准备工作就绪,有关资料齐全,承包人应提交开工申请报检单与施工组织设计,报监理工程师审核批准,下达开工令。道路施工组织设计中有关路基施工方案的内容应包括:原地面土样与填方材料检验,原地基处理,铺筑层厚(虚铺或实铺)与压实工艺、压实机械的确定。承包人应提供填方材料与原地面土样的土工试验报告,包括最大干容重、最佳含水量、塑性指数 I_P。监理工程师应要求承包人在指定路段进行路基施工试验,以检验施工方案的可行性,为最终批准路基工程施工方案提供技术依据。

(二)路基工程施工阶段质量控制

1.填方路基施工

1)填方路基填料的技术要求和压实标准

(1)填方路基填料的技术要求:路基填方宜选用施工现场附近的土。取土试验应满足:液限 $W_L<50,10\leqslant$ 塑限 $I_p<26$,氯化物含量$<3\%$,有机质含量$<4.0\%$,最大粒径<10 mm。还应确定:含水量、最佳含水量、颗粒分析、击实试验、最大干容重等数据。不宜使用稠度 $W_e=(W_L-W)/I_p<0.75$ 的过湿土(W 为天然含水量)。

对于含水量过大的土,一般是先晾晒,使 W 接近于 $W_0\pm2\%$(W_0 为土的压实最佳含水量),压实层厚为 $15\sim20$ cm,碾压速度为 $2.5\sim3.5$ km/h,遍数 $n=6\sim8$(先轻后重)。例如,轻粘土 Q_a(最大干容重) $=1.90$ g/cm^3, $W_0=12.5\%$,当 $W=14\%\sim16\%$ 时,压实度可达到 95%。当土含水量过大,压实度达不到要求(95%)时可采用以下措施:当压实度为 $90\%\sim94\%$ 时,做一层($15\sim20$ cm)灰土(掺石灰、粉煤灰或水泥),再填素土;当压实度为 $85\%\sim89\%$ 时,应做两层($2\times(10\sim20)$ cm)灰土,再填素土;当压实度小于 85% 时,应换土。

对于含水量过小的土,可采用人工加水。土质达到最佳含水量所需的加水量按下式计算:$M=(W-W_0)Q/(1+W_0)$(M 为所需加水量,kg;Q 为需要加水的土的质量,kg;W_0 为土天然含水率;W 为土压实的最佳含水率)。需要加的水宜在取土的前一天浇洒在取土坑内的表面,使均匀渗透土中;也可将土运至路槽上,用水车将水均匀、适量浇洒在土中,并用拌和设备拌和均匀。

(2)填方路基的压实标准:路基施工时均应进行压实,压实度应符合设计要求,若设计无要求,应满足施工规范要求。采用重型压实标准时:路槽压实度$\geqslant93\%$,填方路基$>93\%$;采用轻型压实标准时:路槽$\geqslant95\%$,填方路基$\geqslant95\%$。当采用石灰土处理地基时,其压实度应达到重型压实标准的93%。

2)填方路基施工工艺流程

填方路基施工工艺流程如图 7-1 所示。

3)填方路基施工质量监理的要点

(1)填前压实:在填筑路基前,将原地面上杂草、耕作物及地表层腐殖土清除干净,用平地机整平,用压路机进行填前压实,并达到要求的压实度。进行填前压实,可采用以下两种方式:

①清表后的原地面,表层含水量合适的填方路段,可直接用重型振动压路机碾压,并达到要求的压实度;

②清表后的原地面,表层土含水量较大时,可就地翻松、打碎、晾晒,在最佳含水量条件下压实,并达到要求的压实度。

(2)严格控制松铺厚度:填筑路基时分层铺松土整平后,首先应检查每一松铺土层的厚度,因为它直接影响到每一层的压实厚度。对 15~18 t 光碾双轮压路机,每一层的松铺厚度一般为 30~35 cm,其压实厚度为 20 cm 左右。对不同吨位的轮胎压路机或其他压实机械,松铺厚度与地基条件、土质、松铺土层的干密度有关,可通过现场试验段进行碾压试验后确定。

每一层填土铺松土后,首先应检查含水量是否接近最佳含水量,若含水量超过最佳含水量过多(一般大于 3%以上),就得进行翻松、晾晒。当松铺土层的含水量接近最佳含水量时,须经过人工或机械整平,并检查、记录松铺厚度后,方可进行碾压。

(3)检查压实厚度及压实度:路基必须在整个宽度范围内水平分层填筑,在最佳含水量条件下分层碾压。压路机对路基填土压实时,应遵循先轻后重、先静压后振动碾压的原则。其碾压遍数,可根据地基强度、土质、压实机具的类型而定,或压路机碾压到填土层表面无轮迹为止(一般至少压 4 遍)。然后检查压实度并同时检测压实厚度。承包人应将检测结果向监理工程师报检,经监理工程师现场抽检、评定报检段的压实度代表值和单点极值,达到标

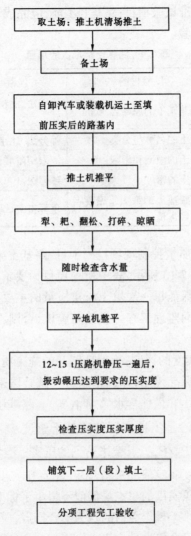

图 7-1 填方路基施工工艺流程图

准要求时方可进行下一层填土。

(4)施工中路基土标准试验项目及现场检测项目：

①路基土标准试验项目:路基开工前,应完成表 7-9 所规定的土的各项标准试验。

表 7-9　路基土标准试验项目

试验项目	试验目的	仪器与试验方法
含水量	确定路基土的原始含水量	烘干法、酒精燃烧法或核子仪法
颗粒分析	确定土的名称与分类	筛分法、比重计法或移液管法
界限含水量	测定土的液限和塑限	液限塑限联合测定法
土的密度试验	确定土的密度	环刀法
击实试验	确定路基土的最大干密度与最佳含水量	重型击实试验法(干法试验)

②路基施工质量控制现场检测项目:路基土施工质量控制现场检测项目见表 7-10 所示,表中所列项目为要求承包人必检项,尤其压实度更是保证每一层填土压实质量的主要检测指标,承包人自检后还必须向监理工程师报检与确认,否则不得进行下一层填土的施工。

(5)路基压实度的评定:为保证路基的施工质量,路基的压实一律按重型压实标准控制,即以重型击实试验法来确定路基填土的最大干密度 P_{max} 和最佳含水量 $W_0(\%)$。路基压实合格后要求达到的压实度(K)是工地实测的路基干密度 P_d 与最大干密度 P_{max} 的比值:$K = P_d / P_{max}$,其要求达到的压实标准如前述。

①单点压实度测定值的极值规定:单点压实度测定值的极值指施工现场实测压实度的单点最低值不得小于标准值减 5 个百分点。单点实测值小于规定极值的点为不合格点,应局部返工。

②路基压实度合格点的定义:验收段压实度测定值不小于标准值减 2 个百分点的测点为合格点。小于规定标准 2~5 个百分点的测点,在进行压实度合格率评定时,应按其数量占评定路段总

检查点的百分率扣分。

表 7-10　路基施工质量控制现场检测项目

检查项目	检查数量	检测方法	质量标准	
			允许误差（mm）	质量要求
压实度（%）	每一层，每 400～900 m² 检查两个断面,每个断面 3 点	环刀法或核子仪法		不小于规定值
松铺土原始含水量（%）	每一施工作业段,每一层检查 3 个断面共 9 点	烘干法、酒精燃烧法或核子仪法		接近最佳含水量方可碾压
松铺土层厚度(cm)	每一施工作业段,每一层检查 3 个断面共 9 点	用尺、钢钎丈量	±30	
分层压实厚度(cm)	每一施工作业段,每一层检查 3 个断面共 9 点	水准仪抄平	≤20	

4)影响压实度的因素与对策

影响压实度的因素与对策见表 7-11。

2.挖方路基施工

1)挖方路基施工的一般要求

(1)挖方路基施工前应做好下列准备工作:

①进行施工放样,核实挖方工程量及挖方调运线路图。

②路基开挖前对沿线挖方土质进行试验。

(2)做好挖方路基的排水设施(如截水沟或临时排水设施)。

(3)检查各种施工机械的品种、数量及运行质量并做好保养工作。

表 7-11　影响压实度的因素与对策

序号	因素	对　　策
1	路基下卧层的强度	①路基填土前应彻底清理路床内的淤泥、杂草;②路床内的积水要排干净、晒干,保证其有一定强度;③发现局部有弹簧现象,要彻底清除,并用好料回填
2	土质	①到选定的取土场取适作路基填料的土;②挖方地段内不适应作路基填料的土要废除
3	分层填土	①路基分层填筑厚度,填土松铺不得大于 30 cm;②分层厚度超过上述规定的,施工员要拒绝填报,压路机手可拒绝碾压,监理拒绝验收
4	含水量	①含水量应控制在最佳含水量的允许偏差范围方可压实;②含水量过大时,可采用分级晾晒的办法处理,即提前耙松晾晒、摊平晾晒;③含水量过小时,可采用晚上摊平,第二天清早碾压的办法,摊平后适当洒水
5	压实功能碾实遍数	①单用光轮静压 158 kN 机,分层压实遍数不得少于 3 遍;②用振动式配合光轮时,分层压实遍数,振动不得少于 5 遍,光轮静压不少于 3 遍
6	填土表面平整度	①路基填筑,要自下而上分层水平填筑;②填土表面要由机压整平,方可压实;③初压后,要有专人负责找平,削高填土。

2)土方路基开挖的监理要点

(1)开挖前应清场并将清场土运至监理工程师指定地点储存。

(2)挖土路基的弃土,一般应移挖作填。若设计文件无明确规定时,承包人不得随意动用,而应按监理工程师的指令处理。

(3)挖方路基应按设计的横断面自上而下逐层开挖,不得乱挖、超挖和欠挖。严禁掏洞取土,更不得因开挖方式不当而引起坍塌。

(4)路基的表层下为有机土、难以晾晒与压实的土,不宜作路槽用土时,均应清除后用质量符合规定的土换填。路槽深度范围内的压实度应达到规范或设计压实标准。施工时宜全部翻松,分层回填,分层压实,若含水量过大还应晾晒。

(三)土方路基的质量检验

土方路基工程完工,承包人自检合格后,报监理工程师抽检与审核。土方路基检查项目见表7-12。

表 7-12　土方路基检查项目

项次	检查项目	路　基	检查方法和频率
1	压实度(%)	93	密度法:每200 m,每压实层测4处,环刀法、灌砂法
2	纵断高程(mm)	+10,-30	水准仪:每200 m测4点
3	中线偏位(mm)	100	经纬仪:每200 m测4点
4	宽度(mm)	大于设计值	米尺:每200 m测4点
5	平整度(mm)	30	3 m直尺:每200 m测4处×3尺
6	横坡(%)	±0.5	水准仪:每200 m测4个断面

二、基层质量控制

(一)基层质量预控措施

1.原材料试验与审批

在工程开工前,要求承包人在所选定的料场中,取代表性样品,进行有关规定的各项试验,并应将试验结果报监理工程师审批。经监理工程师审查,质量合格的原材料方可使用。

1)土质

宜选用细粒土(按照粒径大小分类)。土的塑性指数在10～20范围之内,土中不得含有污物和有害杂物,土中的有机质含量不超过8%,硫酸盐含量不超过0.25%,土块的最大粒径为20 mm。

有关试验为:①土的颗粒分析;②土的塑限、液限、塑性指数;③灰土重型击实试验;④土的有机质分析;⑤土的硫酸盐分析。

2)石灰

石灰的质量应符合表 7-13 规定的Ⅲ级以上(含Ⅲ级)的消石灰和生石灰的技术要求,当石灰的 CaO + MgO 含量小于Ⅲ级石灰标准时,应通过室内配合比试验,选择满足强度要求的剂量方可使用。

有关试验为:①石灰活性(CaO + MgO, %)分析;②灰土重型击实实验;③土的物理指标实验;④筛分试验;⑤石灰剂量标定曲线;⑥土的有机质分析;⑦土的硫酸盐分析。

石灰的技术指标见表 7-13。

表 7-13　石灰的技术指标(GB1594—79)

项目		钙质生石灰			镁质生石灰			钙质消石灰			镁质消石灰		
		等级											
		Ⅰ	Ⅱ	Ⅲ	Ⅰ	Ⅱ	Ⅲ	Ⅰ	Ⅱ	Ⅲ	Ⅰ	Ⅱ	Ⅲ
有效 CaO + MgO 含量(%)不小于		85	80	70	80	75	65	65	60	55	60	55	60
未消化残渣含量(5 mm 圆孔筛余量,%)不大于		7	11	17	10	14	20						
含水率(%)不大于								4	4	4	4	4	4
细度	0.71 mm 方孔筛的筛余(%)不大于							0	1	1	0	1	1
	0.125 mm 方孔筛的累计筛余(%)不大于							13	20		13	20	
钙镁石灰的分类界限氧化镁含量(%)		≤5			>5			≤4			>4		

注:硅、铝、铁氧化物含量之和大于 5% 的生石灰,有效 CaO + MgO 含量指标:Ⅰ级不小于 75%,Ⅱ级不小于 70%,Ⅲ级不小于 60%,未消化残渣含量指标与镁质生石灰指标相同。

2.审查承包人主要机械设备的配置及质量现状

监理工程师应按照报检的设备清单,按施工规范对施工机械的功能要求对其数量与质量逐一进行审查,主要包括:拌和设备、运输设备、与摊铺方式配套的摊铺设备、整平机械、撒水车、压实设备(各种吨位的压路机)。

上述设备经监理工程师审查合格后,予以批准使用。对功能不全或不能满足施工技术功能要求的机械设备,应禁止使用。

3.施工技术方案的审批或试验路段的方案审查

承包人所报检的施工技术方案,一般应包括以下内容:

(1)施工方法与施工工艺;

(2)施工机械与主要设备;

(3)主要施工技术人员的分工及劳力安排;

(4)施工中的施工技术难点及相应的质量保证措施;

(5)施工进度安排。

经监理工程师审查认为有必要试铺试验路段时,方可实施其试验,承包商应按监理工程师批准的施工技术方案进行施工。

4.施工放样的数据审查与现场核实

审查承包人报检的"施工放样报检单",施工放样数据包括基层、底基层的边线数据(宽度)、下承层顶面标高、下承层表面的平整状况等。

5.批准施工

经监理工程师审核,施工准备工作就绪,试验资料齐全,机具设备配置与施工项目及施工进度匹配,机具运行状况良好,施工放样数据符合设计要求,监理工程师认为确实具备开工条件方可批准施工。

(二)基层施工阶段质量监理

1.灰土基层施工工艺

灰土基层施工工艺如图7-2所示。

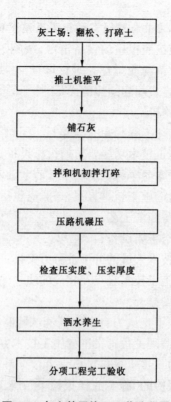

图 7-2　灰土基层施工工艺流程图

2.灰土基层施工技术要点

1)备土

(1)将土按需用数量,备至已压实好的土基(路槽内)上,可堆码在一侧或两侧,以便翻拌时方便施工。

(2)土中的草根、杂物应予消除,土块必须破碎。

(3)人工拌和时,除筛拌法外,应筛除 1.5 cm 以上土块。

2)备灰

(1)石灰应充分消解,每吨石灰消解需用水量 600～800 kg。消解后的石灰应保持一定的湿度,以免过干飞扬或过湿成团。

(2)按配合比将消石灰折算成摊铺厚度或体积用量,均匀摊铺在土层上面。

3)拌和

(1)石灰拌和机拌和。根据施工分层厚度要求,拌和机先将拌和深度调整好,由两侧拌向中心,每次拌和应有重叠,不得漏拌。一般拌和3～4遍,拌和过程中,及时检查含水量,按最佳含水量要求,酌情加水。对灰土拌和机调头处要及时整平和翻松拌和。

(2)旋耕犁耙相结合拌和前,先人工翻拌摊好土灰,再用犁耙拌和4～6遍,中间应检查最佳含水量,视情况(拌和中和碾压前的蒸发量)酌情加水。至灰土拌和均匀为止,应防止层间留有素土。

(3)使用各种机拌方式拌和,在两段搭接部分,应采用对接形式,并将压实一端用人工挖松、刨齐、翻匀,以利结合。

4)整型

(1)平地机整型。将拌和好的灰土层,先用平地机初步整型,后用履带拖拉机或自行初压1～2遍,按照机械走压后的压实系数,在坐标位置设水平标桩再次整型,将高处刮向低处。这时平地机在灰土层上又基本走压一遍,再按平地机压实系数,再设水平标桩,进行第三次整型,直至灰土层标高符合要求为止。

(2)人工整型。拌匀的灰土层用刮板进行初步整型,用履带拖拉机初压1～2遍,根据实测的压实系数,确定纵横断面标高,钉桩,挂线。利用锨耙按线整型,再用刮板校正成型。

(3)在整型过程中,必须中断交通。

5)碾压

(1)整型后的灰土层,应在最佳含水量时压实,如表面水分不足,应适当洒水再进行碾压。

(2)用12 t以上的压路机碾压,必须从两侧开始,首次重轮压在路肩、路面各半,重轮重叠半轮,逐次压向中心,以保证路拱不偏移,重轮压完路面全宽时,即为一遍。碾压不少于3遍,至无明显轮迹、压实度达到规定要求为止。

(3)在碾压时根据路面宽度及压路机重轮宽度和轮距,按照碾压方法进行布置,尽量避免每碾压一遍中的多次重复,做到碾压均匀、强度一致。

(4)路机的碾压速度,头两遍以采用一挡(时速 1.5~1.7 km)为宜,以后用二挡(时速 2~2.5 km)进行。

6)养生

(1)石灰土养生期间,应保持一定的湿度。养生期一般为一周左右。养生方法可视各地情况采用洒水,覆盖砂、土等。

(2)在养生期间未采用覆盖措施的石灰土上,禁止车辆通行。

3. 注意事项

1)石灰土施工前需要做的试验

(1)原土击实试验。

(2)石灰土击实试验。

(3)土基压实度试验。

2)石灰土施工中报检试验

(1)生石灰钙镁含量试验。

(2)石灰剂量抽查。

(3)素土灰窝夹层检查(挖沟检查)。

(4)压实度抽验(碾压 48 h 内未达到压实度者,作返工处理)。

3)碾压机具

碾压机具应采用 18~21 t 压路机。

4. 铺土、铺灰的计算

(1)消石灰与土由重量比换算成体积比的计算公式

$$石灰体积：土体积 = (P_2/\gamma_2):(P_1/\gamma_1) = 1:(P_1 \cdot \gamma_2)/(\gamma_1 \cdot P_2) = 1:\gamma_2/(\gamma_1 \cdot P_2)$$

式中　P_2、P_1——分别为消石灰及土的重量百分比,$P_1 = 100\%$;

　　　γ_2——消石灰的天然松方干容重,kg/m³;

$$\gamma_2 = \frac{\text{天然松方容重}}{1 + W_2}$$

W_2——消石灰含水量;

γ_1——土的天然松方干容重,kg/m^3;

$$\gamma_1 = \frac{\text{天然松方干容重}}{1 + W_1}$$

W_1——土的含水量。

(2)土的松铺厚度(石灰亦同理)

$$h_1 = \left(\gamma_0 \cdot \frac{P_1}{P_1 + P_2} \cdot h_0 \right) / \gamma_1$$

式中　h_1——土的松铺厚度,cm;

　　　γ_0——石灰土的最大密实度,kg/m^3;

　　　h_0——铺装层设计(压实)厚度,cm。

(3)每延米铺装层的消石灰天然松方体积用量(土亦同理)

$$V_2 = \left(b_0 \cdot h_0 \cdot \gamma_0 \cdot \frac{P_2}{P_1 + P_2} \right) / \gamma_2$$

式中　V_2——每延米铺装层的消石灰天然松方体积用量,m^3;

　　　b_0——铺装层设计(铺装)宽度,m;

　　　h_0——铺装层设计(压实)厚度,m。

(4)每延米消石灰用量铺灰高度

$$h = V_2 / b_0$$

5.灰土基层施工质量监理要点

(1)严格按施工配合比配料。随时检查(拌和场检查、现场检查)石灰剂量,根据检查结果即时调整石灰用量,并达到施工配合比要求的剂量。

(2)取运至现场摊铺的混合料制成 $\varnothing 5 \times 5$ 的圆柱体试件,做 7 d 龄期饱水抗压强度试验并达到所规定的强度标准。

(3)用平地机将混合料按松铺厚度要求整平,并达到要求的横坡。混合料的松铺系数可参考表7-14选用。

表7-14 混合料的松铺系数

材料名称	松铺系数	备 注
石灰土	1.53~1.58	现场人工摊铺土和石灰,机械拌和,人工整平
	1.65~1.70	路外集中拌和,运到现场人工摊铺
石灰土砂砾	1.52~1.56	路外集中拌和,运到现场人工摊铺

(4)压实:检查压实度及压实厚度是否符合要求。

(5)摊铺、松铺厚度检查,注意摊铺时路拱的形成。结构层分层施工时,上层施工时下层表面应耙松,并洒水湿润。

(6)压实应注意纵横向接缝的处理及拌和死角处理,压实应及时;不同施工季节,注意压实前含水量与最佳含水量的偏离,超过允许偏离值时应调整;检查压实度。

(7)灰土结构层整修原则是"宁刮不垫"。

(三)灰土基层质量检验

1.外形要求

(1)底基层:检查高程、厚度、宽度、平整度、横坡。

(2)基层:检查高程、厚度、宽度、平整度、横坡。

2.质量要求

检查级配、灰剂量、拌和情况、含水量、压实度、试件抗压强度。基层质量检查允许偏差见表7-15。

三、混凝土路面的质量控制

(一)混凝土路面质量预控措施

混凝土路面质量预控措施见第四章有关内容。

(二)混凝土路面施工阶段的质量控制

1.施工工序质量控制

小型机具施工水泥混凝土路面(普通混凝土路面)主要施工工

艺要点如下。

表 7-15　基层质量检查允许偏差

项　目		允许误差	检验要求		检验方法
			范围	点数	
压实度		不小于规定要求	400～900 m²	1组	无骨料:用环刀片法测定 有骨料:用灌砂法测定
厚度		±10%	50 m	1	尺量
平整度		10 mm	50 m	1	3 m直尺
宽度		不小于设计	50 m	1	尺量
纵坡高程		±10 mm	20 m	1	水准仪测量
横坡	路面宽<9 m	＜±1%	100 m	3	用水准仪测量
	路面宽 9～15 m	＜±1%	100 m	5	
	路面宽>15 m	＜±1%	100 m	7	

1)模板的制作安装

模板的制作质量见表 7-16。

表 7-16　模板制作要求

检查项目	质量要求或允许偏差
模板高度	±5 mm
模板顶面平整度	1～2 mm/3 m直尺
模板顺直度(沿纵向)	5 mm/10 m拉线

安装完毕的模板应有足够的刚度和强度,经监理工程师检查合格后,才可浇筑混凝土路面。

模板安装质量见表 7-17。

在施工过程中,由于施工作业会引起模板变形和位移,因此,要求承包人要跟踪测量,监理旁站监督,随时调整模板,使其满足质量标准的要求,只有这样才能施工出高质量、高精度的混凝土面层。

表 7-17　模板安装质量要求

检查项目	质量标准或允许偏差
模板立面离路中线距离	±5 mm
模板起讫点平面坐标	±5 mm
模板起讫点高程	±3 mm
模板顶面平整度	3 m 直尺量,间隙≤1 mm
模板立面顺直度	±5 mm/10 m 拉线
模板顶面距基层面高度	路面设计厚度 ±5 mm
横向模板与纵向模板联接处高差	≤1 mm

2)混凝土的拌和与运输

混凝土的拌和与运输见第四章有关内容。

3)混凝土的摊铺与振捣

(1)混凝土的摊铺:混凝土由运输车直接把混合料分摊到基层上,如发现混合料离析,应用铁锹翻拌均匀。

混合料摊铺的松铺厚度,应根据试验或经验确定,其松铺系数可取 1.05。

用铁锹摊铺时,应用"扣锹"方法,严禁抛掷和搂耙,以防止离析。

取摊铺料检查坍落度,对干硬性混凝土应检测维勃值,如若混合料中掺入了引气剂时,还应检测含气量。

现场制作抗折、抗压试件,检测混凝土的抗折强度和抗压强度。

(2)混凝土振捣:摊铺好的混凝土混合料,应立即用插入式振捣器振捣。选用插入式振捣器的振动频率应不小于6 000 次/min。

①插入式振捣器振捣:

插入式振捣器振捣前,应固定传力杆。

插入式振捣器的移动间距不宜大于其影响半径的 1.5 倍,同一位置的振捣时间不宜少于 20 s,振捣器的插入深度以板块的厚度为限,振捣棒离模板的距离应小于1/2的影响半径,对边角处振捣要特别注意,勿使产生蜂窝麻面,同时要注意全面顺序插振,不得漏振,并应避免碰撞模板和钢筋。

振捣时,以混凝土停止下沉,灰浆上浮,不再冒泡为度。拔出振捣棒时宜缓慢,以免截留气泡。

②滚杠滚压与振动梁振捣:

混凝土插入式振捣器全面插振后,用滚杠滚压一遍,再用振动梁拖拉压振并初步整平。振动梁往返拖拉2～3遍,使表面泛浆,刮平并赶出气泡。

振动梁移动的速度要缓慢而均匀,前进速度以 1.2～1.5 m/min为宜,遇有不平之处应及时人工挖填补平,填补时应用较细的混合料,严禁用纯砂浆填补。最后用滚杠进一步滚揉表面,提浆刮平。

4)真空脱水

混凝土真空脱水利用真空设备,借助大气与真空的压力差,使混凝土表面受到挤压作用,而将混凝土多余的水和空气排除,从而得到密实的混凝土。

采用真空作业时,混凝土混合料的水灰比,可比要求的水灰比增大 10%～15%,以便于混凝土的摊铺与振捣。

真空脱水作业完毕后,混凝土就具有一定的初期结构强度(约为 0.2 MPa),有利于立即抹面,防止收缩裂缝出现。

(1)真空脱水设备:真空脱水设备包括真空泵及真空吸垫。常用的真空泵型号和主要技术性能见表7-18。真空吸垫有尼龙网吸垫、V_{82}型气垫薄膜吸垫及 V_{88}型无滤布吸垫,其功能及脱水效果见表7-19。施工时,宜选用 V_{88}型无滤布吸垫。

(2)真空脱水工艺:

真空脱水工艺主要工序如下:

①检查泵垫(按产品说明书进行检查)。

表 7-18 真空泵型号和技术性能表

技术参数	ZTJ-70	HZX60A	HZX60	HZG60	HZJ40
最大真空度(%)	85~90	≥90	98	98	95
最大抽速(L/s)	≥30	28	28	28	28
真空作业面积(m²)	70	60	60	60	40~60
功率(kW)	4	4	4	4	4
转速(r/min)	2 880	2 850	2 850	2 880	2 850

表 7-19 吸垫类型、功能及脱水效果比较

吸垫类型	功能、脱水效果	备　　注
尼龙网格吸垫	真空脱水分布不合理,脱水效果较 V_{82}、V_{88} 差	需用过滤布
V_{82} 型气垫薄模吸垫	脱水效果优于尼龙网格吸垫	需用过滤布
V_{88} 型无滤布吸垫	真空腔均匀,作业面大,使用简便,每次作业只需一次铺放。作业面灵活,能满足不同作业面尺寸的施工需要。脱水分布均匀,脱水速度快	四周无需密封边固定吸垫

②铺设吸垫,并接通接水桶。

③开泵脱水。

开泵脱水的 1~2 min 内先用较低的真空度,然后真空度逐步升到 400~500 mmHg,最高值不宜大于 650~700 mmHg,以便使板厚下层的水分能顺利排出,不致于在表面过早地形成硬壳,影响水分的全部脱出。

作好各板块的脱水量记录,并换算成脱水率。

5)表面修整和拆模养生

(1)表面修整:采用真空工艺时,由于混凝土已形成一定的初期结构强度,故应用圆盘抹平机边振动边抹平,然后用滚杠复拉一次,以确保板面的平整度,然后,再用靠尺检查,用木抹或铁抹进一步人工抹平,边抹平边用靠尺检查,要使尺下的间隙小于 2 mm。

人工抹平完成后,即可用棕刷、尼龙丝刷或拉槽器在混凝土表面拉毛,拉毛后混凝土表面的纹理构造深度宜 0.8~2.0 mm,以保证混凝土面板具有的抗滑性。

不采用真空工艺时,应用大木模多次抹面至表面无泌水为止,收水抹面的各遍间隔时间见表 7-20。

表 7-20　大木模抹面各遍间隔时间

水泥品种	施工温度 (℃)	间隔时间 (min)	水泥品种	施工温度 (℃)	间隔时间 (min)
普通 水泥	0	35~45	矿渣 水泥	0	55~70
	10	30~35		10	40~55
	20	15~25		20	25~40
	30	10~15		30	15~25

(2)拆模养生:

①模板的拆除应根据气温和混凝土强度增长的情况确定拆模时间。采用普通水泥时,允许拆模时间,可参考表 7-21 确定。

表 7-21　混凝土板允许拆模时间

昼夜平均气温 (℃)	允许拆模时间 (h)	昼夜平均气温 (℃)	允许拆模时间 (h)
5	72	20	30
10	48	25	24
15	36	30 以上	18

②仔细拆模,不应损坏路面板及模板。

③拆模后检查混凝土板侧面是否有蜂窝、麻面或孔洞。必要时应用细混凝土或砂浆修补。

④混凝土表面修饰完毕后,即可进行养生。

⑤养生方法:喷洒养护剂,洒水要均匀,量要足。覆盖草帘或麻袋养生,每天洒水2~3次,使草袋保持足够的湿度。

⑥养生时间:以混凝土面板抗弯强度达到3.5 MPa以上为准。通常,使用普通硅酸盐水泥时约为14 d,使用早强水泥时约为7 d,使用中热硅酸盐水泥约为21 d。

⑦养生期注意事项:养生初期,为减少水分蒸发,要避免阳光照射;防止风吹、雨淋,可用活动三角形罩栅,将混凝土板遮罩起来;防止人、车辆通行,以免破坏混凝土板的表面。

6)水泥混凝土路面接缝施工

接缝是水泥混凝土路面的薄弱环节,接缝施工质量不高,会引起板的各种破坏,并影响行车的舒适性。因此,应特别做好接缝施工。

(1)缩缝施工:

缩缝可采用在混凝土结硬后锯切或把新鲜混凝土压入的方式修筑。切缝可以得到质量比压缝好的缩缝,应尽量采用隔几条缝做一条压缝的措施。

①切缝:

混凝土结硬后,要在尽早的时间内用金刚石或碳化硅锯片切缝。

切缝时间要特别注意掌握好,切得过早,由于混凝土的强度不足,会引起粗集料从砂浆中脱落,而不能切出整齐的缝。切得过迟,则混凝土由于温度下降和水分减少而产生的收缩会因板很长而受阻,导致收缩应力超出其抗拉强度而在非预定位置出现早期裂缝。合适的切缝时间应控制在混凝土获得足够强度,而收缩应力并未超出其强度范围时。合适的切割时间随混凝土的组成、性质(集料类型、水泥类型和用量、水灰比)、施工时气候条件(温度、风力等)而变化。表7-22为大致的切缩时间范围,供参考。

表7-22 经验切缝时间

昼夜平均温度 (℃)	常规施工方法 (h)	真空脱水作业 (h)
5	45～50	40～45
10	30～45	25～30
15	22～26	18～22
20	18～21	12～15
25	15～18	8～11
30	13～15	5～7

②压缝:

为防止出现早期裂缝,可每隔3～4条切缝做一条压缝。

用振协刀在新拌混凝土的预定位置上压缝,至规定深度时,提出压缝刀。用原浆修平缝槽,放入嵌条,再次修平缝槽,待混凝土初凝前泌水后再取出嵌条,用抹缝瓦刀抹修缝槽。

(2)胀缝施工:

胀缝施工完成后应满足表7-23所列技术要求。

表7-23 胀缝施工技术要求

检查指标	技术要求
胀缝宽度	±3 mm
胀缝顺直度	5 mm/10 m 拉线
相邻板高差	小于2 mm

①接缝板:

接缝板的技术要求见表7-24。

表 7-24　接缝板类型和技术要求

项目	木板类	塑料泡沫板类	软木板	备注
压缩应力(MPa)	5.0～20.0	0.2～0.6	2.0-10.0	
复原率(%)	＞55	＞90	＞65	吸水后应不小于不吸水的90%
挤出量(mm)	＜5.5	＜5.0	＜4.0	
弯曲荷载(N)	100～400	0～50	0～40	

②加热施工式灌缝料:

加热施工式灌缝料目前常用的主要有:沥青橡胶类、聚氯乙烯胶泥类和沥青瑙酯类等,其技术要求见表7-25。

表 7-25　加热施工式灌缝料技术要求

试验项目	低弹性型	高弹性型
针入度(锥针法)	5 mm 以下	9 mm 以下
弹性(球针法) (-10℃)	灌入量 5 mm, 复原率 30% 以上	灌入量 10 mm, 复原率 60% 以上
流动度	5 mm 以下	2 mm 以下
拉伸量(-10℃)	5 mm 以下	15 mm 以上

混凝土板养护期满后应及时填封接缝。填缝前缝内必须清扫干净,并防止砂石再掉入。灌注填缝料必须在缝槽干燥状态下进行。填缝料应与混凝土缝壁粘附紧密,不渗水;其灌注深度以3～4 cm为宜,下部可填入多孔柔性材料,填缝料的灌注高度,夏天应与板面平,冬天宜稍低于板面。

(三)混凝土路面质量检验

(1)混凝土强度符合设计要求和施工规范规定。

(2)路面坡向、雨水口等符合设计要求,排水畅通,无积水现象。

（3）混凝土路面设置的伸缩缝的位置、宽度、填缝质量符合设计要求和规范规定。

（4）混凝土路面表面无裂缝、脱皮、起砂等现象，接缝平顺。

（5）路沿石顺直，高度基本一致，棱角整齐。水泥砂浆勾缝均匀、密实。

（6）混凝土路面允许偏差见表7-26。

表7-26　混凝土路面允许偏差

项　目	允许偏差(mm)	检验方法
宽度	±50	尺量
厚度	±10	尺量
横坡	0.15%	坡度尺
表面平整度	7	2 m靠尺和楔形塞尺

第八章　给排水及采暖供热工程

第一节　给排水及采暖供热工程
质量预控措施

一、监理工程师工作要点

(1)给排水及采暖供热工程开工前,监理工程师应熟悉有关的工程技术资料、规范及设计图纸,协同承包商进行现场核对,如设计与实际不符合或专业之间发生矛盾,应通知设计及有关单位进行处理。

(2)给排水及采暖供热工程开工前,监理工程师应检查承包商的施工方案及施工组织设计,关键岗位人员是否持证上岗,是否建立严格的质量保证体系。

(3)给排水及采暖供热工程开工前,监理工程师应对承包商报验的各种工程材料、构配件、设备进行检查验收,对不合格的工程材料、构配件、设备应清理出现场。

二、材料的质量控制

材料均应符合图纸要求,同时符合以下条件:

(1)凡采用中华人民共和国颁布的国家标准、部颁标准,按标准使用的施工材料,均应提交符合标准的材质证明,交监理工程师审核。

(2)凡采用无明确标准的施工材料,应按材料的主要用途提供

1~2 项主要材料性能指标及样品,报送监理工程师。

(3)所用采购材料在进行采购之前,承包商应先编制采购计划,说明采购材料产地、生产厂家,经监理工程师批准后方可采购。

(4)不论是图纸推荐的生产厂家,或承包商选定的厂家,采购的材料均应提交样品,填写《工程材料/构配件/设备报验单》,报监理工程师审核。

(5)承包商不得将不合格的材料以次充好用于工程,需代用的材料,承包商应报请监理工程师书面批准后方可使用。

(6)承包商不能因为已报批采购计划,提交样品,并具有产品合格证而减轻自己的责任。当监理工程师认为采购材料的质量不能满足工程设计及有关规范规定时,承包商应按监理工程师要求另行采购。

(7)所有材料当监理工程师认为需复检时,承包商应到经工程师批准的有检验资格的单位去进行复检,不合格的材料应退场,承包商应重新采购材料。

三、构配件的质量控制

1. 给水铸铁管及管件

给水铸铁管及管件应符合国标(GB3422—82)要求,且符合设计压力要求。管壁厚薄均匀,内外光滑整洁,不得有砂眼、裂纹、毛刺和疙瘩;承插口的内外径应造型规矩、管内的表面防腐层应整洁均匀、附着牢固,并有出厂合格证。

2. 铸铁排水管及管件

铸铁排水管及管件规格品种应符合设计要求。灰口铸铁的管壁厚薄均匀,内外光滑整洁,无浮砂、包砂、粘砂,更不允许有砂眼、裂纹、飞刺和疙瘩。承插口的内外径及管件造型规矩、法兰接口平整光洁严密、地漏和返水弯的扣距必须一致,不得有偏扣、乱扣、方扣、丝口不全、角度不准等现象。

3. 钢筋混凝土管及钢筋混凝土套环

钢筋混凝土管要求平直,内外光滑,管端面平整且与轴线垂直,整管无裂缝及蜂窝麻面等缺陷。钢筋混凝土套管宽度不小于20 cm,套环内径比对接管外径大25～30 mm。管材与套环不得用低于 C20 的细石混凝土浇筑。

4. 硬质聚氯乙烯(PVC—U)管材及管件

硬质聚氯乙烯(PVC—U)管材及管件质量应符合GB/T5836.1和 GB/T16800 的规定,所用粘合剂是同一厂家配套产品,应与卫生洁具相适应,并有产品合格证及说明书。管材内外表面光滑,无气泡、裂纹,管壁厚薄均匀、色泽一致。直管段挠度不大于1%。管件应有合格证,造型应规矩、光滑、无毛刺。承口应有梢度,并与插口配套。

5. 焊接钢管、镀锌钢管及管件

(1)焊接钢管是低压流体用焊接钢管,应符合国标(GB3092—82)的要求,外观检查管壁内外应平滑,无显著腐蚀,无裂纹及气孔、压延不良和扭曲等缺陷。

(2)镀锌管应符合国标(GB3091—82)的要求,其他要求与焊接钢管相同。但镀锌层不得有脱皮、漏镀及超过 0.5 mm 的凹坑及蜂窝麻面等缺陷。

(3)管接头等零件为钢制或可锻铸件应符合冶标(YB238—63)、(YB230—63)的要求。镀锌管要用镀锌管接头零件,且内外表面均要镀锌。管接头及配件的螺纹要完整无损,配合松紧适当。

6. 钢板及型钢

(1)钢板是热轧普通碳素钢板,应符合国标(GB709—65)的要求。外观检查应光滑,无凹凸不平及折皱、冷隔等缺陷。

(2)型钢是指角钢、槽钢、扁钢、圆钢等材料,均符合国标(GB704—65)、(GB707—65)、(GB905—65)及冶标(YB166—65)的质量要求,外观检查要没有严重锈蚀及折皱、弯曲及凹凸不平等缺陷。

四、设备的质量控制

(1)凡施工所制造或安装的锅炉、换热设备、卫生洁具、消防器材、散热器、阀门、分(集)水器等制品均称为设备,制造或安装的设备均应符合图纸规范的要求,并包括应符合以下条件:

①所有一切外购设备在进行采购之前,应先编制采购计划,说明采购设备名称、产地、生产厂商,报请监理工程师批准。待批准后方可选择样品填写《工程材料/购配件/设备报验单》,报监理工程师批准后方可采购,经验收合格后方可用于工程。

②承包商虽然已经报批采购计划,并具备了产品合格证,或已报监理工程师审核合格并用于工程,仍应对设备的缺陷和质量问题承担责任。

(2)卫生设备及洁具:

①卫生设备的规格、型号必须符合设计要求,质量均要符合国标(GB6952—86)、(GB6953—86)一级品以上要求,并有出厂产品合格证,卫生设备外观应规矩、造型周正,表面光滑、美观、无裂纹,边缘光滑,色调一致,水箱应采用节水型。

②卫生洁具指与卫生设备配套使用的配件,卫生洁具零件规格应标准,质量应可靠,外表光滑,电镀均匀,螺纹清晰,锁母松紧适度,无砂眼、裂纹等缺陷。

(3)水表及阀门:

①水表的规格应符合设计要求,并经当地有关部门(自来水公司或水资源管理部门)确认、校核,取得计量合格证书。热水系统选用符合湿度要求的热水表。表壳铸造规矩,无砂眼、裂纹,表玻璃盖无损坏。铅封完整,有出厂合格证。

②阀门的规格型号应符合设计要求,阀体铸造规矩,表面光洁,无裂纹,开关灵活,关闭严密,填料密封完好无渗漏,手轮完整

无损坏,有出厂合格证,安装前应规定每批抽查10%(最少一个)进行强度实验,若检查有不合格品则要求逐个检查,剔除不合格品。

(4)散热器:散热器的型号、规格、使用压力必须符合设计要求,并有出厂合格证;散热器不得有砂眼、对口面凹凸不平、偏口、裂缝和上下口中心不一致等现象。翼型散热器片完好,钢串的翼片不得松动、卷曲、碰损。钢制散热器应造型美观,丝扣端正,松紧适宜,油漆完整,整组炉片不翘棱。

第二节　给排水及采暖供热工程施工质量控制

一、核对图纸及规范要求

监理工程师应检查承包商在设备、管道及附件安装是否符合设计图纸及施工规范的有关要求。

管道穿越基础、楼板和墙壁时,应按设计要求土建工程配合留洞。留洞尺寸按图纸要求,图纸无要求时可留比管道直径大20～100 mm的洞为宜,留洞位置要准确。设计中穿楼板要求套管时,穿越楼板套管高出楼板面层10～20 mm,管道与套管间的空隙要用石棉绳或其他不燃材料堵塞严密。

二、管道的切断与连接

(一)铸铁管的切断

(1)管道的切断。铸铁管切断用锯割,切口要平整不歪斜、无裂缝及凹凸不平等缺陷。用电弧切割时,要把切口铲开。

(2)钢管切割。钢管不论采用何种方法切割,切口均要平整、不歪斜,无氧化渣,管口尺寸不得缩小。

(3)钢筋混凝土管切断。钢筋混凝土管切断用凿打或锯割等均可,但切口一定要平整,无缺口及歪斜等缺陷。

(二)管道的连接

(1)给排水铸铁管连接。铸铁管除与法兰阀门及配件连接用螺栓外,其他均采用承插口连接,承插口间隙不得小于 3 mm;最大间隙在直线段不大于 5 mm,在曲线段不大于 13 mm,插口间填料用胶圈或油麻及石棉水泥填塞,特殊要求要用油麻青铅接口。给排水管道的承接口结构及所有填料符合设计和施工规范,灰口密实饱满,胶圈接口平直无扭曲,对口间隙准确,环缝均匀,灰口平整、光滑、养护良好,胶圈接口间隙符合施工规范规定。

(2)钢管的丝扣连接。镀锌钢管及允许采用丝扣连接的直径小于 32 mm 的焊接钢管,均采用丝扣连接。丝扣连接应平整光滑,不允许有毛刺、乱丝,断丝部分不允许超过全部丝扣的 10%。为了达到丝扣连接的严密性,丝扣间允许用 1～2 层聚氯乙烯胶带作填料,丝扣应符合装配公差要求,不允许有过紧过松现象。被破坏的镀锌层及外露的丝扣要做防腐处理来补救,不允许有成片损坏的镀锌层面。

(3)法兰连接。法兰连接中的法兰加工应符合机标(JB84—59)的要求,法兰面要平整光滑。两端面要相互平行并与管端面轴线相互垂直,垂直度允许偏差不得大于 15 mm。螺孔位置要准确,法兰面垫片内缘不得突入管道内壁;外缘到螺孔边缘。法兰垫片允许用 3～5 mm 厚的橡胶板,不允许用斜垫片及夹线胶或多层垫。螺栓要用符合国标(GB30—76)要求的机制螺栓和垫圈及螺帽,螺栓末端突出螺帽的尺寸不得大于螺帽直径的一半,所有螺帽都要安装在法兰盘同一侧。

(三)焊接的质量控制

(1)焊工必须持证上岗。

(2)钢板(管壁)厚度＜4 mm 时可采用对接焊,管材可选用气焊。厚度＞4 mm 时用 V 型焊，V 型坡口用砂轮或手铲平。

(3)焊条应根据母材选用。焊接低碳钢时选用 422 钛钙型低碳钢电焊条，气焊条选用应符合冶标(YB199—63)质量要求的气焊条，焊条必须有出厂合格证及材质证明。

(4)管子对口偏差不超过管壁厚度的 20%，且不得超过 2 mm，调整管口间隙时不得用热胀和扭曲管子的方法。

(5)管弯曲部位及对口焊缝处均不得焊接支管，弯曲部位不准有焊缝。接口焊缝距弯起点不得小于 100 mm，接口焊缝距支吊架不小于 50 mm。

(6)不同管径的管道焊接，连接时如两管径相差不超过小管径的 15%，可将大管端部缩口与小管对焊。如果两管径相差超过小管径 15%，应加工异径管焊接。

(7)焊接分支管端面与主管表面间隙不大于 2 mm，并不得将支管插入主管孔中焊接，应将支管端面加工成马鞍型。

(8)管材与法兰盘焊接，应先将管材插入法兰盘内，先点 2～3 点，再用角尺找正，找平后方可焊接，法兰盘应两面焊接，其内侧焊缝不得凸出法兰盘密封面。

(9)管道焊接完毕，监理工程师应做不少于 10 个焊口的外观检查，焊口的宽度、厚度、平整度及焊缝加强面，必须符合设计及施工验收规范。焊波均匀一致，焊缝表面无烧穿、裂纹、结瘤、夹渣和气孔等缺陷。

(四)管道及附件安装

(1)管道在安装前必须进行内外除绣及消除油污等工作。弯曲的管子要进行调直，在调直时不得有将管子打出凹扁及镀锌层受破坏的现象。镀锌碳素钢管不允许用加热法调直。

(2)管道安装应符合设计要求，设计无要求时按介质流向顺坡，一般采用 0.3%的坡度，但不得小于 0.1%的坡度。排水管在室内工程一般采用 2%的坡度，但不得小于 1%；室外工程一般采用不小于 0.5% 的坡度。

(3)管道安装不允许挡住门窗,并避免通过电器设备及电线开关等上方。碳素钢管管道的法兰盘联接应对接平行、紧密,与管道中心线垂直,螺母同侧螺杆露出螺母长度一致,且不大于螺杆直径的 1/3。法兰盘衬垫材质符合设计要求或施工规范规定,且无双层垫。

(4)管道支架应按设计要求制作,无设计要求时按 S116 标准图制作。安装时应位置正确,埋设平整牢固,与管道接触紧密牢靠。管径支架间距一般按表 8-1 要求。

立管管卡的间距,层高 3 m 以下者为 1.4 m;层高 3 m 以上者为 1.8 m;层高 4.5 m 以上者平分三段栽两个管卡。

表 8-1　管径支架间距

管径 D(mm)		15	20	25	32	40	50	70	80	100	125	150
支架间距(m)	保温管	1.5	2	2	2.5	3	3	4	4	4.5	5	6
	非保温管	2.5	3	3.5	4	4.5	5	6	6	6.5	7	8

第三节　室外给水及设备安装工程

室外给排水工程,包括小区工作压力不大于 0.6 MPa 生活和消防给水管网的给水铸铁管及镀锌碳素钢管铺设,水表、阀门等附件安装,水表井、阀门井及消火栓井砌筑工程。

一、有关规定

(1)给水管与污水管相交时,给水管从污水管上面穿越,管上下间距要大于 0.4 m。若必须从污水管下面穿越时,每边要加不小于 3 m 的保护套管。管道穿越铁路、公路基础要加套管。

(2)地下消火栓、地下闸阀、水表的规格符合设计要求及有关规范要求,并有出厂合格证。

(3)阀门井在道路上均要采用重型井圈井盖,井盖高出地面50 mm,并在井口周围以2%的坡度向外做坡。

(4)石棉水泥捻口可用不小于425号硅酸盐水泥、3～4级石棉,重量比为水:石棉:水泥＝1:3:7。

(5)镀锌碳素钢管管道的螺纹连接质量要求:螺纹达到管螺纹加工精度,符合《管螺纹》规定。螺纹清洁、规范,无断丝,连接牢固。镀锌碳素钢管及管件的镀锌层无破损,螺纹露出部分防腐良好。接口处无外露油麻等缺陷。镀锌碳素钢管无焊接口。

(6)材料及设备配件:监理工程师应检查室外给水及设备安装工程所使用的材料,是否是假冒伪劣产品,是否符合设计要求和有关规范要求。

(7)在室外给水及设备安装工程施工监理中,监理工程师应检查承包商对安全、劳动保护、防火、防爆和环境保护等是否采取有效措施。

二、室外给水及设备安装工序质量控制

(一)铸铁管安装工艺流程
铸铁管安装工艺流程见图8-1。

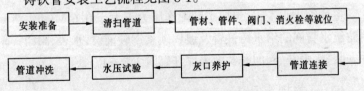

图8-1 铸铁管安装工艺流程

镀锌碳素钢管安装工艺流程见图8-2。

(二)监理工程师工作要点
(1)检查承包商是否按图施工,管沟位置、深度、平直程度、沟

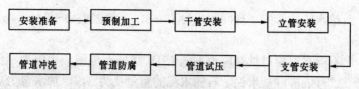

图 8-2　镀锌碳素钢管安装工艺流程

底管基是否符合设计及施工规范要求。

(2)管道承口内部及插口外部飞刺、铸砂等是否已铲掉,沥青漆是否用喷灯或气焊烤掉,污物是否用钢丝刷清理干净。

(3)检查镀锌碳素钢管埋地铺设前是否做好防腐处理。

(4)检查承包商安装的管件、阀门位置是否标准,阀杆是否垂直向上。

(5)监理工程师应检查给水管的敷设与连接,在实际施工中应满足如下要求:

①承包商在沟槽检验合格后方可进行管道及附件的敷设、接口等工作。

②承包商在将管子下入沟槽前要对管子进行仔细检查,并清除管子的泥沙、砖石等杂物。

③铸铁管在沟槽内敷设稳定后用油麻石棉水泥填塞打实,与阀门等附件连接的用法兰连接。管道连接除符合本章第二节监理事项中有关规定外,还应符合以下规定:

给水铸铁管承插口的对口间隙应不小于 3 mm,最大间隙按表 8-2 的要求执行。

表 8-2　给水铸铁管承插口的对口最大间隙　(单位:mm)

管　径	沿直线段敷设	沿曲线段敷设
70	4	5
100~200	5	7~13

给水铸铁管的环行间隙应为 10 mm,允许偏差为 + 3 mm、- 2 mm。

石棉水泥接口材料应为不低于 JV 级的石棉绒。水泥为不低于 325 号的硅酸盐水泥。石棉水泥的重量比为 3:7。加水量为总重量的 11% 左右为宜。石棉水泥接口要不低于 72 h 的养护期。加水拌和好的石棉水泥不得超过 60 min。

直径小于 75 mm 的给水管采用镀锌钢管丝扣连接。丝扣连接应符合本章第二节监理事项中镀锌钢管丝扣连接的有关规定。

(6)监理工程师应检查水表、阀门及消火栓、消防结合器的安装是否符合下列要求:

①水表、阀门及消火栓、消防结合器应安装在检查井中,不得直接埋在土壤中。如必须将法兰盘埋入土中时,要对埋地部分采取加强防腐措施。

②室外消火栓安装在给水管直径不小于 100 mm 的干管上,必须要有阀门连接。消火栓的顶部出口与井盖面距离不得大于 400 mm,若超过时应加短管补足。若设计为地上式消火栓,则采用 SS100 型消火栓。

③水表及阀门的安装要根据设计位置同时符合本章第一节工程材料、构配件及设备的有关规定。水表和阀门安装要垂直,表面清洁,开关灵活方便。

(7)监理工程师应协助承包商邀请有关单位参加,做好给水管的试压工作。试压标准如下:

①生活饮用水和生产、消防合用的管道,试验压力为工作压力的 1.5 倍,但不得大于 1 MPa,在 10 min 内压力降不大于 0.05 MPa,然后将试验压力降至工作压力进行外观检查,以不渗漏为合格。

②管道试验压力的确定:

当工作压力≥0.5 MPa 时,试验压力 = 工作压力 + 0.5 MPa

当工作压力<0.5 MPa时,试验压力=工作压力×2 MPa

(8)监理工程师应检查承包商砌筑的检查井是否符合设计及有关规范。

(9)给水管道施工完毕并经试水合格后,监理工程师应在隐蔽工程记录上签字,承包商方可进行回填土。回填土时,在管子两边要仔细夯填。回填土的密实度应符合设计要求,无设计要求时应大于95%。管顶上层50 cm以内的回填土密实度要大于80%,管顶上层50 cm以上的回填土密实度要达到95%以上。

(10)监理工程师待工程完工后应通知承包商提交《工程师报验单》及质量记录附件。附件内容如下:

①材料及设备出厂合格证。

②材料及设备进场检验记录。

③管路系统的隐藏检查记录。

④管路系统的试压记录。

⑤系统的冲洗记录。

⑥系统通水记录。

同时审验《工程质量报验单》,签发《工程质量认可证书》。

第四节　室内给水及消防工程

室内生活给水包括给水铸铁管和镀锌碳素钢管及消防给水系统、给水附属设备,包括附件的材料采购、供应、保管及管道和管件、附属设备的安装,管道及设备的试压、防腐、保温工程等。

一、有关规定

(1)管道及附件安装前必须清除内部污垢杂物,安装中断或安装完毕后的敞口处要临时封闭。

(2)系统在使用前要用水冲洗干净,直到污物冲净为止。

(3)凡通过伸缩缝处的管道,均要安装 KST-F 型可绕曲双球体橡胶接头,以防止沉降不均匀时切断管道。

(4)房心土回填夯实、管底标高符合要求,管道穿墙处已留管洞或安装套管其洞口尺寸和套管规格符合设计或有关规范要求,坐标、标高正确,地下管道才能铺设。

(5)暗装管道应在地沟未盖板或吊顶未封闭前进行安装,其型钢支架均应安装完毕并符合设计及施工验收规范的要求。

(6)明装托、吊干管安装必须在安装层的结构顶板完成后进行。其托、吊卡件均已安装牢固,位置正确。

(7)管道、箱类和金属支架的油漆种类和涂刷遍数应符合设计要求,附着良好,无脱皮、起泡和漏涂现象,漆膜厚度均匀、色泽一致,无流淌及污染现象。

(8)消防喷洒管材、消火栓系统管材应根据设计选用,一般采用镀锌碳素钢管、管件。消火栓系统管材一般采用碳素钢管或无缝钢管。

(9)消防喷洒系统的报警阀、作用阀、控制阀、延迟器、水流指示器、水泵结合器等主要组件的规格型号应符合设计要求,配件齐全,铸造规矩,表面光洁,无裂纹,启闭灵活,为正规厂家生产,有产品出厂合格证。

(10)喷洒头的规格、类型、动作温度应符合设计要求,外观规矩,丝扣完整,感温包无破碎和松动,易熔片无脱落和松动,为正规厂家生产,有产品出厂合格证。

(11)消火栓箱体的规格类型应符合设计要求,箱体表面平整、光洁。金属箱体无锈蚀、划伤,箱门开启灵活。箱体方正,箱内配件齐全。栓阀外观规矩,无裂纹,启闭灵活,关闭严密,密封填料完好,为正规厂家生产,产品均应有消防部门的制造许可证及出厂合格证。

二、室内给水及消防工程安装质量控制

(一)室内给水及消防工程安装工艺流程

室内给水及消防工程安装工艺流程见图 8-3。

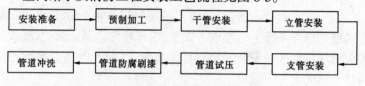

图 8-3 室内给水及消防工程安装工艺流程

(二)监理工程师工作要点

(1)检查承包商是否按图施工,是否认真组织好技术交底,各种管道的坐标、标高是否有交叉,管道排列空间是否合理。

(2)检查承包商的预埋件和预留洞是否准确。

(3)监理工程师应检查承包商在给水及消防工程施工中是否满足设计要求。无设计要求时应满足下列要求:

①给水横管应有 0.002~0.005 的坡度,坡向泄水管或放水装置。

②给水立管和装有 3 个和 3 个以上配水点的支管始端,均应安装可拆卸的连接配件。

③管道上的阀门。在管径小于 50 mm 时采用丝扣阀门;管径大于或等于 50 mm 的采用法兰阀门。

④报警阀安装。应设在明显、易于操作的位置,距地面 100 mm 左右,地面应有排水装置,控制阀应有启闭指示,并使阀门处于常开工作状态。

⑤消火栓环状管网应处于正常通水状态,且不受检修时关闭阀门的影响。消火栓箱体要符合设计要求,消火栓单口或双口应按设计要求安装,产品应有消防部门的制造许可证及合格证。

⑥安装消火栓时,栓口要向外安装,阀口中心距地面为 1.2

m,允许偏差为 ±20 mm;阀门距箱底为 140 mm,距箱后内面为 100 mm,允许偏差为 ±5 mm。

⑦安装消火栓水龙带时,水龙带与水枪、快速接头挂扎好后,要根据箱内构造将水龙带盘挂在箱内。水龙带长度按设计要求。

⑧安装水流指示器时,一般安装在每层的水平分支干管或某一区域的分支干管上。应水平安装,保证叶片活动灵敏,水流指示器前后应保持 5 倍安装管径长度的直管段,安装时注意水流方向与指示器的箭头一致。

⑨安装高位水箱时,应在结构封顶前就位,并应做满水试验,所有水箱管口均应预制加工,如果现场开口焊接,就在水箱上焊加强板。

(4)监理工程师应检查给水及消防工程的管道、阀门、设备及附件的安装是否符合设计及施工验收规范要求,管道附件及焊缝处是否已做刷漆防腐处理。待全部合格后,协助承包商邀请有关单位部门进行试压。最不利点的喷洒头和消火栓的压力和流量应满足设计要求。

(5)试压合格后应进行调试,监理工程师应检查承包商试验方案设计,指定抽查消火栓的位置及数量,并通知有关单位人员参加。其方法与步骤应按下列要求进行:

①生活给水系统的调试运行:生活给水系统试压合格后将介质排尽,用 20~30 mg/L 浓度的含氯水进行消毒,在管道内停留 24 h 以上后放尽。然后用符合生活饮用水要求的自来水进行冲洗,并取样送卫生防疫部门检验合格后方准交付。

将贮水池内放满水,进行水池、水泵、管路及屋顶水箱联合试运行,保证每个用水点有足够的压力及水量,整个系统运行正常,无跑、冒、滴、漏、渗等现象。

②消防给水系统的调试运行:消防给水系统施工完后,作管路系统冲洗,并把冲洗水放尽。

将贮水池内放满水,进行消防泵、消防管路系统、消火栓及屋顶水箱联合试运行。并对屋顶水箱进行 10 min 消防水量试验及消火栓最大消防量试验,在试验时要同时试用消火栓不少于二组。另外,要配合电气人员对消火栓箱中消防泵的电器自动控制系统的灵敏度进行试验。

(6)室内给水管道安装完毕应按设计要求进行压力试验。

第五节　室内排水及设备工程

室内排水及设备工程包括:室内洗涤污水、便溺污水系统的安装及卫生设备、洗涤设备排水连接管的安装,连接排出管的挖填土方、管道的试验及防腐等全部工作。

一、铸铁排水管的质量控制

(1)承插与套箍等用油麻充填,石棉水泥捻口,不得用一般水泥砂浆抹口。

(2)排水管道横管与横管、横管与立管的连接应采用 45°三通或 45°四通,亦可采用 90°斜三通或 90°斜四通,但不允许使用 90°正三通或 90°正四通。立管与排出管端部连接,宜采用两个 45°弯头或弯曲半径不小于 4 倍管径的 90°弯头。

(3)地下排水管道的铺设必须在基础墙达到或接近 ±0.00 标高,房心土回填到管底或稍高的高度,房心土内沿管线位置无堆积物,且管道穿过建筑基础处,已按设计要求预留好管洞时进行。

(4)管道支(吊、托)架及管座(墩)的安装应符合以下规定:构造正确、埋设平整牢固、排列整齐、支架与管子接触紧密。

(5)监理工程师应检查室内排水及设备安装工程所使用的材料,是否符合设计要求和有关规范要求。

二、安装工序质量控制

(一)室内排水及排水设备安装施工工艺流程

室内排水及排水设备安装施工工艺流程见图 8-4。

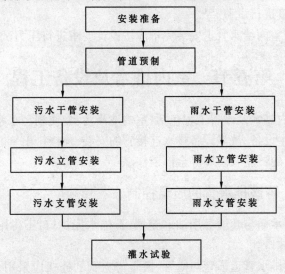

图 8-4　室内排水及排水设备安装施工工艺流程

(二)监理工程师工作要点

(1)监理工程师应检查承包商是否按图纸施工,检查核对预留孔洞大小尺寸是否正确,管道坐标、标高位置画线定位是否正确。

(2)检查管道预制过程中,是否符合施工工艺,捻口方法是否正确,养护方法是否合理。

(3)检查排水管道的坡度是否符合有关规定,排放洗涤污水及便溺污水的生活污水管道的坡度不小于表 8-3 规定的标准坡度。若受条件限制,亦不得小于表 8-3 中的最小坡度。

(4)监理工程师应检查污水立管设置检查口的数量、位置是否正确。一般情况在污水立管上应每隔二层设置一个检查口,但在

表 8-3　生活污水管道的坡度

管径(mm)	标准坡度(%)	最小坡度(%)
50	3.5	2.5
75	2.5	1.5
100	2.0	1.2
150	1.0	0.7
200	0.8	0.5

最低层和有卫生器具的最高层必须设置。若为二层建筑,可仅在底层设置立管检查口。若装有乙字管,则在乙字管的上部设置检查口,其高度由地面至检查口中心一般为 1 m,允许偏差 ±20 mm。并应高出该层卫生器具上边缘 150 mm。检查口应朝向便于检修一侧。

(5)监理工程师应检查污水横管上是否设置清扫口,检查口,其位置是否正确。

(6)在连接 2 个及 2 个以上大便器或 3 个及 3 个以上卫生器具的污水管横管上应设置清扫口。污水管在楼板下下吊应使用专用设置或专用设备敷设,清扫口设在上层楼板上。污水管起点的清扫口与墙面距离不得小于 200 mm。若污水管起点用堵头代替清扫口时,与墙面距离不得小于 400 mm。污水横管转角小于 135°应设置检查口或清扫口。

(7)监理工程师应检查吊钩或卡箍位置、数量是否正确。排水管道上的吊钩或卡箍应固定在承重结构上。固定件间距为:横管不得大于 2 m,立管不得大于 3 m。层高小于或等于 4 m 的,立管安装一个固定件。在立管底部弯管处应设支墩。

(8)监理工程师应检查室内立管与室外窨井的排水管连接是否符合设计及施工验收规范。由室内立管接向室外窨井的排水管,应用两个弯头连接。接至室外窨井的排水管应高于井内排水管,最低限度要求为两管顶平接,并有不小于 90°的流槽。但落差大 300 mm 时,可不受角度的限制。

(9)卫生设备及附件安装应满足以下几点要求:

①卫生设备的连接管应均匀一致,不得有凸凹等缺陷,卫生设备的安装宜采用预埋的螺栓或膨胀栓固定在建筑结构内。

②卫生设备的支、托架安装须平整、牢固,与卫生设备接触应紧密。安装完的卫生设备应采取保护措施。

③卫生设备安装应按给排水标准图 90S342 施工。要求位置正确,允许偏差为:单独卫生设备安装为 ±10 mm;成排设备安装为 ±5 mm。水平和垂直度允许偏差不得超过 3 mm。高度按设计要求,无设计要求时应符合表 8-4 的规定。

④连接卫生设备的排水管管径和最小坡度按设计要求。如设计无要求时,按表 8-5 执行。

表 8-4   卫生设备安装高度

序号	卫生设备名称	安装高度(mm)	备 注
1	污水盆(池)	架空 800 落地 500	自地(楼)面至设备上边缘
2	洗脸盆、 洗涤盆、洗涤槽	800	自地(楼)面至设备上边缘
3	蹲式大便器高水箱	1 800	自台阶至高水箱底面
4	小便斗	600	自地(楼)面至下边缘

表 8-5   连接卫生设备的排水管管径和最小坡度

序号	卫生设备名称	排水管直径(mm)	最小坡度(%)
1	污水盆(池)	50	2.5
2	洗脸盆	32~50	2.0
3	大便器	100	1.2
4	小便器	40~50	2.0
5	沐浴器地漏	50~100	2.0
6	洗涤槽排水管	50~100	1.0

⑤地漏应安装在地面最低处。地漏面应低于地面5~10mm,地面坡度均向地漏处。土建工程应配合做好地面坡度。

⑥卫生器具给水配件安装高度按设计要求。设计无要求时,按表8-6的要求安装。

表8-6　卫生器具给水配件安装高度

序号	卫生器具给水配件名称	配件中心离地面高度(mm)	备注
1	架空污水盆(池)水龙头	1 000	
2	落地污水盆(池)水龙头	800	
3	洗涤盆(池、槽)、洗脸盆水龙头	1 000	
4	洗脸盆角阀	450	
5	沐浴器莲蓬头	2 100	
6	沐浴器阀门	1 150	
7	蹲式大便器高水箱阀	2 040	从台阶面算起
8	大便冲洗槽冲洗水箱阀门	不低于2 400	从地面算起
9	立式小便器角阀	1 130	
10	挂式小便器角阀	1 050	
11	实验室、化验龙头	1 000	

三、质量检查

(1)排水管安装完毕,承包商应通知有关人员参加灌水试验。所有隐蔽的污水、雨水管道必须做灌水试验,试验应符合设计和以下规定:

①隐蔽的排水管道做灌水试验时,其灌水高度不低于地面高度,满水15 min后再灌满延续5 min,液面不下降为合格。

②雨水管道灌水试验时,灌水高度必须到每根立管最上部的雨水漏斗。

③试验合格后,监理工程师应认真检查管道防腐刷漆情况,签署《隐蔽工程记录》,方可进行回填土。回填土应符合设计及施工

验收规范的规定。

(2)排水系统竣工后的通水结果必须符合设计要求和以下规定:按给水系统 1/3 配水点同时开放,各排水点畅通,接口无渗漏。

(3)排水系统工程竣工,通水试验结果合格,承包商应提交《工程质量报验单》及质量记录附件,附件内容如下:

①材料出厂合格证及进场验收记录。

②排水管道灌水记录。

③隐蔽工程记录。

④雨水管灌水记录。

⑤排水流通水记录。

第六节 硬聚氯乙烯(PVC—U)建筑排水管及设备

一、材料的质量控制

(1)管材、管件等材料应有产品合格证,管材应有规格、生产厂的厂名和执行的标准号,在管件上应有批号、数量、生产日期和检验代号。

(2)胶粘剂应标有生产厂名称、生产日期和有效期,并应有出厂合格证和说明书。

(3)防火套管、阻火圈应标有规格、耐火极限和生产厂名称。

(4)管材和管件应在同一批中抽样进行外观、规格尺寸和管材与管件配合公差检查,当达不到规定的质量标准并与生产单位有异议时,应按建筑排水用硬聚氯乙烯管材和管件产品标准的规定进行复检。

(5)管材和管件在运输、装卸和搬动时应轻放,不得抛、摔、拖。

(6)管材、管件堆放储存应符合下列规定:

①管材、管件均应存放于温度不大于 40 ℃ 的库房内,距离热源不得小于 1 m。库房应有良好的通风条件。

②管材应水平堆放在平整的地面上,不得不规则堆存,并不得曝晒。当用支垫物支垫时,支垫宽度不得小于 75 mm,其间距不得大于 1 m,外悬的端部不宜大于 500 mm。叠置高度不得超过 1.5 m。

③管件凡能立放的,应逐层码放整齐;不能立放的管件,应顺向或使其承口插口相对地整齐排列。

(7)胶粘剂内不得含有团块、不溶颗粒和其他杂质,并不得有胶凝状态和分层现象在未搅拌的情况下不得有析出物。不同型号的胶粘剂不得混合。寒冷地区使用的胶粘剂,其性能应选择适应当地气候条件的产品。

(8)胶粘剂、丙酮等易燃品,在存放和运输时,必须远离火源。存放处应安全可靠,阴凉干燥,并应随用随取。

(9)支撑件可采用塑料墙卡、吊卡;当采用金属材料时,应做防锈处理。

(10)安装后的管道严禁攀踏或借作他用。

(11)卫生设备及附件安装应符合上节卫生设备及附件安装的有关规定。

二、设备安装工序质量控制

(一)室内排水及排水设备安装施工工艺流程
室内排水及排水设备安装施工工艺流程见图 8-5。

(二)监理工程师工作要点
(1)监理工程师应检查管道安装工程的施工是否已具备下列条件:

①设计图纸及其他技术文件是否齐全,并经会审通过。

②有批准的施工方案或施工组织设计,已进行技术交底。

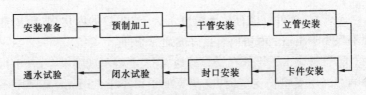

图 8-5　室内排水及排水设备安装施工工艺流程

③材料、施工力量、机具等已准备就绪,能正常施工并符合质量要求。

④施工现场有材料堆放库房,能满足施工需要。

(2)在管道加工过程中,断口要平齐,用铣刀或刮刀除掉断口内外飞刺,外棱铣出15°角。粘接前应对承插口进行先插入实验,不得全部插入,一般为承口的3/4深度,试插合格后,用棉布将承插口需粘接部分的水分、灰尘擦拭干净。如有油污需用丙酮除掉。用毛刷涂抹粘接剂,先涂抹承口,后涂抹插口,随即用力垂直插入,插入粘接时将插口稍作转动,以利于粘接剂分布均匀,约30 s至1 min即可粘接牢固。粘牢后立即将溢出的粘接剂擦拭干净。

(3)在整个楼层结构施工过程中,土建应预留管道穿越墙壁和楼板的预留孔洞。当设计未规定孔洞尺寸时,可比管材外径大50～100 mm。管道安装前,应检查预留孔的位置和标高,并应清除管材和管件的污垢。

(4)当施工现场与材料储存库房温差较大时,管材和管件应在安装前在现场放置一定时间,使其温度接近环境温度。

(5)楼层管道系统的安装宜在墙面粉刷结束后连续施工。当安装间断时,敞口处应临时封闭。

(6)管道应按设计规定设置检查口或清扫口,无设计要求时应符合上节的有关规定设置检查口或清扫口。检查口位置和朝向应便于检修。当立管设置在管道井或横管设置在吊顶内时,在检查口或清扫口位置应设检修门。

(7)立管和横管应按设计要求设置伸缩节。横管伸缩节应采用锁紧式橡胶圈管件;当管径大于或等于 160 mm 时,横干管宜采用弹性橡胶密封圈连接形式。当设计对伸缩量无规定时,管子插入伸缩节的端头间隙应为:夏季,5~10 mm;冬季,15~20 mm。

(8)管道支撑件的间距,立管管径为 50 mm 的不得大于 1.2 m;管径大于或等于 75 mm 的,不得大于 2 m;直线段横管的支撑件间距宜符合表 8-7 的规定。

表 8-7　直线段横管的支撑件的间距

管径(mm)	40	50	75	90	110	125	160
间距(m)	0.40	0.50	0.75	0.90	1.10	1.25	1.60

(9)横管的坡度按设计规定,无设计要求时坡度为 2.6%。立管管件承口外侧与墙饰面的距离宜为 20~50 mm。

(10)管道的配管及坡口应符合下列规定:

①锯管长度应根据实测并结合各连接件的尺寸逐段确定。

②锯管工具宜选用细齿锯、割管机等机具。端面应平整并垂直于轴线;应清除端面毛刺,管口端面处不得有裂痕、凹陷。

③插口处可用中号板锉锉成 15~30°坡口。坡口厚度宜为管壁厚度的 1/3~1/2。坡口完成后将残屑清除干净。

(11)塑料管与铸铁管连接时,宜采用专用配件。当采用水泥捻口连接时,应先将塑料管插入承口部分的外侧,用砂纸打毛或涂刷胶粘剂后滚粘干燥的粗黄砂;插入后应用油麻丝填嵌均匀,用水泥捻口。塑料管与钢管、排水栓连接时也应采用专用配件。

(12)管道穿越楼层处的施工应符合下列规定:

①管道穿越楼板处为固定支撑点时,管道安装结束后应配合土建进行支模,采用 C20 细石混凝土分二次浇捣密实。浇筑结束后,结合找平层或面层施工,在管道周围应筑成厚度不小于 20 mm,宽度不小于 30 mm 的阻水圈。

②管道穿越楼板处为非固定支撑点时,应加装金属或塑料套管,套管内径可比穿越管径大 10～20 mm,套管高出地面不得小于 50 mm。

(13)高层建筑内明敷管道,当设计要求采取防止火灾贯穿措施时,应符合下列规定:

①立管径大于或等于 110 mm 时,在楼板贯穿部位应设置阻火圈或长度不小于 500 mm 的防火套管,且应按(12)条第①项规定,在防火套圈周围筑阻水圈。

②管径大于或等于 110 mm 的横支管与暗设立管相连接时,墙体贯穿部位应设置阻火圈或长度不小于 300 mm 的防火套管,且防火套管的明露部分长度不宜小于200 mm。

③横干管穿越防火分区隔墙时,管道穿越墙体的两侧应设置阻火圈或长度不小于 500 mm 的防火套管。

(14)监理工程师应按规定检查立管的垂直度,横管的弯曲度,卫生器具排水管口及横支管口的纵横坐标,横干管的坡度,卫生设备接口标高,连接点的整洁,牢固和密封性,伸缩节设置与安装的准确性,伸缩节预留伸缩量的准确性,阻火圈防火套管安装位置准确性和牢固性。允许偏差及检验方法见表 8-8。

三、质量检查

(1)硬质聚氯乙烯(PVC－U)建筑排水管安装完毕,承包商应通知有关人员参加进行灌水试验。所有隐蔽的污水、雨水管道必须做灌水试验,试验应符合设计及以下规定:

①隐蔽的排水管做灌水试验时,其灌水高度不低于地面高度。满水 15mim 后,再灌满延续 5mim,液面不下降为合格。

② 雨水管道的灌水试验时,灌水高度必须到每根立管最上部的雨水漏斗。

表 8-8　管道允许偏差及检验方法

序号	检验项目	允许偏差	检验方法
1	立管垂直	(1)每 1 m 高度不大于 3 mm (2)5 m 内，全高不大于 10 mm (3)5 m 以上，每 5 m 不大于 10 mm，全高不大于 30 mm	挂线锤和用钢卷尺测量
2	横管弯曲度	(1)每 1 m 长度不大于 2 mm (2)10 m 以内，全长不大于 8 mm (3)10 m 以上，每 10 m 不大于 8 mm	用水平尺、直尺和拉线测量
3	卫生器具的排水管口及横支管口的纵横坐标	单独器具不大于 ±10 mm 成排器具不大于 ±5 mm	用钢卷尺测量
4	横干管坡度	不得小于最小坡度	用水平尺或钢卷尺测量
5	卫生设备接口标高	单独器具不大于 ±10 mm 成排器具不大于 ±5 mm	用水平尺或钢卷尺测量

(2)待灌水试验合格后，监理工程师应认真检查，签署《隐蔽工程记录》方可进行埋地管的回填。回填应分层，每层厚度宜 0.15 m，回填土应符合设计或施工规范的规定。铺设埋地管应符合下列要求：

①铺设埋地管道宜分两段施工。先做设计标高 ±0.00 以下的室内部分(伸出外墙为止)，管道伸出外墙不得小于 250 mm，待土建施工结束后，再从外墙边铺设管道接入检查井。

②埋地管道和管沟底面平整，无突出的尖硬物，宜设厚度为 100～150 mm 砂垫层，垫层宽度不应小于管外径的 2.5 倍。其坡度应与管道坡度相同。管沟回填土应采用细土回填至管顶以上至

少 200 mm 处,压实后再回填至设计标高。

③湿陷性黄土、季节性冻土和膨胀土地区,埋地管铺设应符合有关规范的规定。

④当埋地管穿越基础做预留孔洞时,按设计的位置与标高进行施工。当设计无要求时,管顶上部净空不宜小于 150 mm。

⑤埋地管穿越地下室外墙时,应采取防水措施,若采用刚性防水套管,在土建施工时,应预埋刚性套管,PVC—U 管穿入后自两侧向中间填充防水胶泥,待防水胶泥密实后,填充水泥砂浆。

⑥埋地管与室外检查井的连接应符合下列规定:

与检查井相接的埋地排水管,其管端外侧应涂刷胶粘剂后滚粘干燥的黄砂,涂刷长度不得小于检查井井壁厚度。

相接部位采用 M7.5 标号水泥砂浆分二次嵌实,不得有孔隙。第一次应在井壁中段,嵌水泥砂浆,并在井壁两端各留 20～30 mm,待水泥砂浆初凝后,在井壁两端用水泥砂浆进行第二次嵌实。

应用水泥砂浆在井外壁沿管壁周围抹成三角形止水圈,其要求详见《建筑排水硬聚氯乙烯管道工程技术规程》(CJJ/T29—98)。

(3)排水系统竣工后,通水试验结果必须符合设计和以下规定,即给水系统 1/3 配水点同时开放,各排水点畅通,接口无渗漏。

(4)硬聚氯乙烯管道排水系统工程,通水试验合格后,承包商应提交《工程报验单》及相关质量记录附件,附件包括:

①主要材料、零件制品的出厂合格证等。

②中间试验记录和隐蔽工程验收记录。

③灌水和通水试验记录。

④工程质量事故处理记录。

⑤分项、分部、单位工程质量检验评定记录。

同时审批《工程质量报验单》,签发《工程质量认可证书》。

第七节 室内采暖及热水工程

一、预控措施

监理工程师应检查施工操作人员是否经过训练,关键工种是否持证上岗。对有资格要求的,施工人员必须提供资格证明。

监理工程师应检查采暖系统所用的钢管是否符合设计及规范的要求,锈蚀程度不超过 A 级或 B 级。

管子在加工前,应先进行调直,在调直时,管道不能有明显打击的痕迹,不经调直或直线检查的管材,不能进行下一步加工。

二、施工中的质量控制及质量检查

(1)管材截断的方法宜用锯割或气割,当采用割管器截断时,应用铰刀铰孔,易除掉毛刺或进行扩孔。

(2)除阀门、散热器等成品件采用丝扣或法兰连接外,其余均采用焊接连接,焊接施工的质量应符合《现场设备、工业管道焊接工程施工及验收规范》(GBJ236—82)。

(3)管道直径 $d<32$ mm 时采用螺纹连接,$d\geqslant32$ mm 时采用焊接连接。管道及附件安装应符合有关规定。

(4)法兰与管道焊接时,应用 90°角尺找正,管子对法兰平面的垂直度偏差不得超过表 8-9 的规定。

表 8-9 管子对法兰平面垂直度的允许偏差

管子公称直径 (mm)	≤50	>50~100	>100~250	>250~400
允许偏差(mm)	±0.5	±1.0	±1.5	±2.0

(5)平焊钢法兰往管子上焊接时,管端必须插入法兰之内,缩进距离应为管壁厚度的 1.0～1.5 倍,法兰的内外侧均应满焊,内侧焊缝不得突出密封面,外侧焊缝的高度不小于管壁的厚度。

(6)采暖管道在穿过墙壁、楼板时应埋设保护套管,保护套管应用钢管制作,套管直径应符合表 8-10 的规定。套管应突出墙、板面面层 10～20 mm。

表 8-10　保护套管的直径 (单位:mm)

管道的公称直径	15	20	25	32	40	50	70	80	100	125	150	200
保护套管的公称直径	25	32	40	50	70	70	80	100	125	150	200	250

(7)阀门安装应符合下列规定:

①阀门安装前应做耐压强度及密封性试验,试验应以每批(同牌号、同规格、同型号)数量中抽查 10%,且不少于一个,如有一个阀门发生漏、裂等现象,则应再抽查 20%,仍有一个以上发生漏裂现象的,则须逐个试验,只有合格的阀门才能安装在工程上。

②对于安装在主干管上起切断作用的闭路阀门,应逐个作强度和严密性试验。强度和严密性试验压力为阀门出厂规定的压力,并应填写试验报告,报工程师审查批准。

③水平安装的各种阀门的阀杆应尽量立装,若须斜装时,应使阀杆置于上方与铅垂成 45°角的范围内,不得置于下方。

(8)散热器安装应符合下列规定:

①散热器的进、出口管必须按设计的散热支管管径及方向安装,不能用变径管连接(水平串联的暖气片,串联管管径>25 mm 者除外)。

②散热器的型号、规格、质量及安装前的水压试验必须符合设

计要求和施工规范的规定(若设计对单组水压试验无要求时,一般按生产厂家试验压力进行试验,5 mim 不渗漏为合格)。

③散热器支、托架的安装应符合以下规定:数量和构造符合设计要求和施工规范规定,位置正确、埋设平整牢固、支托架排列整齐,与散热器接触紧密。

④散热器安装允许偏差见表8-11。

表8-11　散热器安装允许偏差和检验方法

项　　目			允许偏差(mm)	检验方法
坐标	内表面与墙面距离		6	用水准仪(水平尺)、直尺、拉线和尺量检查
	与窗口中心线		20	
标高	底部距地面		±15	
	中心线垂直度		3	用吊线和吊量检查
	侧面倾斜度		3	
灰铸铁	长翼型(60)(38)	2~4 片	4	用水准仪(水平尺)、直尺、拉线和尺量检查
		5~7 片	6	
	圆翼型	2 m 以内	3	
		3~4 m	4	
	M132 柱型对流辐射散热器	3~14 片	4	
		15~24 片	6	
钢制	串片型	2 节以内	3	
		3~4 节	4	
	板型	$l<1$ m	4	
		$l>1$ m	6	
	扁管型	$l<1$ m	3	
		$l>1$ m	5	
	柱型	3~12 片	4	
		13~20 片	6	

注:l 为散热器长度。

三、安装工序质量控制

(一)采暖及热水工程安装工艺流程

采暖工程安装工艺流程见图 8-6。

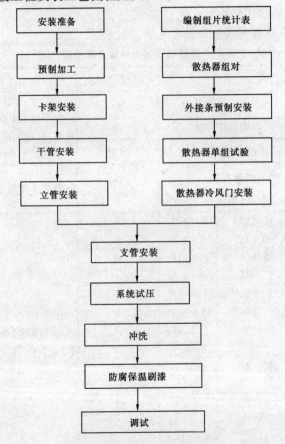

图 8-6 采暖工程安装工艺流程

热水系统工程安装工艺流程同室内给水施工工艺流程。

(二)预控措施

(1)施工前监理工程师应熟悉和核对图纸。

(2)监理工程师应检查承包商制定的施工方案、施工组织设计是否符合要求,是否有利于施工安全,施工技术交底是否落实到实处。

(3)监理工程师应检查承包商对各专业、工种是否进行统筹协调安排,各专业、工种之间是否相互衔接,并应符合下列要求:

①安装工程若要求支吊架在承重结构梁、板、柱或围护结构上生根,必须预留或预埋,若要求穿过上述结构而图纸又无保护结构物不致削弱的措施时,承包人必须作出施工详图,报与监理工程师,监理工程师应通知设计及有关人员进行处理,经认可后方可进行施工。

②在土建承重结构上不得凿打洞孔。

(三)施工中质量控制要点

(1)安装位于地沟内的干管,应把地沟杂物清理干净,安装好托吊架,在未盖沟盖板前安装;位于楼板下及顶层的干管,应在结构封顶后或上一层结构已完工后安装。同时满足下列要求:

①干管安装应从进户或分路点开始,装管前应检查管内是否清理干净。

②分路阀门位置必须符合设计要求,无设计要求必须满足分路阀门离分路点不宜过远的要求。如分路处是系统的最低点,必须在分路阀前加泄水丝堵。

③管子采用焊接时,先把管子选好调直,清理好管膛,把管就位找正、找直后,用气焊点焊固定(管径≤50 mm 以下点焊 2 点,管径≥50 mm 以上点焊 3 点),然后施焊,保证管道正直。

④遇有伸缩器,应在预制时按规范要求做好预拉伸,并作好记录。按位置固定,与管道连接好。波纹伸缩器应按要求位置安装好导向支架和固定支架。并分别安装阀门、集气罐等附属设备。

⑤管道安装完,检查坐标、标高、预留口位置和管道变径等是否正确,然后找直,用水平尺校对符合坡度,调整合格后,再调整吊卡螺栓 U 形卡,使其松紧适度,平整一致,最后焊牢固定卡处的止动板。

⑥安装好管道穿结构处的套管,填堵套管处洞口,管道预留口处应加好临时管堵。

(2)立管安装必须在地面标高确定准确后进行,同时应符合下列要求:

①预留孔洞位置准确,卡子固定牢固。

②对接时须涂铅油缠麻,对准调直后及时清除麻头。

③预留口标高、方向准确,加好临时管堵,扶正管套并及时堵洞。

(3)支管安装必须在墙面抹灰后进行,同时满足下列要求:

①散热器安装位置及立管预留口位置、方向准确。

②支管与散热器、灯叉弯连接时,须涂铅油缠麻,连接好后及时清除麻头。

③暗装或半暗装的散热器灯叉弯必须与炉片槽墙角相适应,达到美观。

④用钢尺、水平尺、线坠校对支管的坡度和平行距墙尺寸,并复查立管及散热器有无移动。按设计或规定的压力进行系统试压及冲洗,合格后办理验收手续,并将水泄净。

⑤立支管变径,不宜使用铸铁补心,应使用变径管箍或焊接法。

(4)散热器安装前必须进行水压试验,加压到规定的压力值时,关闭进水阀门,持续 5 min,观察每个接口是否有渗漏,不渗漏为合格。

(5)散热器的安装必须在采暖管道单项试压合格后进行,做到横平、竖直,支架牢固。

四、质量检查

1. 现场检查

(1)管道、阀门及散热器的位置是否正确,接口及支撑是否牢固。

(2)供热运行半小时后检查所有管道、阀门、散热器、接口等,是否有漏水、渗水现象。

2. 资料检查

(1)材料设备出厂合格证。

(2)材料设备进场检验记录。

(3)散热器组对试压记录。

(4)采暖干管预检记录。

(5)采暖立管预检记录。

(6)采暖管道伸缩器预拉伸记录。

(7)采暖支管、散热器预检记录。

(8)采暖管道的单项试压记录。

(9)采暖管道隐蔽检查记录。

(10)采暖系统试压记录。

(11)采暖系统冲洗记录。

(12)采暖系统试调记录。

第九章　通风及空调工程

第一节　通风及空调工程质量预控措施

一、监理工程师的工作要点

(1)通风及空调工程开工前,监理工程师应熟悉有关的工程技术资料及设计图纸,协同承包商进行现场核对,如设计与实际不符合或专业之间发生矛盾,应通知设计及有关单位进行处理。

(2)通风及空调工程开工前,监理工程师应检查承包商的施工方案及施工组织设计,关键岗位人员是否持证上岗,是否建立严格的质量保证和质量管理体系。

(3)通风及空调工程开工前,监理工程师应对承包商报验的各种工程材料、构配件、设备进行检查验收,对不合格的工程材料、构配件、设备清理出现场。

二、工程材料、构配件、设备的有关规定

(一)材料的一般规定

(1)凡采用中华人民共和国已颁布的国家标准、部颁标准、企业标准的施工材料,均应提交符合有关标准的材质证明。

(2)凡采用无明确公开颁布标准的施工材料,应按材料的主要用途提交1~2项主要材质性能指标。要求提交的项目及指标由监理工程师决定。

(3)所有材料在进行采购工作之前,不论是图纸推荐的生产厂家或承包人选定的生产厂家,所采购的材料,应先编制采购计划,

说明采购项目、材料产地、生产厂家,所采购的材料均应先提交样品,报监理工程师批准后,方可采购。

(4)承包人不能因为已报批准采购计划,提交了样品,并具有产品合格证,而减轻自己所承担的责任。

(5)所有材料当监理工程师认为需要复检时,承包人应到监理工程师批准的有检验资格的单位去进行复检,如果此复查检验表明送检材料不符合要求,此项材料应重新采购。

(6)材料进入现场后应经监理工程师检验认可,方可用于工程。

(7)所有材料应存放于室内或棚内,并加设平台、垫木或其他支撑物,以减少锈蚀或损伤。

(8)所有材料均不得有明显变形。

(9)产生 C 级、D 级严重锈蚀的钢板不能进入工地用于工程。锈蚀程度的判别标准按石油工业部部颁标准《涂装钢材表面处理规范》SYJ4007—86 号执行。

(二)设备的有关规定

(1)所有一切外购设备进行采购之前应先编制采购计划,说明采购设备名称、设备产地、生产厂家、设备采购地,报请工程师批准。

(2)承包人虽然已报批采购计划,并具有产品合格证,仍应对设备的任何缺陷和质量问题承担责任。

(3)所有设备均不得有硬性变形或其他缺陷,若有缺陷,可以修理,但修理后不能看出有修复的痕迹,否则,即认为不合格。

(4)所有设备均应储存于遮挡风雨良好的室内,并加设平台、垫木或其他支撑物,以防锈蚀或变形。

(5)有油封要求的设备,承包商在油封有效期内未能获得竣工证书,则在油封有效期完结前承包商应再次进行油封保护。

第二节 材料的质量控制

镀锌薄钢板表面不得有裂纹、结疤及水印等缺陷,应有镀锌层结晶花纹。热轧钢板锈蚀程度,不超过 A 级或 B 级。制作风管及配件的钢板厚度,应符合设计要求,无设计要求时应符合表 9-1 的规定。

不锈钢板应具有高温下耐酸耐碱的抗腐蚀能力,表面不得有刻痕、划痕、凹穴等缺陷,制作不锈钢板风管和配件的板材厚度应符合设计要求,无设计要求应符合表 9-2 的规定。

表 9-1 钢板风管厚度 （单位:mm）

| 长边尺寸或直径 | 圆形风管 | 矩形风管 | | 除尘系统风管 |
		中低压系统	高压系统	
80~320	0.5	0.5		1.5
340~450	0.6	0.6	0.8	2.0
480~630	0.8			
670~1 000		0.8		
1 120~1 250	1.0	1.0	1.0	3.0
1 320~2 000	1.2			按设计要求
2 500~4 000		1.2	1.2	

表 9-2 不锈钢板风管和配件板材厚度

圆形风管直径或矩形风管大边长(mm)	不锈钢板厚度(mm)
100~500	0.50
560~1 120	0.75
1 250~2 000	1.00
2 500~4 000	1.20

铝板材应具有良好的塑性、导电性能、导热性能及耐酸腐蚀性能,表面不得有划痕、磨损等缺陷。制作铝板风管和配件的板厚度应符合设计要求,无设计要求应符合表9-3的规定。

表9-3 铝板风管和配件板材厚度

圆形风管直径或矩形风管大边长(mm)	铝板厚度(mm)
100~320	1.0
360~630	1.5
700~2 000	2.0
2 500~4 000	2.5

金属薄板制作的风管,其连接方法应符合设计要求。无设计要求应按表9-4选择。

金属板咬口形式一般采用单咬口、立咬口、联合咬口、按扣咬口、单角咬口的形式,咬口宽度和留量应符合设计要求。无设计要求应根据板材厚度而定,且符合表9-5的规定。

表9-4 金属风管的咬接或焊接选择

板厚 δ (mm)	材 质		
	钢板 (不包括镀锌钢板)	不钢板	铝 板
δ≤1.5	咬接	咬接	咬接
δ>1.5	焊接 (电焊)	焊接 (氩弧焊或电焊)	焊接 (气焊或氩弧焊)

表9-5 咬口宽度表 (单位:mm)

钢板厚度	平咬口宽	角咬口宽
0.7以下	6~8	6~7
0.7~0.82	8~10	7~8
0.9~1.2	10~12	9~10

焊接金属板时可采用气焊、电焊、氩弧焊或接触焊,焊接形式应符合设计及有关规定。

铆钉连接时,必须使铆钉中心线垂直于板面,铆钉头应把板材压紧,使板缝密合,并且铆钉排列整齐、均匀。板材之间铆接,一般中间可不加垫料,设计有规定时,按设计要求进行。

法兰加工应符合设计要求,无设计要求应符合下列规定:

(1)矩形风管法兰由四根角钢组焊而成,划线下料时应注意使焊成后的法兰内径不能小于风管的外径。下料调直后放在作冲床上冲击铆钉孔及螺栓孔,孔距不应大于 150 mm。如采用 8501 阻燃密封胶条作垫料时,螺栓孔距可适当增大,但不得超过 300 mm。冲孔后的角钢放在焊接平台上进行焊接,焊接时按各规格模具卡紧。矩形风管法兰用料规格应符合设计要求,无设计要求按表 9-6 执行。

表 9-6　矩形风管法兰用料规格

矩形风管大边长(mm)	法兰用料规格(mm)
≤630	L25×3
800～1 250	L30×4
1 600～2 500	L40×4
3 000～4 000	L50×5

(2)先把型钢画线割开,逐个放在平台上找平、找正。调整的各法兰进行连接冲孔。圆法兰用料规格应符合设计要求,无设计要求按表 9-7 执行。圆形法兰加工可先将整根角钢或扁钢放在冷煨法兰卷圆机上按所需法兰直径调整机械的可调零件,卷成螺旋形状后取下。

表 9-7　圆形风管法兰用料规格

圆形风管直径 （mm）	法兰用料规格	
	扁钢（mm）	角钢（mm）
≤140	－20×4	
150～280	－25×4	
300～500		L25×3
530～1 250		L30×4
1 320～2 000		L40×4

　　风管及部件喷漆防腐不应在低温和潮湿的环境下进行,喷漆前应清除表面灰尘、污垢与锈斑并保持干燥。喷漆时应使漆膜均匀,不得有堆积、漏涂、皱纹、气泡及混色等缺陷。普通钢板在压口时必须先喷一道防锈漆,保证咬缝内不易生锈。薄钢板的防腐油漆按设计要求,无设计要求可参照表 9-8 执行。

表 9-8　薄钢板防腐油漆

序号	风管所输送的气体介质	油漆类别	油漆遍数
1	不含有灰尘且温度不高于 70℃ 的空气	内表面涂防锈底漆	2
		外表面涂防锈底漆	1
		外表面涂面漆（调和漆等）	2
2	不含有灰尘且温度高于 70℃ 的空气	内、外表面各涂耐热漆	2
3	含有粉尘或粉屑的空气	内表面涂防锈底漆	1
		外表面涂防锈底漆	1
		外表面涂面漆	2
4	含有腐蚀性介质的空气	内外表面涂耐酸底漆	≥2
		内外表面涂耐酸面漆	≥2

注:需保温的风管外表面不涂粘结剂时,宜涂防锈漆二道。

第三节　金属风管制作的质量控制

金属风管制作是指用普通薄钢板、镀锌钢板、不锈钢板及铝板制作风管。

一、预控措施

(1)承包商加工场地应宽敞、明亮、洁净、地面平整、不潮湿、防雨雪、防大风等。

(2)承包商在风管制作前,设计图、大样图、系统图应得到监理工程师的批准。

(3)承包商的施工设备、工具应满足风管制作,严禁采用土法上马,尽可能选用先进设备、工具。

(4)检查承包商在风管制作中,是否进行技术质量及安全交底。是否采取有效措施来保证安全和保护环境。

二、风管制作工序质量控制

(一)风管制作工艺流程
风管制作工艺流程见图 9-1。
(二)监理工程师工作要点
(1)各种型号风管使用材料是否符合设计要求及施工规范。

(2)板材、角钢法兰必须进行下料复核。

(3)板材倒角必须符合设计及操作规程的要求。

(4)法兰焊接应符合设计及施工验收规范,焊接后的法兰应码好,防止变形。

(5)普通钢板压口前应刷防锈漆一道,防止咬缝内生锈。

(6)风管咬缝必须紧密、宽度均匀、无空洞半咬口和胀裂等缺陷。

(7)风管折方机、圆管机械是否满足技术要求。

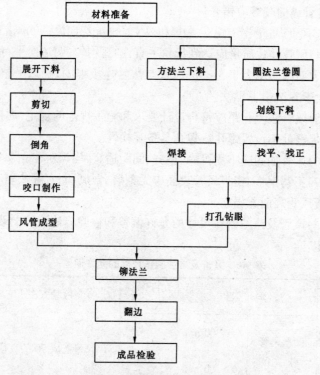

图 9-1 风管制作工艺流程

(8)铆钉规格、铆孔尺寸是否符合设计要求。

(9)风管与法兰铆接前应进行技术质量检验,合格后进行铆接,风管端应留出 10 mm 左右用作翻边,法兰平面应与风管垂直。翻边应平整,不出现豁口。

(10)风管及法兰防腐,喷、刷漆应符合设计施工验收规范。

三、风管的质量检查

(1)风管的规格、尺寸必须符合设计要求。

(2)风管咬缝必须紧密、宽度均匀、无空洞半咬口和胀裂等缺陷。直管纵向咬缝应错开。

(3)风管焊缝严禁有烧穿、漏焊和裂纹等缺陷,纵向焊缝必须错开。

(4)风管外观质量应达到折角平直,圆弧均匀,两端面平行,无翘角,表面凹凸不大于 5 mm;风管与法兰连接牢固,翻边平整,宽度不大于 6 mm,紧贴法兰。

(5)风管法兰孔距应符合设计要求和施工规范的规定,焊接应牢固,焊缝处不设置螺孔。螺孔具备互换性。

(6)风管加固应牢固可靠、整齐、间距适宜,均匀对称。

(7)不锈钢板、铝板风管表面应无刻痕、划痕、凹穴等缺陷。复合钢板风管表面无损伤。

(8)风管及法兰制作尺寸的允许偏差和检验方法应符合表9-9的规定。

表 9-9　风管及法兰制作尺寸的允许偏差

项次	项　目		允许偏差（mm）	检验方法
1	圆形风管外　径	Ø≤300 mm	0 1	用尺量互成 90°的直径
		Ø>300 mm	0 −2	
2	矩形风管大　边	≤300 mm	0 −1	尺量检查
		>300 mm	0 −2	
3	圆形法兰直径		+2 0	用尺量互成 90°的直径
4	矩形法兰边长		+2 0	用尺量四边
5	矩形法兰两对角线之差		3	尺量检查
6	法兰平整度		2	法兰放在平台上,用塞尺检查
7	法兰焊缝对接处的平整度		1	

(9)待风管验收后,监理工程师应通知承包商提交《工程质量报验单》及质量记录附件,附件内容如下:

①预检工程检查记录单。

②金属风管制作分项工程质量检验评定表。

同时审核《工程质量报验单》,签署《工程质量认可证书》。

第四节 风管部件制作的质量控制

各风管部件均应按国家有关标准设计制作,制作前承包商应将有关图纸、文件及施工技术、质量、安全交底送监理工程师,待批准后方可进行施工。各风管部件下料及成型应使用专用工具,严禁土法上马。

一、风管的施工工序质量控制

(1)风口的制作应按其类型、规格、使用要求选择材料,如需代换应经监理工程师批准后执行。

(2)各种金属风口制作尽量选用型材。

(3)风口表面应平整,与设计尺寸的允许偏差不应大于 2 mm,矩形风口两对角线之差不宜大于 3 mm,圆形风口任意两正交直径的允许偏差不应大于 2 mm。

(4)风口的转动调节部分应灵活,叶片应平直,与边框不得碰接。

(5)各种风口,其插板应平整,边缘光滑,拉动灵活,能够安全开启、闭合。

(6)百叶风口的叶片间距应均匀,两端轴的中心应在同一直线上。平动式风叶与边框铆接松紧适当。

(7)散流器的扩散环和调节环应同轴,轴向间距分布应均匀。

(8)旋转式风口,应旋转灵活。

(9)球形风口内、外球面间的配合应松紧适度、转动自如,风量调节片应能有效地调节风量。

(10)风口根据使用材料选择不同的焊接方式,同时应符合焊接有关要求。

二、风阀制作的质量控制

(1)风阀制作应根据设计要求,严格选用相应材料,如需代换应报监理工程师批准。

(2)外框及风叶下料应采用机械加工,成型应采用专用工具。严禁土法上马。

(3)风阀内的转动部件按设计要求制作,无设计要求应采用有色金属制作。

(4)阀门的调节装置应准确、灵活,并标出阀门的启动方向。

(5)多叶片风阀的叶片应结合严密,间距均匀,搭接一致。

(6)止回阀阀轴必须灵活,阀板关闭严密,转动采用不易锈蚀的材料制作。

(7)防火阀制作所需钢材厚度不得小于 2 mm,转动部件在任何时候都应转动灵活。易熔片应为批准的并检验合格的正规产品,其熔点温度的允许偏差为 ± 2 ℃。

(8)风阀组装完成后应进行调整和检验,并根据要求进行防腐处理。

(9)若风阀规格过大,可将其割成若干小规格的阀门。

(10)防火阀在阀体制作完成后要加装执行机构并逐台进行检验。

三、罩类制作的质量控制

(1)罩类制作应根据设计要求,严格选用相应材料,如需代换应报监理工程师批准。

(2)罩类制作连接应按风管制作要求进行。

(3)排气罩的扩散角不应大于 60°。

(4)成品罩制作应尺寸准确,连接处应牢固,其外壳不应有尖锐的边缘。

四、风帽制作注意事项

(1)风帽制作应根据标准及设计要求,严格选用相应材料,如需代换应报监理工程师批准。

(2)风帽制作严格按照国标要求进行。

五、检查验收

待各类风管部件制作完毕,承包商应提交《工程质量报验单》及工程质量记录,附件如下:

(1)预检工程检查记录单。

(2)部件制作分项工程质量检验评定表。

(3)金属风管制作分项工程质量检验评定表。

监理工程师应依据《部件制作分项工程质量检验评定标准》及质量记录附件进行工程验收,合格后审批《工程质量报验单》,签署《工程质量认可证书》。

第五节 风管及部件的安装

一、预控措施

(1)各种材料产品应具有出厂合格证或质检证明及产品清单,监理工程师应认真检查,杜绝假冒产品用于工程。

(2)风管成品不允许有生锈、变形、开裂、孔洞,法兰不准有脱落、生锈等缺陷。

(3)加工工具应先进,严禁土法上马。

(4)风管安装前承包商应向监理工程师提交技术、质量、安全方案,待监理工程师批准后方可施工。

(5)风管安装前监理工程师应检查现场结构预留孔洞的位置、尺寸大小是否符合图纸要求(预留孔的尺寸应比风管尺寸每边大10 mm)。

(6)土建工程应满足风管安装的基本要求。

①送排风系统和空调系统的安装,要在建筑物围护结构施工完毕,室内清理干净,不影响安装施工的条件下进行。

②除尘系统风管安装,一般应在厂房的工艺设备安装完毕,或者设备的位置、高低、长宽已确定后进行。

③对于空气洁净系统的安装,应在建筑物内装饰工程已完毕,室内无灰尘飞扬,干净的条件下进行。

二、风管及部件安装工序质量控制

(一)风管及部件安装工艺流程

风管及部件安装工艺流程见图 9-2。

(二)监理工程师工作要点

(1)风管到位后,监理工程师检查风管的外观,有无生锈、变形、开裂、孔洞、法兰脱落开焊、偏铆、缺少螺栓孔眼。

(2)检查承包商确定的标高是否符合图纸设计要求。

(3)检查吊架的制作、材料、规格、做法是否符合设计要求。无设计要求时应符合下列要求:

①支架的悬臂、吊架的吊铁应采用角钢或槽钢制作;斜撑的材料一般用角钢;吊杆应采用圆钢;抱箍一般采用扁钢。

②各种型钢使用前要进行矫正、调直,切断应采用切割机,打孔应采用钻床。焊接应焊口饱满、美观。支架安装前应刷防锈漆。

③吊杆圆钢应通长,套丝不宜过长,丝扣末端不应超过托杆最

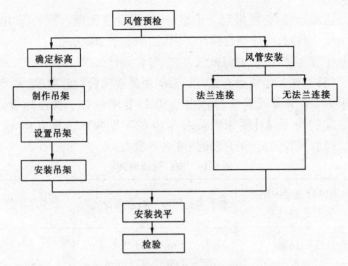

图 9-2　风管及部件安装工艺流程

低点。

④采用不锈钢、铝板风管的金属支架,抱箍应进行防腐、绝缘处理。

⑤采用扁钢抱箍时,抱箍圆弧应同圆风管相同。

(4)监理工程师应检查设置的吊点是否牢固,能否满足设计要求,同时应注意部件的安装是否满足设计要求及有关规定,预埋方法应符合设计要求,无设计要求应按下列方法进行:

①前期预埋:土建施工时,安装人员搞好前期配合,按照图纸坐标位置和支(吊)架个数、间距将预埋体固定在结构钢筋上。

②在砖墙上埋设支架,首先根据风管图纸及规范确定支架的位置;其次打出一个方洞,其尺寸应根据支架的大小确定,一般比支架型钢大 30~50 mm,深度一般为 150~200 mm;然后清理杂物,浇水湿润;最后用 1:2 水泥砂浆及石子将支架填密实,并保证支架达到水平要求。

③在楼板下埋设吊件,先确定吊卡位置,再用冲击钻在楼板上

打一透眼,然后在楼板剔一个槽,槽的深度应比埋入钢筋深 10～15 mm,槽的长度应符合设计要求,且不小于 200 mm。

④膨胀螺栓法、射钉枪法,均应符合设计要求。

(5)监理工程师检查支(吊)架间距是否符合设计要求,无设计要求时,不保温风管应符合表 9-10 的要求。对于保温风管,支(吊)架间距无设计要求时按表 9-10 的间距要求值乘以 0.85 系数。螺旋风管的支(吊)架间距可适当增大。

表 9-10 支(吊)架间距

圆形风管直径或矩形风管长边尺寸	水平风管间距	垂直风管间距	最少吊架数
≤400 mm	不大于 4 m	不大于 4 m	2 付
≤1 000 mm	不大于 3 m	不大于 3.5 m	2 付
>1 000 mm	不大于 2 m	不大于 2 m	2 付

(6)监理工程师应检查支(吊)架的标高是否正确,如圆形风管管径由大变小,为保证风管中心线水平,支架型钢上表面标高应作相应提高。对于有坡度要求的风管,托架的标高也应按风管的坡度要求安装。

(7)监理工程师应检查支(吊)架是否安装在风口、阀门、检查孔等处,是否影响操作,吊架是否直接吊在法兰上,对于保温风管不能直接与支(吊)托架接触,应垫上坚固的隔热材料,厚度同保温材料相同。

(8)监理工程师应检查法兰之间是否垫有垫料,垫料是否符合设计要求,无设计要求时按表 9-11 选用。

(9)监理工程师应检查风管的平整度(或坡度)是否符合设计要求,是否做密封处理,表面是否平整、美观。风管的法兰是否平行、严密,螺栓是否紧固,在同一侧排列是否整齐。

表 9-11　法兰间垫料

应用系统	输送介质	垫料材质及厚度(mm)		
一般空调系统及送、排风系统	温度低于70℃的洁净空气或含尘含湿气体	8501密封胶带	软橡胶板	闭孔海绵橡胶板
		3	2.5～3	4～5
高温系统	温度高于70℃的空气或烟气	石棉绳	耐热胶板	
		Ø8	3	
化工系统	含有腐蚀性介质的气体	耐酸橡胶板	软聚氯乙烯板	
		2.5～3	2.5～3	
洁净系统	有净化等级要求的洁净空气	橡胶板	闭孔海绵橡胶板	
		5	5	
塑料风道	含腐蚀性气体	软聚氯乙烯板		
		3～6		

三、检查与验收

待风管安装完毕,经通风检测合格,承包商应提交《工程质量报验单》及质量记录,附件如下:

(1)风管及部件安装分项工程质量检验评定表。

(2)预检工程检查记录表。

(3)隐蔽工程检查记录。

(4)自互检记录。

(5)风管漏风检测记录。

依据《风管及部件安装检验评定标准》进行验收,合格后审批《工程质量报验单》,签署《工程质量认可证书》。

第十章 建筑电器动力、避雷装置、接地系统及照明工程

第一节 工程质量预控措施

一、监理工程师工作要点

(1)电器动力、避雷装置、接地系统及建筑电器照明安装工程开工前,监理工程师应熟悉有关的工程技术资料、规范及设计图纸,协同承包商,对现场进行充分的调查和研究,审核承包商的施工组织设计。

(2)监理工程师对承包商施工人员进行严格考核,检查其有关资格证件,同时检查承包商的质量保证体系。

(3)监理工程师应组织有关人员召开"工地会议",协调各工种施工人员相互配合、相互支持,避免发生冲突,同时土建工作应达到如下要求:

①屋顶、楼板施工完毕。

②对安装有妨碍的楼板、脚手架已拆除。

③在预埋电力配电箱、钢管、接线盒等时,土建工程应将现场清理干净,给安装创造工作条件。

④室内地面基层施工完毕,并在墙上标出地面标高。

⑤设备安装工作必须在有可能损坏已安装设备的装饰工程施工完毕后进行。

⑥混凝土基础及构架达到允许安装的强度,设备支架焊接质量经检查符合要求。

⑦预埋件及预留孔符合设计要求,埋件牢固。

⑧门窗安装完毕。安装室外配电装置时场地必须平整。

⑨施工设备及杂物清除干净,施工道路畅通。

⑩填补空洞工作已完成。

⑪完成二次灌浆和抹面。

(4)建筑电器动力、避雷装置、接地系统及建筑电器照明安装工程开工前,监理工程师应对承包商报验的各种工程材料、构配件、设备进行检查验收,对不合格的工程材料、构配件、设备应清理出现场。

二、工程材料、构配件、设备的质量控制

凡所使用的材料、构配件、设备器材均应符合国家或部颁的现行技术标准,并有出厂合格证件,设备应有铭牌、说明书、保修卡,材料应有材质证明,进入工地的材料及设备应填写《工程材料验收单》,报监理工程师检查验收,材料、构配件、设备器材应符合设计要求。

凡施工用各种金属型钢、电缆、铜铝母线、绝缘子及穿墙套管的瓷件,金属紧固件及卡具、螺栓、阻燃型 PVC 塑料管、塑料阻燃型可挠管、镀锌钢管、圆钢、扁钢、角钢等所用材料均应符合设计要求,同时符合下列条件:

(1)凡采用中华人民共和国颁布的国家标准、部颁标准生产、制造的施工材料,均应交符合标准的材质证明,交监理工程师审核。

(2)凡采用无明确标准的施工材料,应按材料的主要用途提供1~2项主要材料性能指标及样品,报监理工程师审批。

(3)所有采购材料在进行采购之前,承包商应先编制采购计划,说明采购项目、材料产地、生产厂家,经监理工程师批准后方可采购。

(4)不论是图纸推荐的生产厂家,或承包商选定的厂家,采购的材料均应提交样品,填写《工程材料/构配件/设备报验单》,报监理工程师审核。

(5)承包商不得将不合格的材料用于工程,材料的代用均需监理工程师书面批准。

(6)承包商不能因为已报采购计划,提交样品,并具有产品合格证而减轻自己的责任。当监理工程师认为采购的材料质量不能满足工程设计及有关规定时,承包商应按监理工程师要求另行采购。

(7)所有材料当监理工程师认为需复检时,承包商应到经工程师批准的有资格检验的单位去进行复检。不合格材料应退场,承包商应重新采购材料。

三、设备电气器具的一般规定

(1)所有一切外购设备、电气器具在采购之前,应先编写采购计划、说明采购设备、电气器具名称、产地、生产厂商,报请监理工程师批准。待批准后,方可选择样品填写《工程材料/构配件/设备报验单》,报监理工程师批准后方可采购,经检验合格后方可用于工程。

(2)承包商虽然已报批采购计划,并具有产品合格证,并已报监理工程师审核合格,但仍应对设备的缺陷和质量问题承担责任。

第二节　电力变压器安装工程

电力变压器安装是指一般工业与民用建筑电器安装工程10 kV及以下室内变压器的安装。

一、变压器质量控制

(1)变压器应装有铭牌。铭牌上应注明制造厂名、额定容量、额定电压、电流、阻抗电压及接线组别等技术数据。

(2)变压器的容量、规格型号必须符合设计要求。附件齐全，并有出厂合格证及技术文件。

(3)变压器安装前应认真检查、保管，方法步骤如下：

①变压器到达现场后，应及时进行下列外观检查：变压器油箱联接螺栓齐全，无锈蚀或机械损失；油箱箱盖及其所有附件应齐全，密封良好，无渗漏油现象。

②带油运输的变压器及其附件应保持浸油保管，其油箱应密封。

③变压器到达现场后，如3个月内不能安装，应在1个月内进行下列工作：检查油箱密封情况；确定变压器内油的绝缘强度；测量绕组的绝缘电阻值。

④变压器在保管期间，应每3个月至少检查一次，有无渗油，油位是否正常，外表有无锈蚀，并应每6个月检查一次油的绝缘强度。

⑤变压器安装前应做器身检查，但满足下列条件之一时可不必进行：制造厂规定可不做器身检查者；运输过程中无异常情况者；仅做短途运输的变压器，如果质量符合要求，且在运输过程中进行了有效的监督，无紧急制动、剧烈振动、冲撞或严重颠簸等异常情况者。

二、电力变压器施工安装工序质量控制

(一)变压器安装工艺流程

变压器安装工艺流程见图10-1。

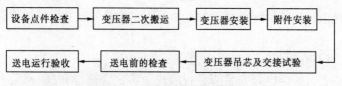

图 10-1 变压器安装工艺流程

(二)监理工程师工作要点

(1)监理工程师对进场设备进行验收,填写《工程材料、设备验收单》。

(2)监理工程师应检查承包商二次搬运的起重工具选用是否满足要求,索具是否合格,部件是否进行保护,同时注意以下几点:

①变压器搬运过程中,不应有冲击或严重震动情况,利用机械牵引时,牵引的着力点应在变压器以下,以防倾斜,运输倾斜角不得超过15°,防止内部结构变形。

②用千斤顶顶升大型变压器时,应将千斤顶放置在油箱专门部位。

③大型变压器在搬运或装卸前,应核对高低压侧方向,以免安装时调换方向,造成安装错误。

(3)监理工程师应检查变压器就位时,其方位和距墙尺寸是否符合设计要求(允许误差±25 mm)。设计无要求时,纵向按轨道定位,横向距离不得小于800 mm,距门不得小于1 000 mm,屋内吊环的垂线位于变压器中心,以便于吊芯。同时应满足下列要求:

①变压器基础的轨道应水平,轨距与轮距应配合。装有气体继电器的变压器,应使其顶盖沿气体继电器气流方向有1%~1.5%的升高坡度(制造厂规定不需要安装坡度者除外)。

②变压器宽面推进时,低压侧应向外;窄面推进时,油枕侧一般应向外。在装有开关的情况下,操作方向应留有1 200 mm以上的宽度。

③装有滚轮的变压器,滚轮应能转动灵活,在变压器就位后,

应将滚轮用能拆卸的制动装置加以固定。并采取必要的抗地震措施。

(4)在附件安装过程中,监理工程师应注意以下几项:

①气体继电器安装前是否经检验鉴定合格,同时应满足下列要求:

气体继电器应水平安装,观察窗应装在便于检查的一侧,箭头方向应指向油枕,与连通管的连接应密封良好。截油阀应位于油枕和气体继电器之间。

打开放气嘴,放出空气,直到有油溢出时将放气嘴关上,以免有空气使继电保护器误动作。

当操作电源为直流时,必须将电源正极接到水银侧的接点上,以免接点断开时产生飞弧。

事故喷油管的安装方位,应保证事故排油时不致危及其他电器设备;喷油管口应为割划有"十"字线的玻璃,以便发生故障时气流能顺利冲破玻璃。

②防潮呼吸器安装前,应检查硅胶是否失效,如已失效,应在115~120 ℃温度烘烤8 h,使其复原或更新。浅蓝色硅胶变为浅红色,即已失效;白色硅胶,不加鉴定一律烘烤。防潮呼吸器安装时,必须将呼吸器盖子上橡皮垫去掉,使其通畅,并在下方隔离器具中装适量变压器油,起滤尘作用。

③各种温度计安装应符合下列要求:

套管温度计应直接安装在变压器上盖的预留孔内,并在孔内加适量变压器油。刻度方向应便于检查。

电接点温度计安装前应进行校验,油浸变压器一次元件应安装在变压器顶盖上的温度计套筒内,并加适量变压器油;二次仪表挂在变压器一侧的预留板上。干式变压器一次元件应按厂家说明书位置安装,二次仪表安装在便于观测的变压器护网栏上。软管不得有压扁或死弯,弯曲半径不得小于50 mm,富余部分应盘圈并固定在温度计附近。

干式变压器的电阻温度计,一次元件应预埋在变压器内,二次仪表应安装在值班室或操作台上,导线应符合仪表要求,并加适当的附加电阻,校验调试后方可使用。

④电压切换装置安装各部件应符合下列要求:

变压器电压切换装置各分接点与线圈的联线应紧固正确,且接触紧密良好。转动点应正确停留在各个位置上,并与指示位置一致。

电压切换装置的拉杆、分接头的凸轮、小轴销子等应完整无损;转动盘应动作灵活,密封良好。

电压切换装置的传动机构(包括有载调压装置)的固定应牢靠,传动机构的摩擦部分应有足够的润滑油。

有载调压切换装置的调换开关的触头及铜辫子软线应完整无损,触头间应有足够的压力(一般为 8~10 kg)。

有载调压切换装置转动到极限位置时,应装有机械联锁与带有限位开关的电气联锁。

有载调压切换装置的控制箱一般应安装在值班室或操作台上,并应调整好,手动、自动工作正常,挡位指示正确。

电压切换装置吊出检查调整时,暴露在空气中的时间应符合表 10-1 的规定。

表 10-1　电压切换装置暴露在空气中的时间

环境温度(℃)	>0	>0	>0	<0
空气相对湿度(%)	65 以下	65~75	75~85	不控制
持续时间不大于(h)	24	16	10	8

⑤变压器的联线安装应注意以下规定:

变压器的一、二次联线,地线,控制管线均应符合相应各章的规定。

变压器一、二次引线的施工,不应使变压器的套管直接承受应力。

变压器工作零线与中性点接地线,应分别敷设。工作零线宜用绝缘导线。

变压器中性点的接地回路中,靠近变压器处,宜做一个可拆卸的连接点。

油浸变压器附件的控制导线,应采用具有耐油性能的绝缘导线。靠近箱壁的导线,应用金属软管保护,并排列整齐,接线盒应密封良好。

(5)变压器安装的应做吊芯检查,检查的环境及项目如下:

①吊芯检查应在气温不低于 0 ℃,芯子温度不低于周围空气温度,空气相对温度不大于 75% 的条件下进行(器身暴露在空气中的时间不得超过 16 h)。

②所有螺栓应紧固,并应有防松措施。铁芯无变形,表面漆层良好,铁芯应接地良好。

③线圈的绝缘层应完整,表面无变色、脆裂、击穿等缺陷。高低压线圈无移动变位情况。

④线圈间、线圈与铁芯、铁芯与轭铁间的绝缘层应完整,无松动。

⑤引出线绝缘良好,包扎紧固,无破裂情况,引出线固定应牢固可靠,其固定支架应紧固,引出线出套管连接牢靠,接触良好紧密,引出线接线正确。

⑥所有能触及的穿心螺栓应联接紧固。用摇表测量穿心螺栓与铁芯及轭铁、以及铁与轭铁之间的绝缘电阻,并做 1 000 V 的耐压试验。

⑦油路应畅通,油箱底部清洁无油垢杂物,油箱内壁无锈蚀。

⑧芯子检查完毕后,应用合格的变压器油冲洗,并从箱底油堵将油放净。吊芯过程中,芯子与箱不应碰撞。

⑨吊芯检查后如无异常,应立即将芯子复位并注油至正常油位。吊芯、复位、注油必须在 16 h 内完成。

⑩吊芯检查完成后,要对油系统密封进行全面仔细检查,不得有漏油、渗油现象。

(6)变压器的效力试验应由当地供电部门许可的试验室完成,其标准应符合规范、供电部门规定及技术资料要求。

三、检查验收

(一)基本工作

变压器安装完毕,承包商应向监理工程师提交《工程质量报验单》,同时提交有关质量记录附件,包括:

(1)产品合格证;

(2)产品出厂技术文件;

(3)设备材料进货检验记录;

(4)器身检查记录;

(5)交接试验报告;

(6)安装分项工程自互检记录。

(二)送电前检查内容

监理工程师应通知承包商做好送电前的检查,内容如下:

(1)已完成变压器安装的检查并检查合格;

(2)油漆完整,相色标志正确,接地可靠(注:A 相——黄色,B 相——绿色,C 相——红色)。

(3)变压器顶盖上无遗留杂物。

(4)事故排油设施完好,消防设施齐全。

(5)储油柜、净油器等油系统上的油门均应打开,油门指示正确,储油柜油位应正常。

(6)高压套管的接地小套管应接地;电压抽取装置不用时,其抽出端子也应接地;套管顶部结构的密封应良好。

(7)电压切换装置的位置应符合运行要求,指示位置正确。

(8)保护装置整定值(或熔丝电流)符合设计要求,操作及联动试验正确。

(三)通电检查

变压器完成送电前检查并满足要求后进行通电,加荷试运行24 h 按下列规定检查:

(1)中性点接地系统的变压器,在进行冲击合闸时,其中性点必须接地;

(2)变压器第一次使用时,可全电压冲击合闸,如有条件时应从零升压,冲击合闸时,一般可由高压侧投入;

(3)第一次受电后,持续时间不少于 10 min,变压器应无异常情况;

(4)变压器应进行 5 次全电压冲击合闸,并应无异常情况;

(5)带电后,检查变压器所有焊缝和连接面,不应有渗油现象。

第三节　电缆敷设工程

一、材料的质量控制

(1)所有材料规格、型号及电压等级等符合设计要求,并有产品合格证。

(2)每轴电缆应完好无损。

(3)电缆外观完好无损,铠装无锈蚀、无机械磨损,无明显折皱和扭曲现象。油浸电缆应密封良好,无漏油及渗油现象。橡胶套、塑料电缆外皮及绝缘层无老化及裂纹。

(4)各种金属型钢不应有明显锈蚀,管内无毛刺。所有紧固螺栓均应采用镀锌件。

(5)在运输装卸过程中,不应使电缆及电缆盘受到损伤,禁止将电缆盘直接由车上推下。电缆盘不应平放运输、平放储存。

（6）运输或滚动电缆盘前,必须检查电缆盘的牢固性。滚动方向必须顺着电缆缠紧方向。

（7）电缆及附件如不立即安装,应按下述要求储存:

①电缆应集中分类存放,盘上应标明型号、电压、规格、长度。电缆盘之间应有通道。地基应坚实(否则盘下应加垫),易于排水;橡塑护套电缆应有防日晒措施。

②电缆附件与绝缘材料的防潮包装应密封良好,并应置于干燥室内。

二、预控措施

（1）电缆安装前土建工程应具备下列条件:

①与电缆线路安装有关的建筑物、构筑物土建工程质量,应符合《建筑工程施工及验收规范》中的有关规定。

②电缆线路安装前,土建工作应具备下列条件:预埋件符合设计,安置牢固,预留孔洞位置正确;电缆沟处的地坪及抹面工作结束;电缆沟的施工临时设施、模板及建筑废料等清理干净,施工用道路畅通,盖板备件齐全;电缆沟排水畅通。

（2）电缆桥架、电缆托盘、电缆支架及电缆过管、保护管安装完毕,并经检验合格。

（3）配电室内全部电器设备及用电设备配电箱安装完毕。

（4）电缆线路安装完毕后投入运行前,土建应完成的工作为由于预埋件补遗、开孔、扩孔等需要而造成的土建修饰工作。

（5）电缆管的加工及敷设应符合设计要求,同时满足下列条件:

①金属电缆管不应有穿孔、裂缝,也不应有显著的凹凸不平及严重锈蚀等情况,管子内壁应光滑,无毛刺。

②电缆管在弯制后不应有裂缝或显著的凹瘪现象,一般弯扁

程度不大于管子外径的 10%,管口应做成喇叭形或磨光。

③电缆穿墙保护管:直线段,保护管长度在 30 m 以下时,管内径应不小于电缆外径的 2 倍;保护管长度在 30 m 以上时,管内径应不小于电缆外径 3 倍。有一个弯曲时应不小于 2.5 倍,有两个弯曲时应不小于 3 倍。电缆穿石棉水泥管,其内径不应小于 100 mm。

④电缆管的弯曲半径应符合所穿入电缆弯曲半径的规定。每根电缆管最多不应超过 3 个弯头,直角不应多于 2 个。

(6)电缆管的连接应符合下列要求:

①金属管宜采用大一级的短管套接,短管两端焊牢密封;当采用带有丝扣的管接头时,连接处应密封良好。

②采用钢管作电缆管时,应在外表涂防腐漆(埋入混凝土内的管子可不涂漆);采用镀锌管时,锌层剥落处也应涂防腐漆。

③引至设备的电缆管管口位置,应便于设备连接并不妨碍设备拆卸和进出。并列敷设的电缆管管口应排列整齐。

(7)利用电缆管作接地线时,应先焊好接地线,再敷设电缆。有丝扣的管接头,应用跳线焊接。

(8)敷设石棉水泥管等电缆管时,其地基应坚实、平整,不应有沉陷。电缆管的敷设应符合下列要求:

①电缆管的埋置深度应满足设计及规范要求,在人行道下面敷设时,不应小于 500 mm;

②电缆管应有不小于 0.1% 的排水坡度;

③电缆管的内表面应光滑,连接时管孔应对准,接缝应严密。

三、电缆敷设工程工序质量控制

(一)电缆敷设施工工艺流程
电缆敷设施工工艺流程见图 10-2。

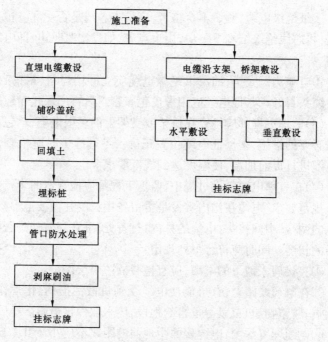

图 10-2 电缆敷设施工工艺流程

(二)监理工程师工作要点

(1)施工前监理工程师应对现场的电缆进行详细检查,电缆的规格、型号、截面、电压均应符合设计要求,外观无扭曲、损坏等现象。

(2)电缆敷设前监理工程师应检查承包商是否对电缆进行绝缘摇测或耐压试验,试验应按下列要求进行:

①1 kV 以下电缆,用 1 kV 摇表摇测线间及对地的绝缘电阻,应不低于是 10 MΩ。

②3~10 kV 电缆应事先做耐压和泄漏试验,试验标准应符合国家和当地供电部门规定。必要时敷设前仍需用 2.5 kV 摇表测量绝缘电阻是否合格。

③纸绝缘电缆,测试不合格者,应检查芯线是否受潮。检查方法是:将芯线绝缘纸剥下一块,用火点着,如发出叭叭声,即电缆已受潮。

④电缆测试完毕,油浸纸绝缘电缆应立即用焊料(铅锡合金)将电缆头封好。其他电缆应用橡皮包布密封后再用黑包布包好。

(3)监理工程师应检查在桥架或支架上的多根电缆,承包商应采取必要的措施,来保证电缆位置正确。冬季施工时应检查是否对电缆进行提前加温,使温度达到规范要求。

(4)在直埋电缆敷设过程中,监理工程师应检查弯曲半径是否符合规范要求,电缆在沟内敷设是否留备用长度并做波浪形敷设,电缆的两端、中间接头,电缆的井内、过管处、垂直高差处是否留有适当的长度。同时应符合下列规定:

①直接埋入地下的电缆,应有铠装的防腐层保护。

②在电缆线路上,有可能使电缆受到机械性损伤、化学作用、热影响、腐殖物质、虫鼠等危害的地段,应采取保护措施。

③电缆埋置深度:电缆表面距地面的距离不应小于 0.7 m,穿越农田时不应小于 1 m,只有在引入建筑物、与地下建筑物交叉及绕过地下建筑物处,可埋设浅些,但应采取保护措施。

④电缆之间、电缆与其他管道、道路、建筑物等之间平行和交叉时的最小距离,应符合表 10-2 的规定。严禁将电缆平行敷设于管道的上面或下面。

⑤电缆与公路、城市街道、厂区道路交叉时,应敷设于坚固的保护管内,电缆管两端宜伸出道路路基两边各 2 m,伸出排水沟各 0.5 m,在城市街道应伸出车道路面。

⑥直埋电缆,埋入前需将沟底铲平夯实,电缆上、下须铺以不小于 100 mm 厚的软土或沙层,并盖以混凝土保护板或砖,其覆盖宽度超过电缆两侧各 50 mm,软土或沙中不应有石块和其他硬质杂物。

表 10-2　电缆保护净间距

序号	项　目	最小允许净距(m) 平行	最小允许净距(m) 交叉	备　注
1	电力电缆间及其与控制电缆间 (1)10 kV 及以下 (2)10 kV 以上	0.10 0.25	0.50 0.50	(1)控制电缆间平行敷设的间距不作规定;序号第1、3项,当电缆用隔板隔开时,行净距可降低为 0.1 m
2	控制电缆间		0.50	
3	不同使用部门的电缆间	0.50	0.50	(2)在交叉点前后 1 m 范围内,如电缆穿入管中或用隔板隔开,交叉净距可降低为 0.25 m
4	热管道(管沟)及热力设备	2.00	0.50	(1)虽净距能满足要求,但检修管路可能伤及电缆时,在交叉点前后1 m 范围内,尚应采取保护措施
5	油管道(管沟)	1.00	0.50	
6	可燃气体及易燃液体管道(管沟)	1.00	0.50	
7	其他管道(管沟)	0.50	0.50	(2)当交叉净距不能满足要求时,应将电缆穿入管中,则其净距可减为 0.25 m
8	公路	1.50	1.00	
9	城市街道路面	1.00	0.70	
10	电杆基础(边线)	1.00		(3)对序号第 4 项,应采取隔热措施,使电缆周围土壤的温升不超过 10 ℃。特殊情况下,平行净距可酌减
11	建筑物基础(边线)	0.60		
12	排水沟	1.00	0.50	

注:当电缆管壁或者其他管道有防护设施(如管道的保温层等)时,表中净距应从管壁或防护设施的外壁算起。

⑦电缆回填土应去掉各种杂物并夯实。

⑧直埋电缆沿线及接头处应有明显的方位标志或牢固的标桩。

⑨直埋电缆应在回填土前进行隐蔽工程验收,并绘制竣工图,标明坐标、部位与走向。

(5)在电缆沿支架、桥架敷设施工过程中,监理工程师应检查:

①电缆沿桥架或托盘敷设时,应单层敷设,排列整齐,不得有

交叉。

②不同等级电压的电缆应分层敷设,高压电缆应敷设在上层。

③同等级电压的电缆沿支架敷设时,水平净距不得小于 35 mm。

④电缆垂直敷设时,支架距离不得大于 1.5 m;电缆穿过楼板时,应装套管,敷设完后应将套管用防火材料封堵严密。

(6)电缆终端头与电缆接头应符合设计要求,同时符合下列规定:

①电缆终端头或电缆接头的制作,应由经过培训的熟悉工艺的人员进行,或在前述人员的指导下进行工作。

②电缆终端头及电缆接头制作时,应严格遵守制作工艺规程。

③室外制作电缆终端头及电缆接头时,应在气候良好的条件下进行,并应有防止尘土和外来污物的措施。

④在制作电缆终端头及电缆接头前应作好检查工作,并要求:相位正确,所用绝缘材料应符合要求,配件应齐全、合格。

⑤电力电缆的终端头、电缆接头的外壳与该处的电缆金属护套及铠装层均应接地良好。接地线应采用铜绞线,其截面不宜小于 10 mm^2。

⑥电缆终端头与电气装置连接时,应符合本章"母线装置"的有关规定。

(7)电缆终端头与电缆接头制作要求

①电缆终端头与电缆接头从开始剥切到制作完毕必须连续进行,一次完成,以免受潮。

②剥切电缆时不得伤及线芯绝缘。包缠绝缘时应注意清洁,防止污秽与潮气浸入绝缘层。

③灌胶前应将电缆头所用环氧复合物搅拌均匀,灌时应防止气泡产生。

④直埋电缆接头盒的金属外壳及电缆的金属护套应做防腐处

理。

⑤电缆芯线的连接,均应采用圆形套管连接,铜芯用铜套管压接或焊接,铝芯用铝套管压接。

⑥电缆芯连接时,其连接管和接线端子的规格应与芯相符;采用压接时,压模的尺寸与导线的规格相符;采用焊锡焊接铜芯时不应使用酸性焊膏。

⑦铝芯电缆的连接均采用压接,在压接前须清除氧化膜;套管压接后的整体不应有变形、弯曲等现象。

⑧控制电缆终端头可采用一般包扎,电缆接头应有防腐措施。

四、检查验收

(1)电缆敷设完毕,承包商应向监理工程师提交《工程质量报验单》,同时提交有关质量记录附件,包括:

①电缆产品合格证。

②电缆绝缘摇测记录或耐压试验记录。

③隐蔽工程验收记录。

④各种金属型钢材质证明、合格证。

⑤自互检记录。

⑥电缆工程分项质量检验评定记录。

⑦分项工程验收记录。

⑧直埋电缆线路的敷设位置图,比例为 1:500,在管线稀少,地形简单时可用1:1 000。图上必须标明各线路的相对位置,并有地下管线剖面图。

⑨电缆线路的原始安装记录:电缆及电缆终端头、电缆接头的规格(型号、电压)、安装日期,电缆实际敷设长度。

(2)同时进行下列检查:

①电缆规格应符合规定,排列整齐,无机械损伤,标志牌应装备齐全、正确、清晰。

②电缆的固定、弯曲半径、有关距离等应符合要求。

③电缆端头、电缆接头应安装牢固。芯线连接紧密,相位一致,包扎严密。

④支架安装应平正、牢固、间距均匀、排列整齐,油漆完好。

⑤电缆保护管管口应光滑无毛刺,排列整齐,连接紧密。弯曲半径与电缆弯曲半径一致。表面不应有显著的折皱不平和弯扁现象。出入地沟和建筑物的管口应封闭严密。

⑥接地连接紧密、牢固,防腐处理应均匀,无遗漏。

第四节　硬母线安装

一、材料的质量控制

(1)铜、铝母线应有产品合格证及材质证明,并符合表 10-3 的要求。

表 10-3　铜、铝母线质量检查标准

母线名称	母线型号	最小抗拉强度 (MPa)	最小伸长率 (%)	20 ℃时最大电阻率 (Ω·m)
铜母线	TMY	255	6	1.78×10^{-5}
铝母线	LMY	155	3	2.90×10^{-5}

(2)母线表面应光洁平整,不应有裂纹、折皱、夹杂物及变形和扭曲现象。

(3)绝缘子及穿墙套管的瓷件,应执行国家标准和有关电瓷产品技术条件的规定,并有产品合格证。

(4)绝缘材料的型号、规格、电压等级应符合设计要求,外观无损伤及裂纹,绝缘良好。

(5)金属紧固件及卡具,均应采用热镀锌件。

(6)母线安装前,屋顶不漏水,墙面喷浆完毕,场地清理干净,门窗齐全,电气设备安装完毕,验收合格,预留孔及预埋件尺寸、强度均符合设计要求。

(7)支柱绝缘子的底座、套管的法兰以及保护罩(网)等不带电的金属构件应按有关接地要求进行接地。接地线应排列整齐,配置方向一致。

(8)母线与母线、母线与分线及电器端子搭接连接时,其搭接面的处理应符合下列规定:

①铜—铜,在干燥的室内可直接连接,室外必须搪锡。

②铝—铝,在任何情况下必须搪锡或镀锌。

③钢—钢,在任何情况下必须搪锡或镀锌。

④铜—铝,在干燥的室内铜导体应搪锡,室外应使用铜铝过渡段。

⑤在任何情况下,钢搭接面必须搪锡。

(9)母线的相序排列,如设计无规定时,应遵守下列规定(以面对屏或设备正视方向为准):

①上下布置的母线,交流 A、B、C,应由上向下;

②水平布置的母线,交流 A、B、C,应由内向外;

③引下线的母线,交流 A、B、C,应自左向右。

(10)三相交流母线,采用单片母线者(包括钢母线),在所有各面应按下列规定涂刷相色油漆:A 相为黄色,B 相为绿色,C 相为红色,地为黑色。

(11)母线的螺栓连接处、母线与电器的连接处以及距所有连接 10 mm 以内的地方,不应涂刷相色油漆。

(12)母线安装时应符合室内、外配电装置安全距离的规定。

(13)母线应矫正平直、切断面平正,矩形母线搭接连接时,应按设计及有关规范要求进行,当母线与设备端子连接时,尚应根据设备端子的结构而定。

二、硬质母线安装工序质量控制

(一)硬质母线安装工艺流程
硬质母线安装工艺流程见图 10-3。

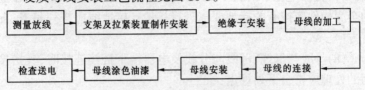

图 10-3　硬质母线安装工艺流程

(二)硬质母线安装工程要点

(1)监理工程师应核对母线及支架敷设是否符合图纸要求,配电柜内安装母线与设备上其他部件安全距离是否符合要求。

(2)监理工程师应检查承包商在绝缘子安装前是否进行摇测绝缘(绝缘值大于 1 MΩ 为合格),6～10 kV 支柱绝缘子安装前不做耐压试验。检查绝缘子外观是否合格。

(3)监理工程师应检查母线安装前是否调直,方法是否正确(一般用母线调直器进行,人工调直时应采用木锤、垫木),锯口是否整齐。

(4)监理工程师应检查承包商在母线弯曲时是否采用专用工具(母线煨弯器)冷煨。弯曲处不得有裂纹及显著的折皱。母线扭弯扭转部分长度不得小于母线宽度的 2.5～5 倍。母线平弯及立弯的弯半径应符合表 10-4 的规定。

(5)监理工程师应检查母线的连接是否符合设计要求,无设计要求时应符合下列要求:

①采用焊接时,焊缝距离弯曲点或绝缘子边缘不得小于 50 mm,同一相如有多片母线,其焊缝应相互错开,错距不得小于 50 mm。铝及铝合金母线的焊接应采用氩弧焊,铜母线焊接可采用

表 10-4　矩形母线最小弯曲半径

弯曲方式	母线断面尺寸 $b \times h$ (mm×mm)	最小弯曲半径(mm)		
		铜	铝	钢
平弯	50×5	2 h	2 h	2 h
	125×10	2 h	2.5 h	2 h
立弯	50×5	1 b	1.5 b	0.5 b
	125×10	1.5 b	2 b	1 b

201 号或 202 号紫铜焊条、301 号铜焊粉或硼砂。

②焊接前应当用钢丝刷清除母线坡口处的氧化层,将母线用耐火砖等垫平对齐,防止错口,坡口处根据母线规格留出 1～5 mm 的间隙。焊缝应凸起呈弧形,平焊缝上部应有 2～4 mm 加强厚度,角焊缝加强高度为 4 mm。焊缝不得有裂纹、夹渣、未焊透及咬肉等缺陷,焊完后应趁热用足够的水清洗掉焊药。

③采用螺栓固定搭接时,母线钻孔尺寸及螺栓规格见表10-5。

④矩形母线采用螺栓固定搭接时,连接处距支柱绝缘子的夹边缘不应小于 50 mm;上片母线端头与下片母线平弯开始处的距离不应小于 50 mm。

⑤母线与母线、母线与分支线、母线与电器接线端子搭接时,其搭接面必须平整、清洁,涂以电力复合脂,并符合有关规定。铜与铝:在干燥室内,铜母线搪锡;室外或空气相对湿度较大时,应采用铜铝过渡板,铜端应搪锡。

⑥母线采用螺栓连接时,平垫圈应选用专用厚垫圈,并必须配齐弹簧垫。螺栓、平垫圈及弹簧垫必须用镀锌件。螺栓长度应考虑在螺栓紧固后丝扣能露出螺母 5～8 mm。

⑦母线的接触面应连接紧密,连接螺栓应用力矩扳手紧固,其紧固力矩值符合表 10-6 的规定。

(6)监理工程师应检查母线安装是否符合设计要求,无设计要

表 10-5　矩形母线搭接要求

类别	序号	连接尺寸(mm)			钻孔要求		螺栓规格
		b_1	b_2	a	$\emptyset$ (mm)	个数	
直接连线	1	125	125	b_1 或 b_2	21	4	M20
	2	100	100	b_1 或 b_2	17	4	M16
	3	80	80	b_1 或 b_2	13	4	M12
	4	63	63	b_1 或 b_2	11	4	M10
	5	50	50	b_1 或 b_2	9	4	M8
	6	45	45	b_1 或 b_2	9	4	M8
直接连线	7	40	40	80	13	2	M12
	8	31.5	31.5	63	11	2	M10
	9	25	25	50	9	2	M8
垂直连接	10	125	125		21	4	M20
	11	125	100~80		17	4	M16
	12	125	63		13	4	M12
	13	100	100~80		17	4	M16
	14	80	80~63		13	4	M12
	15	63	63~50		11	4	M10
	16	50	50		9	4	M8
	17	45	45		9	4	M8
垂直连接	18	125	50~40		17	2	M16
	19	100	63~40		17	2	M16
	20	80	63~40		15	2	M14
	21	63	50~40		13	2	M12
	22	50	45~40		11	2	M10
	23	63	31.5~25		11	2	M10
	24	50	31.5~25		9	3	M8
垂直连接	25	125	31.5~25	60	11	2	M10
	26	100	31.5~25	50	9	2	M8
	27	80	31.5~25	50	9	2	M8
垂直连接	28	40	40~31.5		13	1	M12
	29	40	25		11	1	M10
	30	31.5	31.5~25		11	1	M10
	31	25	22		9	1	M8

求应符合下列规定：

①母线在支撑点的固定：对水平安装的母线应采用开口元宝卡子，对垂直安装的母线应采用母线夹板。母线只允许在垂直部分的中间夹紧在一对夹板上，同一垂直部分其余的夹板和母线之间应留有 1.5~2 mm 的间隙。

表 10-6　紧固力矩值

螺栓规格(mm)	力矩值(N·m)	螺栓规格(mm)	力矩值(N·m)
M8	8.8~10.8	M16	78.5~98.1
M10	17.7~22.6	M18	98.0~127.4
M12	31.4~39.2	M20	156.9~196.2
M14	51.0~60.8	M24	274.6~313.2

②母线安装的最小安全距离见表 10-7。

表 10-7　母线安装的最小安全距离

项　　目	额定电压		
	1~3 kV	6 kV	10 kV
带电部分至地及不同相带电部分之间(A)	75	100	125
带电部分至栅栏(B_1)	825	850	875
带电部分至网状遮拦(B_2)	175	200	225
带电部分至板状遮拦(B_3)	105	130	155
无遮拦裸导体至地面(C)	2 375	2 400	2 425
不同分段的无遮拦裸导体间(D)	1 875	1 900	1 925
出线套管至室外通道路面(E)	4 000	4 000	4 000

③母线支撑点的间距，低压母线不得大于 900 mm，高压母线不得大于 1 200 mm。低压母线垂直安装且支撑点间距无法满足要求时，应加装母线绝缘夹板。

(7)监理工程师应检查母线的安装做法是否符合设计及电器安装施工验收规范。

(8)监理工程师应检查母线的涂色是否符合设计要求及规范规定。

(9)监理工程师应检查承包商安装的母线绝缘子及套管是否符合设计要求。同时应符合下列要求：

①母线绝缘子及套管安装前应进行检查，要求瓷件、法兰应完整无裂纹，胶合处填料完整，结合牢固。

②10 kV绝缘子及套管安装前应按国家标准（GB311—64）的规定，加42 kV交流电压进行耐压试验，加至试验标准电压后的持续时间为1 min，且试验合格。

③支柱绝缘子或穿墙套管的顶面，应位于同一平面上，其中心线位置应符合设计要求。

④母线直线段的支柱绝缘子的安装中心线应在同一直线上。

⑤支柱绝缘子和穿墙套管安装时，其底座或法兰盘不得埋入混凝土或抹灰层内。

⑥支柱绝缘子叠装时，中心线应一致，其固定位置牢固，连接螺栓齐全。

⑦无底座和顶帽的低压支柱绝缘子与金属固定件接触面间应垫以厚度不小于1.5 mm的橡胶或石棉纸等垫圈。

⑧套管安装前尚应符合下列要求：安装套管的孔径应比嵌入部分至少大5 mm；混凝土板的最大厚度不得超过50 mm；套管垂直安装时，法兰应在上，水平安装时，法兰应在外；600 A及以上母线套管端部的金属夹板（紧固件除外），应选用非磁性材料，其与母线之间应有金属相连，接触应稳固；金属板厚度不宜小于3 mm。

三、检查验收

(1)硬质母线安装完毕，承包商应向监理工程师提交《工程质

量报验单》,同时提交有关质量记录附件,包括:

①产品合格证。

②材料检查记录。

③设备材料检验记录。

④预检记录。

⑤自互检记录。

⑥绝缘摇测记录。

⑦耐压试验报告。

⑧分项工程质量评定记录。

⑨设计变更洽商记录。

(2)监理工程师应通知承包商做好送电前检查工作,内容如下:

①母线安装完后,要全面进行检查,清理工作现场的杂物。

②母线送电前应进行耐压试验,500 V 以下,母线可用 500 V 摇测,绝缘电阻不小于 0.5 MΩ。

③送电程序应为:先高压,后低压;先干线,后支线;先隔离开关,后负荷开关。停电时同上述顺序相反。

(3)经过送电试验合格,监理工程师应根据承包商提交的质量记录附件及《建筑电气安装工程质量检查评定标准》对硬母线安装工程进行验收,同时审核《工程质量报验单》,签署《工程质量认可证书》。

第五节　高压开关安装

本节主要讲述 6～10 kV 一般工业与民用建筑电气安装工程的隔离开关、负荷开关安装的施工监理。

一、有关规定

(1)高压开关设备规格、型号、电压等级应符合设计要求。

(2)设备应有铭牌,注明生产厂家及规格、型号,并有产品合格证及技术文件。

(3)设备附件齐全,外观检查完好,瓷件无破损及裂纹。

(4)安装用的材料均应有合格证,材料规格、型号符合设计要求,型钢无明显锈蚀。除地脚螺栓外,其他紧固螺栓及垫圈均应采用镀锌件。

(5)高压开关安装前,土建工作应具备下列条件:

①土建工程基本施工完毕,装饰工程施工完毕,场地清理干净。

②预埋件符合设计要求,安置牢固,预留孔洞位置正确。

③同高压开关有关的电气设备(如开关柜、变压器)安装完毕,验收合格。

二、高压开关安装工程工序质量控制

(一)高压开关安装工艺流程

高压开关安装工艺流程见图10-4。

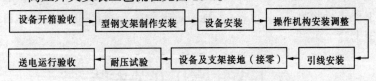

图10-4 高压开关安装工艺流程

(二)监理工程师工作要点

(1)监理工程师应对进场设备开箱验收。按照清单及技术资料,核对设备规格、型号是否符合设计要求,附件是否齐全,有无产品合格证,设备外观是否破损,部件是否有松动,是否是假冒伪劣产品。

(2)监理工程师应检查型钢支架制作安装、设备安装是否符合设计及施工规范要求,设备安装是否平整、垂直,安装后的设备底座受力是否均匀、固定是否牢固。

(3)监理工程师应检查操作机构安装与调整是否符合设计要求,无设计要求时应符合下列要求:

①固定轴距地面高度 1 m;靠墙安装,手柄中心距侧墙不应小于 0.4 m;侧墙安装,手柄中心距侧墙不应小于 0.3 m。手柄与带电部分距离不应小于 1.2 m;操作机构应灵活可靠,拉合位置正确。带电动跳闸或辅助开关的操作机构,应动作可靠,位置准确。

②开关刀片与固定触头应对准,插入深度应满足开关要求,接触紧密,两侧压力均匀。

(4)监理工程师应检查引线安装是否符合设计要求,无设计要求时可按下列要求:

①靠墙安装高压负荷开关与进线电缆的连接应经过母线。

②高压开关引线应符合相应规范规定。

(5)监理工程师应检查高压开关不应带电的金属部分及操作机构,金属部分是否可靠接地,接地线可选用软铜线,截面不应小于 10 mm^2,接地应符合设计及有关规范。

三、检查与验收

待高压开关安装施工完毕,承包商应提交《工程质量报验单》及工程质量记录附件,包括:

(1)设备及材料进货检验记录。

(2)产品合格证。

(3)自互检记录。

(4)设计变更洽商记录。

(5)预检记录。

(6)钢材材质证明。

(7)分项工程质量评定记录。

根据《工程质量报验单》及质量记录附件,按照高压开关安装工程检验评定标准进行验收,不符合的立即纠正。检查无误后可同其他高压设备同时进行送电前工频耐压试验。试验合格后,同其他设备一起进行送电试运行,空载运行 24 h 无异常为合格。运行合格后,监理工程师签署《工程质量认可证书》。

第六节　避雷装置、接地系统安装工程

一、有关规定

(1)在选择镀锌钢材时,应注意采用冷镀锌还是热镀锌材料,应符合设计要求。产品应有材料合格证及产品出厂合格证。

(2)接地装置应采用热镀锌的钢接地体,接地装置的导体截面应符合热稳定和机械强度的要求,不应小于表 10-8 所列规格。

表 10-8　钢接地体和接地线的最小规格

种类规格	地上		地下	
	室内	室外	交流电路回路	直流电路回路
圆钢直径(mm)	6	8	10	12
扁钢截面(mm²)	60	100	100	100
厚度(mm)	3	4	4	6
角钢厚度(mm)	2	2.5	4	6
钢管管壁厚度(mm)	2.5	2.5	3.5	4.5

(3)低压电器设备地面上外露接地线的截面不应小于表 10-9 所列数值。

(4)不得在地下利用裸导体作为接地体或接地线。

(5)采用化学方法降低土壤电阻率时,所用材料应符合下列要求:

表 10-9　低压电器设备接地线最小截面

名　　称	钢(mm²)	铝(mm²)	铜(mm²)
明敷的裸导体	4	6	
绝缘导体	1.5	2.5	1.2
电缆的接地芯或与相线包在同一保护外壳内的多芯导线的接地芯	1	1.5	

①对金属腐蚀性弱。

②水溶性成分含量低。

(6)可使用蛇皮管、保温管的金属外皮或金属网以及电缆的金属护层作接地线。但在电器设备需接地的房间内,电缆的金属护层应接地,并应保证其全长为完好的电气通路。

(7)隐蔽部分,必须经监理检查后方能覆盖,并作好隐蔽记录。

(8)所有电气装置中,由于绝缘损坏面可能带电的电气装置,其金属部分均应有保护接地,应接地的部分如下:

①电动机及其他电器的金属底座和外壳。

②电气设备的传动装置。

③屋内外配电装置的金属或钢筋混凝土构架以及靠近带电部分的金属遮拦和金属门。

④配电、控制、动力、照明箱(盘)的框架。但安装在配电箱(盘)上的电气测量仪表和其他低压电器等的外壳及底座可不接地。

⑤穿线的钢管及接线盒。

(9)接地线不可作其他用途。

(10)接地体顶面埋设深度不应小于 0.6 m,角钢及钢管接地体应垂直埋设。除接地体外,接地体的引出线应做防腐处理,使用镀锌扁钢时,引出线的焊接部分应补刷防腐漆。

(11)为减少相邻接地体的屏蔽作用,垂直接地体的长度不宜小于 2.5 m,水平接地体的间距应根据设计规定,不宜小于 5 m。

(12)接地体与建筑物的距离不宜小于 3 m。

(13)接地线应防止发生机械损伤和化学腐蚀,在与道路、管道等交叉及其他可能使接地线遭受机械损伤处,均应用管子或角钢等加以保护。接地线在穿过墙壁时应通过明孔、钢管或其他坚固的保护管。

(14)接地干线至少应在不同的两点与接地网相连,接地体至少应在不同的两点与接地干线相连接。

(15)电气装置的每个接地部分应以单独的接地线与接地干线相连接。

(16)接地体上填土内不应夹有石块、建筑材料或垃圾等。

(17)明敷接地线的安装应符合下列要求:

①便于检查。

②敷设位置不应妨碍设备的拆卸与检修。

③支持件间的距离在水平直线部分一般为 1 m,垂直部分为 1.5 m,转弯部分为 0.5 m。

④接地线应按水平或垂直敷设,但亦可与建筑物倾斜结构平行,在直线段上不应有高低起伏及弯曲情况。

⑤接地线与建筑物墙壁水平敷设时,离地面宜保持 250~300 mm 的距离。接地线与建筑物墙壁间隙不小于 10 mm。

⑥接地线跨越建筑物伸缩缝、沉降缝时,应加设补偿器,补偿器可用接地线本身弯成弧状代替。

(18)明敷的接地线表面应涂黑。如因建筑的设计要求,需涂成其他颜色,则应在连接处及分支处涂以各宽为 15 mm 的两条黑带,其间距为 150 mm。在三相四线网络中,如接有单相分支线用零线作接地线时,零线在分支点应涂黑色带,以便识别。

(19)在接地线引向建筑物内的入口处,一般应标以黑色记号。

(20)接地体(线)的连接应采用搭接焊,其焊接长度必须为:

①扁钢宽度的二倍(且至少三个棱边焊接)。

②圆钢直径的 6 倍。

③圆钢与扁钢连接时,其长度为圆钢直径的 6 倍。

④扁钢与钢管(或角钢)焊接时,为了连接可靠,除应在其接触部位两侧进行焊接外,并应焊以由钢板弯成的弧形(或直角形)卡子,或直接由钢板本身弯成弧形(或直角形)与钢管(或角钢)焊接。

二、避雷与接地安装工程工序质量控制

(一)避雷与接地安装工程工艺流程

避雷与接地安装工程工艺流程见图 10-5。

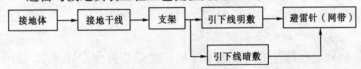

图 10-5 避雷与接地安装工程工艺流程

(二)监理工程师工作要点

1. 人工接地时监理要点

(1)监理工程师应检查采用人工接地体是否符合设计要求及本章前述的有关要求。

(2)监理工程师应检查承包商挖掘的接地体线路沟深度是否达到设计要求,无设计要求时一般为 0.8~1 m。

(3)在安装接地体时,监理工程师要旁站监督。接地体要打入沟底,用扁钢(侧放)焊接并刷沥青防锈,接地引线要留有足够的连接长度。

(4)接地体安装完毕后,监理工程师应及时进行隐蔽检查:接地体材质、位置、焊接质量、接地体(线)的截面规格等均应符合设计及施工验收规范要求,经检验合格后进行地阻摇测其数值填写在隐检记录上。

2．自然基础接地时监理要点

（1）当采用自然基础接地时,监理工程师应检查承包商的施工组织设计,施工方案是否完善,防止钢筋漏焊、基础接地体连接断开。

（2）当采用无防水底板钢筋或深基础作接地体时,监理工程师应检查承包商是否按设计图纸位置要求,将柱筋(且不少于2根)同底板钢筋搭接焊好,将室外地面以下将柱筋焊好连接板、清除药皮,并将焊接的柱筋用油漆做好标记。

（3）当采用柱形桩基及平台钢筋作接地体时,监理工程师应检查承包商是否把每组桩基四角筋搭接封焊,再与柱主筋(不少于2根)焊好,是否在室外地面以下将主筋焊好连接板、清除药皮,并把焊接的主筋用油漆做好标记,方便引出和检查。

3．接地干线的安装监理

监理工程师应检查接地干线的安装是否符合设计要求,接地干线穿墙时,是否加套管进行保护;在跨越伸缩缝时,是否做煨弯补偿;接地干线是否设有为测量接地电阻而预备的断接卡子;接地干线跨越门口时,是否暗敷设于地面下;接地干线是否刷黑色油漆。通常接地干线应与接地体用扁钢相连接,室内的接地干线多为明敷,但部分设备连接的支线需经过地面,也可暗设在混凝土内;室外接地干线与支线一般敷设在沟内。

1）室外接地干线敷设

首先进行接地干线的调直、测位、打眼、煨弯,将断接卡子及接地端子装好,接地干线末端露出地面不超过500 mm,以方便接引地线。

2）室内接地干线明敷设

按设计要求的位置,预留出接地孔,预留孔的大小应比敷设接地干线的厚度、宽度各大6 mm以上。当支架安装完毕且达到一定强度后,可敷设墙上的接地线。敷设时接地干线连接处应焊接牢固,末端预留或连接应符合设计要求,同时应满足施工规范的要求,明敷设的接地线表面应涂 15～100 mm 宽度相等的绿色漆和黄色漆相间的条纹。

4.避雷针的制作与安装监理

避雷针制作与安装形式较多,不管形式如何变化,监理工程师应严格把握以下几点:

(1)所有的金属部件必须镀锌,操作时注意保护镀锌层。

(2)采用镀锌钢管制作针实,管壁厚度不得小于 3 mm,针实刷漆长度不得小于 70 mm。

(3)多节避雷针各节尺寸应符合表 10-10 的要求。

表 10-10　多节避雷针各节尺寸要求　　　（单位:mm）

项　　目	针全高(mm)				
	1 000	2 000	3 000	4 000	5 000
上节	1 000	2 000	1 500	1 000	1 500
中节			1 500	1 500	1 500
下节				1 500	2 000

(4)焊接应符合有关规范要求,并做防腐处理。

(5)避雷针应安装牢固,垂直度控制在 3/1 000 以内。

(6)避雷针应按设计要求制作,一般采用钢管、圆钢制作。材料选择要求如下:

①独立避雷针一般采用直径为 19 mm 的镀锌圆钢。

②屋顶上的避雷针一般采用直径为 25 mm 的镀锌钢管。

③烟囱、水塔顶部避雷针采用直径为 25 mm 或 40 mm 的镀锌钢管。

④避雷环用直径 12 mm 的镀锌圆钢或截面为 100 mm^2 的镀锌扁钢,其厚度为 4 mm。

5.避雷引下线敷设监理

避雷引下线敷设分为暗敷设和明敷设两种形式。对于暗敷,监理工程师应注意根据图纸设计要求确定其位置;引下线焊接应作为钢筋绑扎的紧后工序,浇筑混凝的紧前工序,防止引下线钢筋漏焊。

对于暗敷引下线的施工,应注意以下几点:

(1)引下线扁钢截面不得小于 100 mm²;圆钢直径不得小于 12 mm。

(2)引下线必须在距地面 1.7 m 左右,做断接卡子或测试点(一条引线者除外)。断接卡子所用螺栓的直径不得小于 12 mm。

(3)利用主筋作暗敷引下线时,每条引下线不得少于 2 根主筋。

(4)现浇混凝土内敷设引下线不做防腐处理。焊接应符合有关焊接要求。焊接长度不应小于 100 mm。

(5)建筑物的金属构件(如消防梯、烟囱的铁爬梯等)可用作引下线,但所有金属构件之间均应连成电气通路。

(6)利用混凝土柱内钢筋作为引下线时,必须将焊接的地线连接到首层、配电盘处,并连接到接地端子上,可在地线端子上测量接地电阻。

(7)每栋建筑物至少有两根引下线(投影面积 50 m² 除外)。避雷引下线要均匀、对称布置,且间距不应大于:一类建筑 12 m,二类建筑 18 m,三类建筑 25 m。

对于明敷设,除应满足本章前述的有关要求外,监理工程师还应注意以下几点:

(1)引下线应沿建筑的外墙敷设。引下线垂直允许偏差为 2/1 000。引下线的敷设路径应尽可能短而直,弯曲时弯曲开口处的距离应大于弯曲长度的 0.1 倍。弯曲处不应小于 90°,并不得弯成死角。

(2)引下线使用材料应符合设计要求,无设计要求应满足下列规定:镀锌扁钢截面不得小于 48 mm²,镀锌圆钢直径不得小于 8

mm。

(3)接地线地面以上段,套上保护管,用卡固定并刷红、白油漆。

6.避雷网安装监理

对于避雷网安装,监理工程师应注意以下几点:

(1)避雷线明敷时应平直、牢固、美观,平直度每2 m检查段允许偏差3/1 000,全长不得超过10 mm。

(2)避雷线弯曲不得小于90°。弯曲半径不得小于圆钢直径的10倍。

(3)避雷线所用材料应符合设计要求,同时应符合下列规定:

①扁钢截面不小于48 mm²。

②圆钢直径不得小于8 mm。

③遇有变形缝时应做煨管补偿器。

7.高层建筑避雷带的安装监理

对于高层建筑还需设计安装避雷带(或避雷环),监理工程师对避雷带施工应注意以下几点:

(1)避雷带可以暗敷设在建筑物表面的抹灰层内,或直接利用结构钢筋,暗敷的避雷网或楼板的钢筋,利用结构里的主筋或腰筋同柱筋引下线焊成一整体。

(2)避雷带(避雷线)一般采用的圆钢直径不小于6 mm,扁钢截面不小于24 mm ×4 mm。

(3)建筑物高于30 m以上的部位,每隔3层沿建筑物四周敷设一道避雷带,并与各根引下线相焊接。

三、检查与验收

待避雷装置、接地系统安装施工完毕,承包商应提交《工程质量报验单》及工程质量记录,附件如下:

(1)镀锌扁钢或圆钢材质证明及产品出厂合格证。

(2) 防雷及接地施工预检、自检、隐检记录,接地电阻测试记录。

(3)设计变更、施工竣工图。

(4)防雷接地分项工程质量检验评定记录,监理工程师按照《避雷针(网)及接地装置安装工程》质量检验评定标准进行检验,验收合格后签署《工程质量认可证书》。

第七节　电气照明工程安装

一、材料质量控制

(1)各种材料、设备均需提供样品,经监理工程师同意后方可进货。

(2)凡所使用的阻燃型 PVC 塑料管,其材质均应具有阻燃、耐冲击性能,并应有检验报告单和产品出厂合格证。

(3)阻燃型塑料管,其外壁应有间距不大于 1 m 的连续阻燃标记和制造厂厂 标。管里外应光滑,无凸棱、凹陷、针孔、气泡。

(4)塑料阻燃型可挠(波纹)管及其附件必须由阻燃处理的材料制成,其管外壁应有间距不大于 1 m 的连续阻燃标记和制造厂标,并有产品合格证。

(5)所用阻燃型塑料管附件及阻燃型塑料制品,如各种灯头盒、开关盒、接线盒、插座盒、管箍等,必须使用配套的阻燃型塑料制品。

(6)粘合剂必须使用与阻燃型塑料管配套的产品,粘合剂必须在使用限期内使用。

(7)所有的电气设备和器材到达现场后应作验收和检查,工程师可任意抽样并在指定或认可的试验单位进行试验。

(8)配电箱。一般使用的成套配电箱,应有防腐措施。成套配电箱应为认证合格厂家的产品,产品应有合格证。

(9)镀锌钢管(或电线管)壁厚均匀,焊缝均匀,无劈裂、砂眼、棱刺和凹扁现象。除镀锌管外,其他管材需预先除锈、刷防腐漆(埋入现浇混凝土时,可不刷防腐漆,但应除锈)。镀锌管或刷过防腐漆的钢管外表层完整,无剥落现象,应具有产品材质单和合格证。

(10)锁紧螺母(根母)外形完好无损,丝扣清晰,并有产品合格证。

(11)铁制灯头盒、开关盒、接线盒等,金属板厚度应不小于1.2 mm,镀锌层无剥落,无变形开焊,敲落孔完整无缺,面板与地线焊接脚齐全,并有产品合格证。

(12)绝缘导线:导线的型号、规格必须符合设计要求,并有产品出厂合格证。

(13)各型灯具:灯具的型号、规格必须符合设计要求和国家标准的规定。灯内配线严禁外露,灯具配件齐全,无机械损伤、变形、油漆剥落、灯罩破裂、灯箱歪翘等现象。所有灯具应有产品合格证。

(14)灯具导线:照明灯具使用的导线,其电压等级不应低于交流 500 V,其最小线芯截面应符合表 10-11 的要求。

表 10-11   线芯最小允许截面

安装场所及用途		线芯最小截面(mm^2)		
		铜芯软线	铜线	铝线
照明用灯头线	民用建筑室内	0.4	0.5	2.5
	工业建筑室外	0.5	0.8	2.5
	室外	1.0	1.0	2.5
移动式用电设备	生活用	0.4		
	生产用	1.0		

(15)吊扇:其型号、规格必须符合设计要求,扇叶不得有变形现象,有吊杆时应考虑吊杆长短、平直度问题,并有产品合格证。

二、电气照明工程工序控制

(一)PVC管暗敷设及穿线工艺流程
PVC管暗敷设及穿线工艺流程见图10-6。

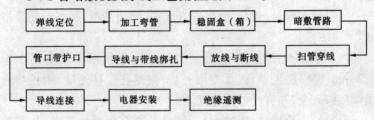

图10-6 PVC管暗敷设及穿线工艺流程

(二)监理工程师工作要点

1.稳固盒(箱)施工质量控制

在稳固盒(箱)施工中,监理工程师应检查盒(箱)固定是否平正牢固、灰浆饱满、收口平整,纵坐标准确,符合设计图纸和施工验收规范。稳固盒(箱)应按设计要求进行稳固,无设计要求应按下列方法进行稳固。

1)砖墙稳固盒(箱)

按土建弹出的水平基线,按照设计要求,找出盒(箱)的准确位置,然后剔洞孔,洞口应比盒(箱)略大一些。安装盒(箱)之前把洞口清理干净,浇水湿润,按照管路走向敲掉盒子的敲落孔。再用高标号水泥砂浆填入洞内,将盒(箱)固定端正,待水泥砂浆凝固后,再接短管入盒(箱)。无暗敷预埋管时,应先剔槽,开槽宽度与深度以大于管外径为宜。剔槽后应先埋盒(箱),再接管,管路每隔1 m左右加以固定。

2)组合钢模板、大模板混凝土墙稳固盒(箱)

(1)根据设计图纸要求,精确计算盒(箱)在模板上的位置,在模板上打孔,用螺丝将盒(箱)固定在模板上;拆模板前应先去掉螺丝,避免对盒(箱)的损坏。

(2)利用穿筋盒,直接固定在钢筋网上,并根据墙体厚度,使盒(箱)口与墙体平面平齐。

(3)预留盒(箱)孔洞,采取先下盒(箱)套,待拆除模板后,拆除盒(箱)套,同时埋盒(箱)。

3)顶板稳固盒(箱)

(1)加气混凝土板、圆孔板埋灯头盒。根据设计图纸标注出灯的位置,先打孔,然后由下向上剔洞,洞口下小上大。洞口大小比盒(箱)口略大于 1~2 cm,将盒子配上相应的固定物放入洞中,并固定好吊板,待配管后用高标号水泥砂浆填塞牢固。

(2)现浇混凝土楼板等,需要安装的吊扇、花灯或吊装灯具超过 3 kg 时,应预埋吊钩或螺栓,其吊挂力应保证承载要求和安全。

2.敷管施工质量控制

监理工程师应检查承包商的管路暗敷连接是否符合设计要求,暗敷无设计要求时应按下面要求。

1)采用 PVC 直管时

(1)砌筑墙体内敷设:

应与砌体配合施工,距稳固盒(箱)300 mm 左右处,将预留管子置于预留槽内,管端头用其他材料堵好,待稳固盒(箱)固定后再连接。

(2)在现浇混凝土墙中,管路暗敷设时,管路应敷设在两层钢筋中间,管进盒(箱)时应煨成灯叉弯,管路每隔 1 m 处用镀锌铁丝绑牢,弯曲部位按要求固定。向墙外引管可使用"管帽"预留管口,待拆模后取出"管帽"再接管。

(3)现浇混凝土楼板管路暗敷设:

根据建筑物内房间四周墙的厚度,弹十字线确定灯头盒的位置,将端接头、内锁母固定在盒子的管孔上,使用顶帽护口堵好管口,并堵好盒口;将固定好的盒子,用螺丝或短钢筋固定在底筋上,跟着混凝土浇筑敷管。管路应敷设在弓筋的下面、底筋的上面,管路每隔 1 m 用镀锌铁丝绑扎牢。

(4)预制薄型混凝土板管路暗敷设:

确定好灯头盒位置,先用电锤在板上面打孔,然后在板下面扩孔,孔大小应比盒子外口略大一些。利用高桩盒上安装好的卡铁(桥杆)、内锁母把管固定在盒孔处,并用高标号水泥砂浆埋好,然后敷设管路。管路保护层应不小于 80 mm。

(5)预制圆孔板内管路暗敷设:

在吊装圆孔板时,电工应找好灯位,打灯位盒孔,接着敷设管路。管子可以从圆孔板孔内一端穿入至灯头盒处,将管固定在灯头盒上,然后将盒子用卡铁放好位置,同时用水泥砂浆固定好盒子。

(6)灰土层内管路暗敷设:

灰土层夯实后挖管路槽,接着敷设管路,然后在管路上面用混凝土砂浆埋护,厚度不宜小于 80 mm。

2)采用 PVC 波纹管时

(1)砌筑墙体内敷设:

①应根据设计图纸,砌墙时应将波纹管敷设在墙中。向上引管,应堵好管口,并用临时支杆(钢筋等)将管沿敷设方向挑起。为使盒(箱)平正,标高准确,可将管子敷设至盒(箱)边 100 mm 处,待墙体砌筑到位,再稳埋盒(箱),与管连接。

稳固盒(箱)时,用线坠或水平尺找正,根据基线挂线找平,并考虑抹灰厚度,使盒(箱)口与抹灰后的墙面平齐。

②剔槽敷设的管段,只允许竖向剔槽,严禁剔横槽,影响墙体强度。槽口宽以比管外径大 5 mm 为宜。敷管时,每隔 0.5 m 左右用铁钉、细铁丝将管子固定好,然后必须用强度不小于 M10 的水泥砂浆抹面保护,厚度不应小于 15 mm。

(2)预制楼板上敷设：

①预制圆孔板上灯位打孔，应找好圆孔位置由下往上打；叠合板或预应力板的灯位打孔，可先用电锤在板上面打孔，然后在板下面扩孔。孔大小均比灯头盒略大。

灯头盒安装好卡铁或桥杆(叠合板或预应力板宜使用高桩灯头盒)，在板下装设托板后，用强度不小于 M10 的水泥砂浆稳埋。

②待水泥砂浆凝固后敷管。

(3)现浇混凝土墙内敷设：

①现浇混凝土墙内的盒(箱)可先安装好卡铁，将卡铁焊在该墙的竖向钢筋上，也可在钢模板上钻孔，用木螺丝将盒(箱)固定在模板上，待混凝土浇注后，及时拆下木螺丝。

为使盒(箱)标高准确、保证控制盒(箱)凹进墙面深度，也可采用稳埋盒(箱)的做法。即用简易木盒或套盒代替原盒(箱)预埋在墙内，待拆模后，拆下木盒(箱)或套盒，再稳埋盒(箱)，与管路连接。

②管路应敷设在两层钢筋中间。垂直方向的管子宜沿同侧竖向钢筋敷设；水平方向的管子宜沿同侧横向钢筋敷设(注意减小混凝土浇注时对管子的冲击)。

管入盒(箱)后，应堵好管口，并堵好盒子口。管路每隔 0.3 m 左右、距盒(箱)0.15～0.20 m 以内均应用细铁丝或尼龙扎带牢固绑扎定位。

(4)现浇混凝土楼板内敷设：

①现浇混凝土楼板内的盒子可先安装好卡铁或桥杆，或者使用穿筋盒，将卡铁或桥杆焊在钢筋上。也可在钢模板上钻孔，用木螺丝将盒子直接固定在模板上，待混凝土浇注后，及时拆下木螺丝。如为木模板时，可用钉子、细铁丝将盒子绑扎固定在模板上。

②管路应敷设在两层钢筋中间，宜依附底筋敷设。管入盒后，应堵好管口，并堵好盒子口。管路每隔 0.3 m 左右、距离盒子0.15

~0.20 m以内,均应用细铁丝或尼龙扎带绑扎固定牢固。引向隔墙的预留管不宜过长,并应堵好管口。向上引管可用钢筋挑起;向下引管可在浇注混凝土时预留与隔墙呈垂直方向的豁洞(约1 000 mm×50 mm),或预埋套管,拆模后,将管引下。砌隔墙时,再把引下管引至盒(箱)。如有日光灯具,应预埋木砖,如有吊扇、花灯等应预埋吊钩或螺栓。

3)采用钢管敷设

(1)砌筑墙体内敷设:

砖墙、加气混凝土块墙、空心砖墙配合砌墙立管时,钢管最好放在墙中心,管口向上者要堵好。为使盒子平整,标高准确,可将管先立偏高200 mm左右,然后将盒子稳好,再接短管。短管入盒(箱)端可不套丝,可用跨接线焊接固定,管口与盒(箱)里口平。往上引管有吊顶时,管上端应煨成90°弯直进吊顶内。由顶板向下引管不宜过长,以达到开关盒上口为准。等砌好隔墙,先稳埋盒后接短管。

(2)现浇混凝土墙内敷设:

可将盒(箱)焊在该墙的钢筋上,接着敷管。每隔1 m左右,用铅丝绑扎牢。管进盒(箱)要煨灯叉弯。往上引管不宜过长,以能煨弯为准。

(3)现浇混凝土楼板内敷设:

先找灯位,根据房间四周墙的厚度,弹出十字线,将堵好的盒子固定牢,然后敷管。有两个以上盒子时,要拉直线。如为吸顶灯或日光灯,应预下木砖。管进盒(箱)长度要适宜。管路每隔1 m左右用铅丝绑扎牢。如有吊扇、花灯或超过3 kg的灯具应焊好吊杆。

3. 穿线质量控制

(1)监理工程师应检查穿入各暗设管内的导线型号、规格是否符合设计要求,有无产品出厂合格证。

(2)监理工程师应检查放线后导线的预留长是否符合设计及施工规范,避免不应有的接头。无设计要求按下列规定:

①接线盒、开关盒、插座盒及灯头盒等的预留长度为 150 mm。

②出户导线的预留长度为 1.5 m。

③公用导线分支处,可不剪断导线直接穿过。

④导线在变形缝处,补偿装置应活动自如。

(3)监理工程师应检查承包商是否按设计要求进行穿线,同时应符合不同回路、不同电压和交流与直流导线,不得穿入同一管内的要求。

(4)监理工程师应检查导线的连接是否符合规范要求。

4.其他质量控制

监理工程师应对灯具、吊扇、开关、插座、表盘等电器具进行检查,型号、规格是否符合设计要求,有无破损,是否假冒伪劣产品。

三、检查与验收

(1)待照明工程安装完毕,承包商应提交《工程质量报验单》及有关建筑技术资料,附件如下:

①各种绝缘导线、灯具、吊扇、开关、插座、配电板、户表板等电气产品出厂合格证。

②绝缘导线敷设预检、自检、互检记录。

③灯具、吊扇安装工程预检、自检、互检记录。

④开关、插座预检、自检、互检记录。

⑤配电板及户表板预检、自检、互检记录。

⑥设计变更记录、竣工图。

⑦各分项工程质量检验评定表。

(2)根据《工程质量报验单》及附件,检查导线及相关的照明器具安装是否符合设计要求及有关技术规范,按照《质量检验评定标

准》进行验收,不符合的立即纠正,检查无误后进行绝缘摇测。一般照明绝缘线路绝缘摇测有以下两种情况:

①电气器具未安装前进行线路绝缘摇测时,首先将灯头盒内导线分开,开关盒内导线连通。摇测应将干线和支线分开,摇动速度应保持在 120 r/min 左右,读数应采用 1 min 后的读数。

②电气器具全部安装完在送电前进行摇测时,应先将线路上的开关、刀闸、仪表、设备等用电开关全部置于断开位置,摇测方法同上所述。

经绝缘摇测确认无误后,进行通电试运行,待试运行合格后,监理工程师签署《工程质量认可证书》。

参 考 文 献

1 欧震修.建筑工程施工监理手册.北京:中国建筑工业出版社,1995

2 番全祥.施工现场十大员技术管理手册——试验员.北京:中国建筑工业
  出版社,1998

3 中国建筑工业出版社编.现行建筑工程施工大会.北京:中国建筑工业出
  版社,1994

4 《建筑施工手册》编写组.建筑施工手册.北京:中国建筑工业出版社,1984